BIBLIOTHÈQUE DU VOYAGEUR

LE GRAND GUIDE DU SUD-OUEST AMERICAIN

Traduit de l'anglais par Dominique Saran
Sara Oudin et Pascale de Barolet

GALLIMARD

Aucun guide de voyage n'est parfait. Des
erreurs, des coquilles se sont certainement
glissées dans celui-ci, malgré toutes nos
vérifications. Les informations pratiques,
adresses, numéros de téléphone, heures
d'ouverture, peuvent avoir été modifiés ;
certains établissements cités peuvent avoir
disparu. Nous serions très reconnaissants à
nos lecteurs de nous faire part de leurs
commentaires, de nous suggérer des
corrections ou des compléments qui
pourront être intégrés dans la prochaine
édition.

Insight Guides, American Southwest
© Apa Publications (HK) Ltd, 1988,
© Éditions Gallimard, 1989, pour la traduction française.

1er dépôt légal : septembre 1989
Dépôt légal : février 1996
N° d'édition : 75972
ISBN 2-07-071635-X
Imprimé à Singapour

CEUX QUI
ONT FAIT CE GUIDE

Le *Grand Guide du Sud-Ouest américain* est le cinquième guide de la Bibliothèque du Voyageur consacré au continent nord-américain. Le responsable éditorial de cet ouvrage, **John Anderson**, avait précédemment dirigé les *Grands Guides de la Birmanie, du Népal, de la Californie* et de *la Nouvelle-Angleterre*.

Virginia Hopkins, diplômée de l'université Yale, dans le Connecticut, et résidant actuellement à Aspen, dans le Colorado, a pris en charge la coordination des équipes rédactionnelle et photographique. Elle a passé des mois sur les routes à rassembler l'ensemble des informations. Son métier d'éditeur d'*Aspen Magazine* et de rédactrice dans des publications aussi variées que *Life* et *Outside* l'a aidée dans cette charge délicate.

Tony Hillerman, qui enseigne le journalisme à l'université du Nouveau-Mexique, à Albuquerque, a donné le ton général du livre avec à son texte d'introduction. Il retient également toute l'attention du lecteur dans le chapitre « Au cœur des terres indiennes ».

Rédacteur au *New York Times*, à *Poetry*, à *Aspen Magazine* et à *Yale Review*, **Bruce Berger** est la personne qui a le plus écrit pour ce guide. On lui doit les chapitres : « La génèse d'une grande région », « L'ère moderne », « Les Anglos », « Phoenix et ses environs » et « Le centre de l'Arizona ». Sa connaissance et son amour du Sud-Ouest américain sont grands puisqu'il a déjà publié deux ouvrages sur le sujet : *There Was a River* (1979) et *Hangin'On : Gordon Snidow Portrays the Cowboy Heritage* (1980).

Buddy Mays vit dans une petite ville du Nouveau-Mexique. Il a collaboré à la rédaction des chapitres « Les Indiens de la préhistoire » et « Les grands espaces ». Directeur d'une agence photographique, il a fourni bon nombre des clichés au présent volume.

Stan Steiner a écrit les chapitres « Explorations espagnoles » et « L'arrivée des Anglos ». Il a déjà publié de nombreux articles et livres sur le Sud-Ouest (*The New Indians, La Raza, The Vanishing White Man, The Ranchers*).

Richard Erdoes a collaboré aux titres « A l'aube du XXe siècle », « Les Hispanos » et « Les Navajos ». A ses qualités d'écrivain et de documentaliste s'ajoute un immense talent de photographe.

Leslie Marmon Silko, Indienne pueblo, a grandi dans la réserve de la Lagune dans le Nouveau-Mexique et a écrit deux romans sur le Sud-Ouest : *Ceremony* et *Storyteller*. Elle a collaboré dans ce guide aux chapitres « Les Indiens » et « Les Hispanos ».

Romancier de talent, **Rudolfo Anaya** a reçu plusieurs récompenses, dont le Prix littéraire national pour son premier roman *Bless Me, Ultima*, paru en 1971. On doit à ce spécialiste de la culture hispanique dans le Sud-Ouest américain l'essentiel du chapitre « Les Hispanos ».

Les informations concernant la peinture et la sculpture dans le chapitre « Les Anglos » ont été rassemblées par **Patricia Broder**. Plusieurs de ses livres ont été primés, comme *Bronze of American West* et *Taos : A Painter's Dream*.

Hopkins

Hillerman

Berger

Mays

Steiner

Randy Udall a rédigé « Le Grand Canyon » et « Le sud de l'Utah, le paradis des randonneurs ». Ce passionné de randonnée, de rafting et d'excursion en voiture tout terrain connaît parfaitement cette région pour l'avoir parcourue en tous sens.

Ruth Armstrong a écrit le chapitre « Une incursion dans le pays des Pueblos », qui porte la marque d'une longue expérience de journaliste dans la région. Elle a publié des articles dans de nombreux journaux tels le *Reader'Digest* et *Travel and Leisure*.

Suzi Barnes, photographe indépendante, s'est vu confier l'encart sur les constructions en adobe. On lui doit également quelques photographies.

Tom Miller est l'auteur du chapitre « Tuscon et le comté limitrophe ». Son récent ouvrage *On the Border* a remporté le premier prix littéraire du magazine *Swank*.

Barbara Chulick écrit pour les journaux de Las Vegas, parmi lesquels *The Nevada* (le supplément du dimanche de *Las Vegas Review/Journal*) et *Las Vegas Magazine*. Elle a collaboré au chapitre « Las Vegas, une ville de néons ».

Alison Sekaquaptewa a rédigé le chapitre « Les Hopis », et celui consacré aux Apaches est l'œuvre du président du San Carlos Apache, **Ned Anderson**.

Poétesse papago et professeur de langues à l'université d'Arizona de Tuscon, **Ofelia Zepeda** est l'auteur des chapitres sur sa tribu et celle des Pimas.

Éditeur et journaliste, **Nancy Kurtz** a réuni l'ensemble des informations pratiques, excepté la partie « Pour les gourmets », traitée par Ronald Johnson, auteur de *The Afficionado's Southwestern Cooking*.

Plusieurs photographes méritent une mention spéciale. **Mireille Vautier**, directrice de l'agence parisienne Vautier de Nanxe, a parcouru en 1982 l'ensemble du Sud-Ouest avec son équipe de photographes. **Terrence Moore**, photographe au *News-Week* et *New York Times*, ainsi que **Kathleen Cook** et **Allan Morgan,** photographes à Tuscon, ont également illustré ce guide.

D'autres photographes de valeur ont collaboré au guide : **Donald Young, Karl Kernberger, Ronnie Pinsler, Joseph Viesti, Lee Marmon, Allen Grazer, David Ryan, Sam Curtis, Tom Tidball, Harvey Caplin, Ricardo Ferro, Maxime Lundberg** et l'agence **Dick Kent Photography**.

Les éditions APA tiennent à remercier Dick Shelton, Bret Lundberg, Buzz et Linda Poverman, Fred et Mary Raje, le *Nevada Magazine* et le *Nevada Department of Economic Development*.

Silko

Armstrong

Miller

Chulick

Kurtz

TABLE

TABLE

TABLE

TABLE

CARTES

HISTOIRE ET SOCIÉTÉ

Les cartographes ont tendance à délimiter le sud-ouest des États-Unis selon le tracé des frontières des États. Mais ceux qui y vivent ont un tout autre critère. A leurs yeux, le Sud-Ouest commence véritablement là où le paysage s'élève pour échapper à cette immense masse d'air humide qui couvre les régions centrales de l'Amérique, ce grenier à céréales de la moitié du monde, et s'achève le long de cette ligne imprécise où le froid hivernal triomphe du soleil, et où vallées et hautes plaines disparaissent sous la neige. Enfin, critère suprême, si vous apercevez à l'horizon l'apaisant profil bleuté des montagnes, alors, oui, vous êtes dans le Sud-Ouest, c'est-à-dire dans l'Arizona, le Nouveau-Mexique, le sud du Colorado, ou le sud de l'Utah.

Le Sud-Ouest est un immense haut plateau aride, fragmenté par la partie méridionale des montagnes Rocheuses. Les précipitations annuelles varient radicalement avec l'altitude. Ainsi, la ville d'Albuquerque (Nouveau-Mexique), située à 1 585 m au-dessus du niveau de la mer, enregistre péniblement 200 mm de pluie par an, alors que la crête de la Sandia Mountain, 1 500 m plus haut, mais à 24 km seulement, reçoit plus du triple de précipitations. Les quelques minutes nécessaires pour se rendre par le tramway du centre d'Albuquerque, au bord du Rio Grande, en haut des pistes de ski de Sandia Peak vous font traverser cinq milieux écologiques différents.

L'altitude et la sécheresse ont un effet combiné des plus agréables. Dans l'atmosphère, l'air perd $1/30^e$ de sa densité tous les 270 mètres. Par conséquent, les habitants de Flagstaff (Arizona) ou de Santa Fe (Nouveau-Mexique), villes situées à plus de 2 100 m d'altitude, respirent un air qui est non seulement dépourvu d'humidité, mais qui a en outre perdu environ un quart de son poids en oxygène et en gaz carbonique. L'air est très transparent et fait paraître les objets éloignés incroyablement proches.

Colonisé par les Espagnols, le Sud-Ouest fut jadis la possession la plus reculée de l'immense empire du roi Charles II. Mais nous sommes ici au cœur des territoires des Indiens d'Amérique. Bien qu'on ait souvent parlé de melting-pot à propos des États-Unis, le terme ne saurait s'appliquer au Sud-Ouest. Les terres arides et inhospitalières découragèrent la première vague des envahisseurs – des hommes tels Cortés et Pizarro qui pillèrent le Mexique des Aztèques et le Pérou des Incas, ou les Anglais, qui firent disparaître toutes traces d'Indiens du littoral oriental.

Les Espagnols qui s'établirent dans le Sud-Ouest étaient des hommes plus tempérés qui respectaient la décision papale de reconnaître une âme aux Indiens. D'autre part, ils étaient soucieux d'obéir à la résolution du roi de les traiter humainement. La culture très élaborée des Indiens pueblos a survécu dans les villages en adobe vieux de plusieurs siècles, disséminés le long du Rio Grande et dans le paysage de *mesas* qui s'étend vers l'ouest. La plus importante tribu d'Amérique, celle des Navajos, compte aujourd'hui 150 000 Indiens vivant dans une réserve de 5,7 millions d'hectares, au cœur même du Sud-Ouest, en Arizona, au Nouvau-Mexique et dans l'Utah, soit un territoire plus vaste que la Nouvelle Angleterre. Ces Amérindiens donnent au sud-ouest des États-Unis son caractère unique. C'est une région de sanctuaires et de montagnes sacrées.

Lorsqu'on contemple l'immense cuvette qui s'étale en dessous des pentes des Chuska Mountains, le regard embrasse une contrée sauvage de pierres brûlées par le soleil : le caliche gris, l'argile rouge érodée par le vent, les énormes affleurements de schiste bleuâtre, les salants craquelés où la boue formée par les pluies diluviennes de l'été est aussi amère que l'alun. Tout, dans ce paysage désolé, est usé, érodé, déchiqueté. Les cactus eux-mêmes n'y survivent pas, et les lézards chercheraient en vain un insecte pour se nourrir. Les cartographes blancs baptiseraient cet endroit « Cuvette de la désolation » mais les Navajos l'appellent la « *vallée merveilleuse* ».

Pages précédentes: les traits burinés de cette vieille indienne témoigne de l'âpreté de la vie dans le désert du Sud-Ouest; l'automne dans les montagnes; cactus en fleurs (Carnegiea gigantea) à Tuscon Mountain Park. A gauche: après une tempête de neige dans le Grand Canyon.

LA GENÈSE D'UNE GRANDE RÉGION

Les forces qui ont façonné la géologie du Sud-Ouest se sont plu à la laisser nue. La région est située à la latitude des immenses déserts du globe, là ou les masses d'air poussées vers le ciel par la chaleur équatoriale, et délestées de leurs pluies tropicales, redescendent sous forme de vents secs. Les vents tempétueux du Pacifique déferlent dans les sierras et les chaînes de la Basse-Californie, puis, prenant de l'altitude, se refroidissent, déversent pluies et neiges sur les montagnes avant de souffler un air sec sur les bassins intérieurs. L'absence de couverture végétale qui en résulte accélère l'érosion. Canyons, escarpements et mesas crevassés constituent les paysages typiques, et rendent aisée aux géologues la lecture des archives de la terre.

Sur les quelques quatre milliards et demi d'années que compte notre globe, seuls les cinq cents derniers millions ont livré leurs secrets. Les roches métamorphiques foncées de la gorge intérieure du Grand Canyon datent de l'époque précambrienne et proviennent de sédiments et de roches ignées déposés il y a deux milliards d'années près des bords d'un grand continent. Il y a environ 1,7 milliard d'années, à la suite de la collision de plaques continentales, un soulèvement donna naissance à de hautes montagnes ; les strates se réchauffèrent, se déformèrent et se métamorphosèrent en gneiss et en schiste. Un magma granitique s'infiltra dans les crevasses, marbrant la roche. Par la suite, l'océan venu de l'ouest nivela les montagnes et d'épaisses couches de grès, de calcaire et de schiste argileux se formèrent.

La région subit peu de changements durant l'ère paléozoïque qui débuta il y a 570 millions d'années. Le Sud-Ouest baignait dans des mers peu profondes qui se retirèrent graduellement puis réapparurent, de sorte que les sédiments marins alternèrent avec les dépôts des deltas et des dunes.

Le mésozoïque qui commença il y a quelque 200 millions d'années inaugura une époque de bouleversements et de transformations. Les montagnes qui se dressent aujourd'hui à l'est de l'Arizona et à l'ouest du Nouveau-Mexique datent de cette période, tout comme l'immense sierra Nevada et ses déserts arides. Les dunes et les rivières laissèrent des couches de grès et de schiste argileux et, sous l'action de l'érosion,

des formations rocheuses spectaculaires et fantasmagoriques se dessinèrent, tels les Arches, Canyonlands, Capitol Reef, Zion, au sud de l'Utah, ou Mesa Verde au sud-ouest du Colorado. L'activité volcanique de la période mésozoïque créa les formations désertiques aux couleurs contrastées de l'Arizona du Nord. Vers la fin du mésozoïque, l'Amérique du Nord se détacha de l'Europe, entra en collision avec la plaque du Pacifique, inaugurant un vaste chantier à l'échelle des montagnes qui dura 25 millions d'années (phase laramide). Les montagnes d'Arizona et les Rocheuses (Rocky Mountains) datent de cette époque volcanique très active. Des minéraux magmatiques s'infiltrèrent dans les crevasses et y déposèrent du cuivre, dont les gisements sont encore exploités aujourd'hui dans l'Utah et l'Arizona.

Les soulèvements se poursuivirent durant le cénozoïque, il y a 65 millions d'années. Ainsi s'érigea le plateau du Colorado, immense table ovale qui ceinture le sud de l'Utah, le nord de l'Arizona, le nord-ouest du Nouveau-Mexique et le sud-ouest du Colorado.

Le Colorado se fraya un chemin dans le plateau, à mesure que celui-ci se constituait, permettant aux géologues de mieux comprendre sa formation. En dépit de tous les bouleversements tectoniques, le Grand Canyon présente des strates horizontales régulières. La croûte au-dessous du plateau du Colorado doit être particulièrement épaisse.

Si nombre de strates se sont dégradées – effaçant presque l'ère mésozoïque et celle du cénozoïque – la solidité des sols confère à l'immensité du Grand Canyon une étrange impression de paix.

L'ère cénozoïque sépara le plateau du Colorado de l'autre grande formation contemporaine du Sud-Ouest : le Grand Bassin et ses chaînes de montagnes. Commençant plus au nord, au centre de l'Oregon et dans le sud-ouest de l'Idaho, il s'étend au Nevada, à l'ouest de l'Utah, contourne le plateau du Colorado, incorpore le sud de l'Arizona et le sud-ouest du Nouveau-Mexique, avant de pénétrer au Mexique. Les chaînes constituées de blocs faillés, qui alternent avec des vallées longues et étroites, proviennent de la lente dislocation des plaques tectoniques. A mesure que la terre s'élargissait, le soubassement se fractionnait le long des failles. Les gros blocs de pierre basculèrent dans le magma relativement peu profond, créant des chaînes pentues d'un côté et présentant des escarpements de faille spectaculaires de l'autre. Dans le même temps, les vallées s'affaissèrent dans les brèches ouvertes. Certaines chaînes doivent en réalité leurs dimensions élevées à l'effondrement de ces vallées.

Avec la reprise de l'activité volcanique, de violentes éruptions engendrèrent dans le sud de l'Arizona des chaînes telles que les Superstitions ou les Kofa Mountains. Ce volcanisme s'étendit au plateau du Colorado, comme en témoignent les hauts volcans des San Francisco Peaks et diverses chaînes de montagne : Henrys, Abajos, La Sals, Navajo Mountain au sud de l'Utah... Toutes ces montagnes sont des laccolithes, c'est-à-dire qu'elles ont été formées par du magma qui n'a pu crever la surface de la terre.

En pénétrant dans les crevasses et les tissures, l'eau gèle et se dilate, désagrégeant la roche en la ciselant. En s'écoulant de la paroi d'un canyon, là où une couche tendre perméable recouvre une couche dure, elle creusera des cavernes dont l'entrée prendra la forme d'une arche. Dans le sud-est de l'Utah, le Colorado a créé un labyrinthe de canyons hauts et étroits à travers le grès du mésozoïque ; certaines gorges ne sont pas plus larges que le corps humain et continuent à se creuser de plusieurs dizaines de mètres. La fonte des neiges déverse annuellement des sédiments dans le fond des canyons.

La couleur fait partie de ces éléments sans lesquels le Sud-Ouest n'aurait pas autant d'em-

Ainsi, les bouleversements du cénozoïque sont essentiellement responsables du paysage du Sud-Ouest actuel, même si les matériaux proviennent d'époques antérieures. Mais le panorama doit plus encore au lent travail artistique de l'érosion. Si le vent, le sable, les mouvements sismiques et les racines des plantes concourent à la dégradation des pierres, le facteur principal est l'eau.

Pages précédentes, Bryce Canyon National Park ; végétation de cactus à Saguaro National Monument ; floraison jaune aux abords de Flagstaff (Arizona). Ci-dessus, crapaud cornu à Gila River Valley.

prise sur l'imagination des hommes. Curieusement, le fer en est le maître d'œuvre principal. Naturellement présent dans les matériaux volcaniques, il s'infiltre graduellement dans les couches sédimentaires. C'est son oxydation qui crée les nuances de rouge, mais lorsque la roche à laquelle il s'est incorporé se trouve dans un environnement privé d'oxygène ou qui en comporte très peu, le fer engendre parfois des tons bleus et verts que l'on pourrait attribuer à la présence de cuivre ou de cobalt.

Les roches du Sud-Ouest viennent du fond des âges ; et lorsque vous contemplerez ces paysages rougeoyants, sachez que vous parcourrez du regard l'histoire de la création.

LES INDIENS DE LA PRÉHISTOIRE

La plupart des archéologues pensent que l'*Homo sapiens* émigra de l'Asie vers l'Amérique du Nord à la fin du Pléistocène, c'est-à-dire à l'époque glaciaire. Durant cette période, près d'un sixième de la surface terrestre était recouvert de glace, ce qui permit aux premiers hommes de gagner l'Amérique du Nord. Tandis que se formaient d'énormes glaciers, les océans reculaient. Dans certaines régions le niveau des mers baissa de 90 m, découvrant des fonds marins longtemps immergés. C'est en empruntant l'une de ces nouvelles bandes de terre – une langue rocheuse de 90 km entre le nord-est de la Sibérie et le nord-ouest de l'Alaska – que les premiers hommes atteignirent le continent nord-américain.

Sans qu'il soit possible de connaître la date précise à laquelle ils atteignirent les rivages du Nouveau Monde, nous pouvons situer cet événement vers 25000 av. J.-C. Mais cette immigration fut progressive. Vers la fin du Pléistocène, une phase intermédiaire de réchauffement provoqua la fonte des glaces à la surface des eaux. A mesure que le climat s'adoucissait, herbes et arbustes se propageaient, y compris sur les terres nouvellement émergées. Ce fourrage attira les herbivores du continent asiatique, et à leur suite les chasseurs. Poursuivant les hordes de mammouths et de bisons d'herbages en herbages, ils finirent par arriver en Amérique du Nord, marquant ainsi le début de la période paléoindienne sur le continent.

A quel moment l'homme apparut-il dans le Sud-Ouest ? Selon les découvertes archéologiques, ils auraient été relativement nombreux vers 10000 ou 12000 av. J.-C. Les vestiges archéologiques – objets découverts à côté d'ossements d'animaux disparus – ont également permis aux scientifiques de tirer certaines conclusions quant à la vie des premiers hommes. Les Paléoindiens étaient essentiellement carnivores (même s'ils se nourrissaient probablement aussi de plantes sauvages). Ils fabriquaient des armes en silex ou en os dont ils se servaient pour tuer des animaux pouvant avoir jusqu'à vingt fois leur taille. Ils chassaient en groupes organisés, s'attaquant de préférence à un troupeau entier pour nourrir toute la communauté. Leurs demeures étaient rarement permanentes, car il leur fallait constamment trouver de nouveaux territoires de chasse. Ils vivaient de préférence dans des cavernes.

Vers 7000 av. J.-C., la vie des hommes du Sud-Ouest se modifia considérablement. A partir de cette date, l'homme adopta un nouveau mode de vie. Cette ère de progrès culturel a été surnommée par les savants modernes la « période archaïque du désert ». Des changements importants vont marquer cette époque, telles la domestication du feu, l'acquisition de la technique de la pierre polie, l'alimentation à base de graines sauvages, de tubercules et de baies, la construction d'habitations troglodytiques semi-permanentes ou saisonnières – des trous ronds ou rectangulaires creusés dans le sol et recouverts de broussailles et de terre – et la pratique de cérémonies religieuses.

Il est difficile de fixer des limites précises à la période archaïque ; en effet, la population du Sud-Ouest ne connut pas un essor culturel homogène. Le passage du Paléoindien à l'Indien archaïque fut un processus lent, dépendant de l'interaction entre des groupes séparés parfois par des centaines de kilomètres. Il en alla tout autrement durant la « période des Pueblos troglodytes » qui commença peu de temps après le début de l'ère chrétienne, pour s'achever avec l'arrivée des Européens dans le Sud-Ouest, au milieu du XVIᵉ siècle.

Des divisions culturelles

Des communautés humaines différentes les unes des autres se répandirent dans la région. Tous les changements qui survinrent durant cette période de 1 500 ans sont liés à ce nouveau phénomène. En 700 de notre ère, cinq groupes bien distincts se partageaient le Sud-Ouest : au nord les Anasazis, un peuple de cultivateurs possédant un sens artistique développé, et dont les villes disséminées au fond des canyons étaient si bien construites que nombre d'entre elles sont restées presque intactes durant mille ans ; au sud, près des San Francisco Peaks (Arizona), vivait un peuple de cultivateurs, les Sinaguas ; dans les vallées de la Gila et de la Salt, près de Phoenix (Arizona), étaient regroupés les Hohokams qui furent peut-être les plus grands constructeurs de canaux d'Amérique du Nord ; à l'est, vivaient leurs cousins, les Salados ; enfin, dans une riche contrée montagneuse du Nouveau-Mexique, les Mogollons.

Pourquoi et comment se produisirent ces divisions culturelles ? Nul ne saurait le dire avec certitude. L'introduction et le développement de l'agriculture – une pratique totalement nouvelle pour l'homme primitif – jouèrent probablement un rôle déterminant. Pouvant stocker leurs produits agricoles pour l'hiver, les tribus dépendirent moins de la chasse. Le travail dans les champs impliquait une certaine sédentarisation et, de ce fait, la nécessité de se protéger des ennemis. Une population importante et stable apportait une plus grande sécurité.

Tout en étant séparées géographiquement par des centaines de kilomètres, ces cinq cultures principales se ressemblaient en bien des points. Leur économie reposait sur l'agricul-

ment aux civilisations aztèques et incas d'Amérique du Sud, aucune de ces communautés n'engendra une aristocratie.

Les différentes tribus se ressemblaient également dans leur apparence physique. L'étude des squelettes révèle que la plupart des Indiens de la préhistoire avaient à peu près la même taille et la même morphologie. Les hommes mesuraient en moyenne 1,60 m, les femmes légèrement moins. Ils étaient musclés, râblés et avaient une pilosité réduite sur le corps. En revanche, ils possédaient une épaisse chevelure. Les hommes portaient les cheveux longs, les femmes courts ou soigneusement arrangés.

ture, leur survie dépendant essentiellement des récoltes de maïs, de haricots, de courges et de melons. Au début, les Indiens vivaient dans des habitations troglodytiques ou dans des cavernes, puis ils construisirent des bâtiments à étages que les Espagnols appelèrent *pueblos*. En 700, ils connaissaient tous la technique de la poterie et possédaient des arcs et des flèches. Trois siècles plus tard, ils étaient outillés pour le tissage et l'exploitation du coton. Contraire-

Vestiges de la culture préhistorique du Sud-Ouest. Pages précédentes, peintures rupestres. Ci-dessus, silex et pierres taillées.

L'habillement variait, mais les différences dépendaient moins de l'appartenance tribale que des saisons. Par temps chaud, la plupart des Indiens ne portaient rien d'autre que des sandales tissées avec des fibres de plantes ou tressées avec des feuilles de yucca. Quand la température se rafraîchissait, ils se ceignaient les reins d'une sorte de jupe faite d'éléments végétaux ou en peau. En hiver, des vêtements en peau, des chemises et des couvertures – ces dernières en peau de lapin, en poil de chien ou en plume de dindon – suffisaient à leur tenir chaud. Lorsque les Indiens commencèrent à cultiver le coton et apprirent à tisser, ils confectionnèrent des vêtements d'hiver plus élaborés, notamment de lourdes capes.

L'âge d'or

Bien entendu ces similitudes n'étaient pas dues au hasard. Tout au long des quinze siècles que dura la période des Pueblos troglodytes, les cultures préhistoriques du sud-ouest et du nord du Mexique s'influencèrent mutuellement. Les nouvelles techniques se répandaient si vite que la civilisation des Indiens du Sud-Ouest connut son apogée dès le XIᵉ siècle. Leurs techniques de construction et d'irrigation étaient bien en avance sur leur temps. Les distractions étaient courantes : ils aimaient les jeux de ballon et de dés. Des précipitations plus abondantes avaient atténué le caractère parfois très dur de leur environnement. Les sources et les ruisseaux coulaient régulièrement ; les plantes sauvages et le gibier abondaient. Grâce à une meilleure humidité des sols et aux nouvelles techniques agricoles, la culture prit de l'ampleur, et le surcroît de nourriture entraîna une croissance démographique. Des champs apparurent dans des régions où un siècle plus tôt même les cactus avaient du mal à pousser.

Le relatif confort de cette nouvelle vie fut bref. Si les hypothèses ne manquent pas pour expliquer les raisons du déclin brutal de ces sociétés, la plus vraisemblable est que, au milieu du XIIᵉ siècle, les conditions climatiques ayant une fois de plus changé, la région subit le retour de la sécheresse. Là où l'eau ne manquait pas, les cultivateurs étaient peu inquiétés ; mais dans les communautés où l'agriculture dépendait des pluies, la vie devint difficile. Les villes et les habitations familiales isolées furent abandonnées ; leurs habitants allèrent grossir les importantes concentrations démographiques rassemblées près des sources naturelles. Tout ce qui pouvait être emporté le fut, et le reste abandonné. Cet afflux soudain ne fut certainement pas sans poser d'énormes problèmes à la population déjà implantée, mais dans la plupart des cas les nouveaux arrivants trouvèrent un endroit où se fixer.

Des changements radicaux

Mais une nouvelle menace se profila à l'horizon. Des pillards shoshones (probablement les ancêtres des Utes) arrivèrent brusquement du nord et harcelèrent les communautés locales.

Agissant en bandes peu nombreuses, ils n'osaient pas s'attaquer aux villes bien protégées, mais ils ravageaient les champs, pillaient les récoltes et s'en prenaient parfois aux cultivateurs et à leurs familles. De plus, poussés sans doute par la nécessité, villes et villages avaient commencé à s'attaquer mutuellement.

Vers la fin du XIIᵉ siècle, la conjonction de tous ces facteurs modifia radicalement la vie de la plupart des communautés indiennes du Sud-Ouest. Les populations quittèrent progressivement leurs vallées ou leurs habitations bâties en haut des mesas, pour la sécurité des grottes isolées et la protection des canyons. Nul ne saurait

dire si ces migrations conjurèrent la menace shoshone ou ne firent que la prolonger. Quoi qu'il en soit, elles ne résolurent pas les problèmes liés aux luttes internes et à la pénurie d'eau. Au milieu et à la fin du XIIIᵉ siècle, alors que les villes troglodytiques de Mesa Verde, Mancos Canyon, Betakin, Keet Seel et d'autres du même style étaient en cours de construction,

Reconstitution réaliste du mode de vie primitif. Ci-dessus, comment faire du feu. A droite, pueblo typique de Mesa Verde, dont la construction remonte au milieu du IXᵉ siècle.

la sécheresse, elle, était à son comble. Les sources pérennes se tarirent peu à peu : les sols se transformaient en poussière et les récoltes s'amenuisaient chaque année un peu plus. Les Indiens n'avaient jamais renoncé à vivre de la chasse et de la cueillette, mais cette source de subsistance diminuait à mesure que la sécheresse augmentait. Il n'y avait tout simplement plus assez d'eau et de nourriture pour la population. Une crise sociale dont la nature reste inexpliquée éclata. Les chefs des communautés indiennes furent peut-être jugés responsables de tous ces malheurs ou accusés d'impuissance, et destitués de leur autorité. Quoi qu'il en soit, les migrations commencèrent. En 1299, à la fin

de vie pour survivre dans la région ; ce sont les ancêtres des Pimas et des Hopis.

Il n'est pas impossible que les mesas des Hopis, en Arizona, aient constitué le principal refuge des Sinaguas et des Anasazis. Les Indiens hopis revendiquent la possession des grands pueblos tels Mesa Verde, Betakin, Keet Seel et Wupatki. Des symboles du clan préhistorique hopi découverts dans ces ruines semblent justifier leurs prétentions, même si de nombreux archéologues restent sceptiques. En effet, on retrouve dans tout le continent américain des pictogrammes (peintures préhistoriques rupestres) et des pétroglyphes (gravures préhistoriques rupestres) semblables à ceux que

de la période de sécheresse, la plupart des villes et des villages anasazis et mogollons étaient abandonnés. Les Hohokams, les Salados et les Sinaguas (établis près des cours d'eaux pérennes) survécurent plus longtemps, mais un siècle plus tard ils n'échappèrent pas au même destin.

Où se réfugièrent les populations ? Certains groupes gagnèrent probablement l'est pour rejoindre des villages pueblos ou en construire d'autres sur le Rio Grande, au Nouveau-Mexique. Il se peut que d'autres se soient arrêtés en chemin aux pueblos de Zuni et d'Acoma, également au Nouveau-Mexique. D'autres encore se dirigèrent peut-être vers le Mexique, au sud, ou vers la Californie, à l'ouest. Enfin, un grand nombre d'entre eux durent changer leur mode

les Hopis attribuent à leurs ancêtres. On pourrait plutôt conclure à d'importantes interactions entre les cultures primitives. Les ancêtres des Hopis appartenaient sans doute à un ensemble de cultures différentes.

Ces peuplades indiennes primitives avaient presque totalement disparu en 1400. Leurs habitations préhistoriques construites avec tant de soin furent bien souvent préservées par l'air sec du désert, et dans certains cas restaurées grâce à la technologie moderne. Ces ruines d'un lointain passé évoqueront pour vous une partie importante, bien que brève, de l'histoire de notre globe. En laissant ces lieux intacts, vous permettrez à ceux qui viendront après vous de partager ce privilège.

EXPLORATIONS ESPAGNOLES

« Le plus difficile fut de se séparer peu à peu des pensées dont se pare l'âme d'un Européen, et surtout de l'idée que la force de l'homme réside dans son poignard et sa dague qu'il met au service de Sa Majesté. Nous dûmes renoncer à de telles chimères jusqu'à ce que notre nudité intérieure fût celle d'un bébé à naître, commençant une nouvelle vie dans un univers de sensations qui nourrissent mystérieusement. »

Cabeza de Vaca, *His Relation of the Journey* (Récit de voyage), 1528-1536 ; édité par Haniel Long.

Un certain jour d'automne, vers la fin du mois de novembre 1528, quatre marins à demi noyés étaient rejetés sur une plage du Texas par une mer hostile. Dépouillés de leurs habits par la tempête, transis et morts de faim, ces survivants de la malheureuse expédition espagnole de Pánfilo de Narváez eurent la bonne fortune d'être recueillis par des Indiens qui les nourrirent et les vêtirent.

Ces pitoyables conquistadors furent les premiers Espagnols à fouler le sol du Sud-Ouest.

Les messagers des dieux

Suivant Nuñez Cabeza de Vaca, les naufragés parcoururent des milliers de kilomètres à pied à travers le désert, avant d'atteindre, huit ans plus tard, la ville de Mexico.

Durant leur pérégrination ils apprirent à vivre comme les Indiens, adoptant non seulement les vêtements, mais les habitudes des tribus rencontrées en chemin. La plupart du temps, les Indiens leur réservaient le même accueil enthousiaste que les Aztèques à l'égard de Cortés, les prenant pour des messagers des dieux. Estéban, l'un des quatre naufragés, était particulièrement bien reçu ; cet esclave maure christianisé par les Espagnols bénéficiait plus encore que ses compagnons de la faveur des Indiennes. Bien qu'aucun document ne vienne étayer cette hypothèse, les historiens supposent que les premiers *Mestizos*, mi-Espagnols mi-Indiens, sont issus de cette rencontre entre les conquistadors naufragés et les Indiens. Dans ses mémoires, de Vaca médite avec une ironie désabusée sur *« la possibilité d'une existence dans laquelle être séparé de l'Europe n'était pas une grande privation »*.

A son arrivée à Mexico, de Vaca évoqua les villages fortifiés aux maisons de quatre et cinq étages, et l'étonnant degré de civilisation des Indiens. Pour les conquistadors de Cortés, qui avaient conquis la presque totalité du Mexique, cela signifiait que le désert recelait encore des trésors. Une clameur unanime s'éleva : *« Ortro Mexicol Ortro Péru ! » (Un nouveau Mexique ! Un nouveau Pérou !)*.

Séduits par les récits de de Vaca, les conquistadors en mal d'action furent repris par la fièvre des conquêtes, et, dans le cliquetis de leurs armures, ils se préparèrent à de nouveaux combats. Ils ne doutaient pas de conquérir le continent entier.

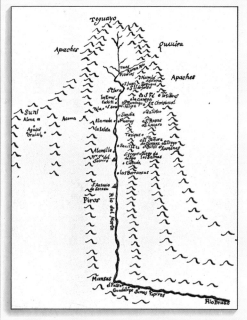

Le vice-roi, Antonio de Mendoza, envoya une *entrata* (expédition) commandée par le père Marcos de Niza. Estéban leur servait de guide. Leur but était de découvrir le légendaire Gran Quivira et les sept villes fabuleuses de Cíbola dont de Vaca avait entendu parler.

L'or mythique

Le père Marcos et ses hommes errèrent plusieurs mois dans le désert avant de retourner

Ci-dessus, carte du Nouveau-Mexique datant de 1680. A droite, les plus anciennes inscriptions espagnoles ont été faites par Don Juan De Oñate, en 1605, sur El Morro Rock.

bredouilles à Mexico. Entre-temps, Estéban avait été tué par les Indiens de Zuni Pueblo pour avoir *« violenté leurs femmes »*. (Pour des raisons inexpliquées, une statue de saint Estéban fut érigée dans le pueblo voisin d'Acoma, où on peut encore la voir aujourd'hui.)

Malgré l'échec de l'expédition, les Espagnols ne se décuragèrent pas. La mort, les souffrances, les dangers offraient autant de défis à leur virilité et à leur goût de l'aventure, et, si cela n'était pas assez, l'évocation d'immenses richesses suffisait à les convaincre. *« Les Espagnols sont assez cupides pour aller chercher de l'or jusqu'en Enfer »*, disait le franciscain Zarate Salmeron, en poste au Nouveau-

Coronado était un hidalgo séduisant, empreint de dignité, mais désargenté ; il était si pauvre que c'est sa femme qui dut financer son expédition. Ses prétentions de noblesse au milieu d'une contrée inhospitalière – il s'obstinait, par exemple, à porter l'armure sous le soleil brûlant du désert – firent de lui le don quichotte américain. Ce fut l'un des rares hommes dont la conduite fut à la mesure du rôle historique que le destin lui avait attribué.

Mais on ne saurait en dire autant de son armée constituée de canailles, de coupe-jarrets et autres aventuriers de Mexico. L'image épique des conquistadors chevauchant dans leurs armures dorées resplendissantes, tandis que

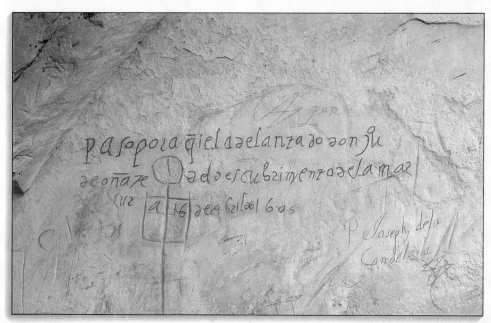

Mexique. Il ne put les empêcher d'être les don quichottes du Nouveau Monde.

Le chevalier d'Eldorado

De tous les conquistadors partis à la recherche des sept cités de Cíbola et de Gran Quivira, aucun ne se conduisit avec autant de grandeur et de noblesse que Francisco Vazquez de Coronado, gouverneur du royaume de Nueva Galicia, surnommé le « chevalier d'Eldorado ». Avec la bénédiction de l'empereur et du viceroi, Coronado rassembla une armée et traversa la moitié d'un continent. Il fut le seul conquistador à inspirer une légende romantique.

plumes et drapeaux flottent majestueusement dans le vent, est en grande partie un mythe créé au fil des siècles. La description qu'en firent des observateurs contemporains de Coronado est bien différente.

La plupart de ces hommes portaient des vêtements plus américains qu'européens, et *« en guise de cuirasse une veste en peau de daim »*. Si la majorité d'entre eux étaient des cavaliers, peu étaient de haute extraction. En Espagne, seul un hidalgo avait le droit, par décret royal, de monter à cheval, et tout chevalier surpris sur une mule était passible d'un châtiment. Mais, à Mexico, n'importe qui pouvait monter à cheval. En 1554, le vice-roi Velasco déplorait que très peu de cavaliers fussent des *caballeros* (chevaliers) ou des *hijosdalgos* (fils de nobles). *« Ce sont des gente comun* [des gens du peuple]. *Dans ces provinces, le caballero est un marchand. »* Et l'aristocrate don Juan Garay ajoutait avec dégoût : *« Même les mendiants montent à cheval à Mexico. »*

La plupart des cavaliers étaient en effet des paysans indésirables dans leurs villages ou issus de parents pauvres. Quels que soient leurs antécédents ou leurs origines, de Oñate résuma bien l'opinion générale sur les hommes de Coronado en écrivant que ceux *« qui participèrent à l'expédition soulagèrent les populations en partant, car c'étaient tous des désœuvrés sans ressources ».*

Loin d'être de simples serviteurs ou porteurs, la plupart de ces Indiens furent engagés pour servir d'éclaireurs, de guides, de palefreniers et de *vaqueros* (gardiens de troupeau) ; ils construisirent également des ponts. Ils étaient tous armés de lances, d'arcs et de flèches. Sans ces Indiens du Mexique et ceux d'Amérique qui se joignirent à la troupe par la suite, l'expédition n'aurait probablement jamais vu le jour.

En quittant le Mexique, l'armée de Coronado marcha vers le nord durant 2 400 km environ, à travers les territoires apaches d'Arizona et du Nouveau-Mexique. Parvenu au bord du Rio Grande, Coronado demanda à un homme surnommé « le Turc » à cause de sa

L'armée de Coronado

Pour son *entrata*, Coronado réunit près de 400 hommes, tous volontaires. Officiellement, son armée comptait 235 cavaliers et 62 fantassins, mais en réalité ils étaient beaucoup plus. C'était une troupe hétéroclite composée aussi bien d'adolescents que d'hommes âgés.

Non seulement les soldats n'étaient pas des conquistadors, mais certains n'étaient même pas espagnols. Le clairon était allemand ; deux Italiens, cinq Portugais, un Français et un Écossais, Thomas Blake, qui avait changé son nom en Tomas Blaque, faisaient partie de la troupe. Des centaines d'Indiens les escortaient...

peau foncée de le guider. Celui-ci lui jura que son peuple ne possédait pas d'or, mais qu'au Kansas, à l'est, ils découvriraient des Indiens si riches que même leurs canoës étaient en or.

Coronado prit donc la direction du Kansas. Il traversa la rivière Pecos, à l'ouest du Texas, et poursuivit sa route au nord, à travers l'Oklahoma. Il atteignit finalement le Kansas non loin de l'actuelle ville d'Abilene, mais ne trouva pas de canoës en or. Il fit exécuter « le Turc » et reprit la direction du Mexique, en traversant

Ci-dessus, gravure du XIXᵉ siècle représentant l'intérieur de l'église d'Acoma. A droite, Diego de Vargas Zapata, gouverneur du Nouveau-Mexique de 1688 à 1697 et de 1703 à 1704.

les déserts et les plaines à bisons. La renommée l'attendait, mais de trésor point.

Ni Coronado ni aucun des conquistadors ne trouvèrent les trésors qu'ils convoitaient. La plupart s'en retournèrent à Mexico, découragés. Le compte rendu de leur échec suscita peu d'émules. Les conquistadors eux-mêmes, fatigués et vieillis, étaient parvenus à cet âge où il est temps de sonner la retraite. La conquête était terminée. Le puissant Cortés se plaignait d'être usé et épuisé.

Livrés à eux-mêmes, les conquistadors n'auraient jamais pu conquérir le Sud-Ouest. Leurs tactiques guerrières et leurs armures encombrantes étaient de peu d'utilité dans les monta-

entendu, lorsque les Indiens rejetaient cette conquête « pacifique », les nouveaux conquistadors n'hésitaient pas à forger des glaives de leurs hoyaux pour imposer par la force leur autorité sur les tribus autochtones.

Les franciscains au Nouveau-Mexique et les jésuites en Arizona et au Texas ne se contentèrent pas de bâtir des églises et de baptiser les Indiens (de 1591 à 1631, les jésuites convertirent 151 240 Indiens) ; ils s'efforcèrent d'en faire des paysans espagnols, d'« amener les tribus nomades à une vie sédentaire paisible ». Le père jésuite Juan Nentuig écrivit en 1763 que les Indiens christianisés étaient « plus enclins à travailler [et] à labourer leurs terres ».

gnes et les déserts sauvages ; ils manquaient également de spiritualité pour comprendre la profonde piété des Indiens. Les derniers conquistadors étaient si désabusés qu'ils en négligèrent la Californie. Il fallut attendre plus de deux siècles après le voyage de Cabrillo pour que Juan Bautista Anza se décide, en 1777, à coloniser la Californie. En définitive, ce furent les missionnaires espagnols qui accomplirent ce que les conquistadors n'avaient pu faire : conquérir le pays.

Les missionnaires chrétiens

Les missionnaires réussirent non par la force des armes, mais par la ferveur religieuse. Bien

Les jésuites représentaient l'autorité politique et économique. Les missions devinrent ainsi des centres agricoles, commerciaux et éducatifs.

Mais les Espagnols se méfiaient des jésuites qui, à leurs yeux, semblaient s'édifier un empire ecclésiastique au sein des provinces espagnoles. Après tout, nombre de jésuites – Pfefferkorn, Grashofer, Benz, Keller, Kino, Stiger, Nentuig et d'autres – n'étaient pas espagnols.

Pourtant, lorsque les jésuites demandèrent à lever leurs propres troupes, les Espagnols acceptèrent. (Des condamnés furent même libérés des prisons de Mexico pour protéger les missions.) Au Nouveau-Mexique, les missions des franciscains, dont les murs avaient parfois deux mètres d'épaisseur, ressemblaient plus à des forteresses qu'à des lieux de culte. Après la révolte pueblo, en 1680, au cours de laquelle les Indiens tuèrent 22 pères franciscains, les missionnaires assurèrent leur protection en recourant à des esclaves et des mercenaires indiens.

Cependant, en 1792, le franciscain Juan Domingo Arricivita réclama la « *protection des troupes pour propager la foi* ». Et en 1744, quand le légat de Sonora, Juan Antonio Balthasar, visita la mission San Xavier de Bac, à Tucson, en territoire papago, il s'entoura de « *soldats pour forcer ces Indiens à vivre dans le pueblo* », et pour que la présence militaire les incite à aller à l'église.

la mission Magdalena, à Sonora, où deux peaux de veau et une selle en guise d'oreiller constituèrent son lit de mort. Dans son panégyrique, le père Luis Velarde compara son existence et sa mort à celles des Indiens.

Dans le sillage des missionnaires vinrent les colons. C'était une population désireuse d'échapper à une vie sans avenir au Mexique. Plus que les conquistadors, ils furent les véritables explorateurs de la contrée. Cultivateurs, ils devaient se familiariser avec les cours d'eau, la dénivellation de chaque canyon, chaque vallée, l'herbe et les arbres de chaque prairie, de chaque forêt. Chevauchant dans une contrée hostile, les conquistadors ne prenaient guère le

Mais les missionnaires n'étaient pas tous aussi prompts à prendre les armes contre leurs paroissiens. Le père Eusébio Francisco Kino, le jésuite qui fonda la mission San Xavier, aurait critiqué une telle pratique. Il estimait que les Indiens devaient être traités comme des frères. Missionnaire particulièrement courageux, il passait pour avoir participé à 40 expéditions dans le désert, fondé de nombreuses missions et créé les premiers ranchs de bétail en Arizona.

Le padre à cheval

Véritable héros populaire, Kino fut surnommé le « padre à cheval ». Il mourut à 70 ans, dans

temps de s'arrêter, et dressaient des cartes sans descendre de leur cheval. Mais les colons, eux, examinaient chaque parcelle de terre de leur nouvel environnement.

Les colons étaient bien souvent d'humbles fermiers et pasteurs, des métis mexicains de Sonora et Chihuahua. Recommencer une nouvelle vie dans le désert au prix d'épreuves et de souffrances ne tentait guère les nobles fortunés ou les anciens conquistadors installés au Mexique ou vivant en Espagne.

Mais la pauvreté des sols du désert accrut la

Les Hispanos célèbrent tous les ans l'arrivée des Espagnols à Santa Fe (Nouveau-Mexique) : les prêtres (à gauche) les conquistadors (à droite).

misère des colons. La culture par *dry farming* et l'exploitation de petits gisements miniers leur offraient une maigre subsistance. *« Non seulement les colons du Nouveau-Mexique ne se sont pas enrichis, mais le fouet de Dieu les frappe constamment ; c'est le peuple le plus oppressé et le plus asservi du monde »*, écrivait le père franciscain Zarate de Salermon en 1626. *« Une bonne réserve de tabac pour fumer suffit à leur bonheur. S'enrichir ne les intéresse pas, on dirait qu'ils ont fait vœu de pauvreté. »*

Pour les autorités espagnoles, et plus tard mexicaines, ces colons incarnaient le summum de la pauvreté, des inadaptés, des êtres fuyant la vie civilisée. Ils ne valaient pas mieux que les

païens. Dans les superbes demeures de Mexico, on ne se privait pas de dire que le Sud-Ouest était la « Terre des *Barbarosos* » (des barbares), et ce jugement s'appliquait aussi bien aux Amérindiens qu'aux colons espagnols.

L'exode des juifs

Les colons qui vinrent s'établir au Nouveau-Mexique dans le sillage de Juan de Oñate étaient des Mexicains, des métis ayant du sang indien, nés à Sonora comme de Oñate lui-même, dont la femme passait pour être la petite-fille de l'empereur aztèque Montezuma. Comme bien souvent dans les expéditions

organisées dans le Sud-Ouest, celle de de Oñate comprenait un millier d'Indiens mexicains, c'est-à-dire dix fois plus que de colons espagnols. Habitués à vivre sur une terre en tous points semblable, de l'autre côté de l'invisible frontière mexicaine, ils survécurent plus facilement que les colons.

Au plus fort de l'Inquisition espagnole, de nombreux juifs se réfugièrent au Mexique pour échapper aux persécutions. Ils créèrent des ranchs le long de la côte mexicaine avant de recevoir de Philippe II une concession dans le royaume de Nuevo Leon, qui s'étendait sur près de 1 000 km vers le Rio Grande et sur 1 300 km à l'ouest du Texas. Ils fondèrent l'un des plus grands ranchs de bétail du Mexique.

En 1545, un quart des habitants de Mexico étaient juifs ; les historiens estiment qu'à la fin du XVIᵉ siècle il y avait plus de juifs au Mexique que de catholiques. De Vitoria, l'archevêque du Mexique, était lui-même d'origine juive.

Alarmés par le grand nombre de juifs se faisant passer pour des catholiques, le tribunal de la Sainte Inquisition vint au Mexique pour les démasquer. De Caravajal, le gouverneur de Nuevo Leon, fut l'une de ses victimes. Pour échapper de nouveau à l'Inquisition, les juifs s'enfuirent vers le nord. Ils se joignirent aux nombreuses *entrata* organisées dans le Sud-Ouest et, souvent sous de fausses identités, s'établirent dans le désert avec les missionnaires et les fermiers.

Comme on le voit, explorateurs et colons du Nouveau-Mexique et de l'Arizona constituaient une population hétéroclite de Maures, d'Espagnols, de Mexicains, d'Italiens, de Portugais, d'Indiens, de jésuites et de juifs, dont l'accent était pourtant résolument espagnol.

Une reconstitution historique

Dans les contreforts des Sangre de Cristo Mountains (les montagnes du sang du Christ) au nord du Mexique, se niche aujourd'hui le village de Chimayo. Ses habitants, des cultivateurs aux maigres ressources, revivent chaque année la conquête du Sud-Ouest par leurs ancêtres. Revêtant des armures en plastique et des coiffures dont les plumes sont en polyester, ils se déguisent en conquistadors et en Indiens pour simuler en plein air une bataille à cheval, conformément à la tradition.

Los Cristianos y Los Indios (les chrétiens et les Indiens) – ainsi se nomme cette *fiesta* – ressemble fort à une pièce médiévale espagnole, *Los Cristianos y Los Moros (Les Chrétiens et les Maures)*. Comme si l'histoire se répétait...

Cow ins, going

Geronimo Head War Chief Chiricahua Apaches now raiding.

L'ARRIVÉE DES ANGLOS

Dans l'Est, on les surnommait avec mépris les « hommes à squaws » ou les « Indiens blancs ». Ils formaient un groupe à part dans la population établie à la frontière américaine. En arrivant au Nouveau-Mexique et en Arizona au début des années 1800, les trappeurs de la montagne ne se contentèrent pas de traverser tout un continent, ils passèrent d'une culture à une autre.

Ces premiers Anglos (les Anglo-Américains par opposition aux Hispanos et aux Mexicains) venus s'établir dans le Sud-Ouest étaient des chasseurs de castors et des commerçants, non des conquérants. Dans les contrées sauvages et montagneuses où ils se fixèrent, ils vécurent la plupart du temps en paix avec les Mexicains et les Indiens qui les avaient précédés, unissant leurs familles aux leurs.

Paradoxalement, ils apportèrent avec eux, dans les sacoches de leurs selles et leurs chariots, cette civilisation de l'Est à laquelle ils avaient voulu se soustraire en gagnant l'Ouest. Les marchandises qu'ils proposèrent à la population indigène changèrent le paysage et préparèrent la voie aux commerçants qui leur succédèrent. Ainsi, sans le savoir, les trappeurs disparurent peu à peu, victimes d'eux-mêmes.

Des personnages hauts en couleur

Les hommes des montagnes côtoyaient différentes cultures et parlaient plusieurs langues. Pauline Weaver fut surnommé le « fondateur de l'Arizona ». Cet aventurier qui portait deux pistolets à sa ceinture travaillait pour la Compagnie de la baie d'Hudson. Christopher Kit Carson, l'un des pères du Nouveau-Mexique anglo-américain, commença sa carrière en solitaire dans les montagnes, avant de devenir éclaireur, puis officier dans l'armée de l'Union, pour terminer sa vie en tant que citoyen respecté de la ville de Taos. Kit Carson adopta, pour ainsi dire, les trois cultures du territoire, ayant épousé tour à tour une Mexicaine, une Indienne et une Anglo.

Pages précédentes, « Cow-boys allant déjeuner », Mora County (Nouveau-Mexique), vers les 1897. A gauche, le célèbre chef Apache Géronimo, et le nom moins célèbre Kit Carson, à droite, luttèrent pour des causes différentes.

Baptiste Le Land, de la Compagnie de fourrures du Missouri, fut l'un des premiers trappeurs à venir dans le Sud-Ouest. Il s'établit à Santa Fe (Nouveau-Mexique) en 1804, l'année où Lewis et Clark partirent en expédition. Le Land était en réalité un Français créole, marié à une Indienne. Il fut suivi en 1805 par James Pursell, un chasseur du Kentucky, et en 1809 par Zebulon Pike, un cartographe qui construisit le premier fort anglo-américain au bord du Rio Grande.

L'empire d'Espagne éprouvait de grandes difficultés à maintenir son autorité au Nouveau-Mexique. Les responsables politiques s'inquiétaient de la présence de commerçants et d'aventuriers anglo-américains dans la colonie,

et ce d'autant plus qu'elle comptait peu d'Espagnols. Entre 1812 et 1821, plusieurs Anglos furent arrêtés par les soldats espagnols et enfermés dans les prisons de Chihuahua.

Le climat ne changea pas jusqu'à la guerre d'indépendance du Mexique, en 1821, et la création de la République du Mexique en 1824. Le territoire de Nuevo Mexico incluait le Nouveau-Mexique et l'Arizona, où trappeurs et marchands anglo-américains étaient toujours les bienvenus. En 1825, dans un rapport sur la présence des étrangers, le gouverneur du Nouveau-Mexique, Antonio Narbona, nota l'arrivée de vingt Anglos en l'espace d'un seul mois, la moitié d'entre eux étant des marchands. En 1827, un rapport mensuel similaire dénombrait

36 Anglos, dont 31 étaient des marchands qui, « *pour vendre leurs marchandises restaient un certain temps dans la ville* », sans avoir l'intention de s'y installer.

Avec l'ouverture de la piste de Santa Fe partant du Missouri, de longues files de chariots prirent la direction de l'ouest. En 1821, William Becknell, un frontalier du Missouri, conduisit jusqu'au Nouveau-Mexique sa *« compagnie d'hommes attirés par l'Ouest ».*

Selon les termes de George Sibley, *« les premiers aventuriers étaient des hommes intrépides et entreprenants qui, fatigués des travaux agricoles ennuyeux et sans profit, étaient déter-*

son séché, chandelles, tabac, chapeaux de paille, mouchoirs en soie... Dans leur sillage arrivèrent les pionniers. Ils construisirent des fermes, cultivèrent la terre, bâtirent des villes – tout cela sur des concessions accordées aux Mexicains et aux Indiens, et pour lesquelles, par conséquent, ils ne possédaient aucun titre. Durant des générations – et encore de nos jours – la propriété des terres fut l'objet de conflits.

Le Sud-Ouest devient américain

Les pionniers furent bientôt suivis par les soldats. En 1846, le président des États-Unis, James Knox Polk, chargea le général Stephen

minés à devenir marchands et négociants, mûs par un esprit d'entreprise digne de l'Ouest ».* Ils croyaient aux histoires *« merveilleuses et étranges qui abondaient au sujet des inépuisables richesses »* de l'Ouest.

L'expédition de Becknell ouvrit la route. Au Congrès, le sénateur Thomas Benton déposa un projet de loi visant à entretenir une route vers le Nouveau-Mexique. De 1822 à 1844, on estime que la valeur des marchandises transitant par la piste de Santa Fe augmenta de 15 000 à 450 000 dollars par an.

Les marchands transportaient dans leurs chariots des centaines d'articles qui modifièrent la vie dans le Sud-Ouest : champagne, bière, whisky, rhum, oranges, citrons, cerises, pois-

Watts Kearny de conquérir le Nouveau-Mexique. L'armée rencontra si peu de résistance que la guerre avec le Mexique ressembla davantage à un exercice de routine qu'à une conquête. En 1848, les États-Unis signèrent un traité, par lequel ils s'engageaient à verser 15 millions de dollars au Mexique pour l'acquisition du Nouveau-Mexique, de l'Arizona, de l'Utah, du Nevada, de la Californie et d'une partie du Colorado.

Après la guerre, outre le détachement com-

A gauche, carte de la République du Mexique datant de 1840. A droite, attaque d'un convoi d'immigrants sur la piste de Santa Fe par les Comanches.

mandé par le général Kearny, une faible partie des troupes fédérales resta au Nouveau-Mexique et en Arizona. Avec si peu d'hommes sur place, les territoires furent presque perdus pour la Confédération durant la guerre de Sécession.

L'approvisionnement pour l'armée représentait le marché le plus important et le plus lucratif dans la région. Nombre de familles bâtirent leur fortune sur des contrats passés avec le gouvernement. *« Les Blancs du territoire font leurs meilleures affaires en approvisionnant les troupes »*, écrivit le général Edward Ord au président Johnson, après la guerre de Sécession. *« Nous maintenons donc les hostilités* [contre les

Au temps de la colonisation espagnole, l'Arizona n'avait pas non plus attiré beaucoup de pionniers. Dès les années 1600, les Apaches retranchés dans leurs montagnes continrent avec succès l'invasion européenne. En 1630, le père Alonzo Benavides les avait qualifiés de peuple *« violent et belliqueux, très rusé à la guerre »*. En fait, les Apaches étaient plus intéressés à voler du bétail et des chevaux qu'à conquérir des terres ou capturer des ennemis.

Dans les années 1760, malgré les efforts des missionnaires jésuites, les Espagnols avaient dû abandonner 48 fermes et 126 ranchs en Arizona. En 1775, le père Bartolomo Ximeno rapportait qu'il ne restait plus sur le territoire que

Apaches], *sachant que cela profite aux habitants... »* Mais cette remarque ironique n'empêcha pas l'arrivée du 10ᵉ régiment de cavalerie, composé essentiellement d'anciens esclaves noirs, pour soumettre les Indiens.

L'Arizona ne ressemblait pas au Nouveau-Mexique : les pionniers qui peuplaient le désert de l'Ouest étaient d'une espèce différente. Il fallait du courage pour oser s'aventurer en territoire apache, ce qui explique que l'Arizona possédait peu de centres de commerce, de villes agricoles et de ranchs. Les principales implantations étaient des villes minières telles que Tombstone, Jerome et Prescott, qui allaient rapporter des milliards de dollars grâce à l'exploitation des gisements d'argent et de cuivre.

10 chevaux et 56 vaches que les Apaches n'avaient pas encore volés.

Les Anglos qui, envers et contre tous, s'installèrent en Arizona étaient surtout des gens du Sud. S'il y avait peu d'esclaves noirs dans la région, le trafic d'enfants apaches était florissant. Durant la guerre de Sécession, l'Arizona se rangea du côté des États esclavagistes, contrairement au Nouveau-Mexique. Les citoyens de Tucson choisirent de se joindre à la Confédération et, en 1862, l'Arizona fut proclamé État confédéré.

Malgré leur ancienne solidarité avec les insurgés, les pionniers anglos installés en Arizona accueillirent l'armée des États-Unis avec joie à la fin de la guerre. Les guerres indiennes motivées par la conquête de nouveaux territoires opposèrent surtout les tribus nomades aux colons. Les Apaches étaient des guerriers, non des soldats ; confrontés à des stratèges occidentaux, ils choisirent souvent de se rendre.

En 1865, Victorio, le chef apache de la tribu des Mescaleros, assura au lieutenant-colonel N.H. Davis que son peuple voulait la paix : *« Nous en avons assez de la guerre*, dit-il. *Nous manquons de nourriture et de vêtements. Nous voulons faire la paix. »* *« La mort pour les Apaches, la paix et la prospérité pour ce pays, telle est ma devise »*, répliqua Davis. Le général Edward Ord ne lui donna pas tort. *« Les Apaches*, déclara-t-il, *sont des vermines qu'il faut écraser. »*

La guerre des ranchs

Peu de temps après la fin de la guerre de Sécession et des guerres indiennes, commença une série de conflits opposant les éleveurs de petit et de gros bétail qui se disputaient les herbages. L'une des batailles les plus célèbres fut celle du comté de Lincoln, au Nouveau-Mexique. Billy the Kid (né à Brooklyn) y acquit sa réputation de bandit. En réalité, le Kid travaillait comme serveur dans un café de la ville de Shakespeare ; il n'était pas plus cow-boy que ne le furent les célèbres shérifs Wyatt Earp et Bat Masterson ou le dentiste Doc Holliday. Peu de vrais cow-boys participèrent aux conflits entre éleveurs.

Tout le monde ne partageait pas ce point de vue. Le général George Crook qui parvint à capturer Géronimo reconnut : *« Je tiens à dire de la façon la plus catégorique que les capacités intellectuelles de cet Indien américain sont égales à celles de la plupart des nationalités – si ce n'est toutes – qui ont accepté nos lois... »*

Dans les années 1870, les ranchs symbolisaient un style de vie très populaire. D'immenses exploitations consacrées à l'élevage s'étendaient à l'horizon. Les ranchs Matador, XIT, King et Lumpkin possédaient des dizaines de milliers de têtes de bétail sur des centaines de milliers d'hectares. Les cow-boys légendaires ou bien réels, qui connurent un bref moment de gloire, hantèrent ces lieux.

Les cow-boys d'ascendance anglaise, irlandaise, écossaise et allemande qui travaillaient dans les ranchs du Sud-Ouest héritèrent de la tradition de l'Ouest la plus ancienne, celle des *vaqueros* indiens et mexicains. Originaires du Sud ou de l'Est, Mexicains, Indiens, Espagnols, tous devinrent des « hommes de l'Ouest ». L'immensité de l'espace et l'incroyable beauté du paysage éblouirent les nouveaux venus que rien ne préparait au spectacle de ces montagnes et déserts qui, pour les Mexicains et les Indiens, étaient des lieux sacrés.

A gauche, mineurs et prospecteurs s'affrontent à une table de jeu. A droite, quatre hors-la-loi (dont Billy the Kid debout, à gauche) sur la piste de Dodge (Kansas).

Au début, les ranchs construits en adobe dans le style propre au Sud-Ouest ressemblaient à ceux de Sonora et de Chihuahua au nord du Mexique. Durant la colonisation espagnole, c'étaient des fiefs féodaux nantis de leurs haciendas. Plus tard, les Anglos construisirent des bâtiments sommaires, à l'image de la rude vie de pionnier.

Cow-boys d'hier et d'aujourd'hui

Les cow-boys manifestaient bruyamment leur virilité par ce genre de couplet :

Le cow-boy réservé, modéré et taciturne du XXe siècle n'a plus rien à voir avec son ancêtre du siècle précédent. Les premiers cow-boys du Sud-Ouest étaient des êtres bruyants, paillards, rustres et débordants de vie.

En faisant leur apparition sur les terres du Nouveau-Mexique et de l'Arizona, les clôtures sonnaient le glas des éleveurs et des cow-boys anglos. Le tournant du siècle transforma les souvenirs en nostalgie. Les derniers cow-boys, les derniers shérifs et hors-la-loi rejoignirent le *Wild West*, la revue de Buffalo Bill, ou les rodéos de Teddy Roosevelt, dont les participants se recrutaient principalement au Nouveau-Mexique et en Arizona.

« Whe-ee-o, je suis un malotru ! Whoopeee ! Élevé dans un trou, allaité par une ourse polaire, une mâchoire à neuf dents, velu comme pas deux, des côtes en acier, des intestins en fil de fer, je traîne mes bottes n'importe où. Whoop-whee ! »

On ne saurait être plus explicite. Les femmes qui vivaient dans les ranchs à cette époque savaient aussi se faire entendre, et elles ne se laissaient pas damer le pion par les hommes. L'une d'entre elles se décrivit ainsi en 1887 :

« Mon chapeau est un nid de frelons, il est garni de queues de loup et de plumes d'aigle. Je peux traverser le Mississippi à gué sans me mouiller, le couguar peut sauter sur mon ombre... il détale dans les broussailles, comme une pinte de whisky dans le gosier d'un homme... »

Quand les convois de bétail et les pistes de diligence disparurent, le silence du désert fut brisé par le vacarme du chemin de fer et des automobiles qui amenèrent dans le Sud-Ouest des milliers de nouveaux venus, parmi lesquels des nouveaux Anglos de l'Est, des malades à la poursuite du soleil et des artistes.

Les artistes découvrirent le Sud-Ouest à la fin du XIXe siècle. A partir de cette époque, la ville de Taos (Nouveau-Mexique) devint – et continue d'être – un centre artistique très recherché. Au début du XXe siècle, D.H. Lawrence déclara : *« Il existe toutes sortes de beautés dans le monde, mais celle qui les surpasse en splendeur, je ne l'ai rencontrée qu'au Nouveau-Mexique. »*

A L'AUBE DU XXᵉ SIÈCLE

La période comprise entre le début du XXᵉ siècle et la Première Guerre mondiale fut une époque transitoire. Le style de vie des anciens pionniers appartenait à un temps presque révolu. L'ère de la technologie moderne se dessinait à l'horizon. Les convois de bétail ne soulevaient plus la poussière des pistes. Le banditisme était en partie jugulé. La silhouette familière du prospecteur inséparable de son mulet, de sa pioche et de sa batée avait presque disparu ; seuls quelques incorrigibles s'attardaient encore. Le chemin de fer remplaçait les chariots bâchés et allait engendrer sa propre mythologie.

L'histoire et la vie évoluaient à un rythme vertigineux typique de l'Ouest américain. Un homme né en 1820, venu dans l'Ouest en 1840 pour chasser le castor, restait fondamentalement marqué par l'époque précédant la révolution industrielle. Pour allumer sa pipe, il utilisait une pierre à briquet et une mèche d'amadou ; et, pour se défendre contre les maraudeurs apaches, un vieux fusil qu'il chargeait par le canon et un couteau à gaine. Son seul moyen de transport dans un pays désert et sans route était sa monture ; quand elle mourait d'épuisement sous lui, il ne pouvait plus compter que sur ses deux jambes. Il est tout à fait plausible d'imaginer le même homme âgé de 70 ans en 1890, assis en compagnie de son biographe dans un café de New York, après un voyage en train et un rendez-vous pris par téléphone.

Pour les Indiens, le changement était encore plus frappant. Géronimo, par exemple, était né en 1829 ; il avait grandi, pour ainsi dire, au temps de l'âge de pierre, ses premières armes étant des lances et des flèches dont la pointe était en pierre ou en os. Peu avant sa mort en 1909, il participa à une convention d'éleveurs à Tucson (Arizona), en tant que membre de l'Église réformée de Hollande. Dans sa chambre d'hôtel, il se trouva confronté à la civilisation moderne. Comme personne ne lui avait dit comment éteindre la lampe de chevet, il la recouvrit avec une botte. Plus tard, il fut photographié au volant d'une des premières automobiles Ford.

L'esprit « frontalier »

Malgré tout, l'esprit de l'Ouest sauvage, à la frontière de la civilisation, survivait encore. Les anciens desperados qui n'étaient pas morts « intoxiqués par le plomb » sévissaient encore. Pat Garrett, le shérif qui tua Billy the Kid, fut lui-même tué d'une balle dans la tête, en 1908, à une époque où de tels actes étaient censés appartenir au passé.

Sous l'action d'un puissant groupement de dames vertueuses, les principaux saloons du Sud-Ouest furent contraints de fermer les uns après les autres entre 1900 et 1911. Mais, dans les quartiers réservés, les affaires demeuraient prospères. Les *bandidos* mexicains erraient encore le long de la frontière, prêts à faire des ravages de l'autre côté du Rio Grande. Quant aux trains, ils furent la cible d'attaques jusqu'à la Première Guerre mondiale.

La révolution mexicaine

La révolution mexicaine (1910-1923) commença en réalité sur le sol américain, lorsque Francisco Madero traversa le Rio Grande à la tête de quelques centaines d'hommes pour déclencher la guerre civile qui devait renverser le dictateur Porfirio Díaz. L'armée révolutionnaire de Pancho Villa et Pascual Orozco affronta les *porfiristas* commandés par Vásquez Gómez dans une bataille décisive, à Juarez. Aux cris de *« Viva Madero ! Viva la Révolucion ! »* les rebelles remportèrent une brillante victoire. De l'autre côté du Rio Grande, à El Paso, les Américains, aux premières loges, regardaient la bataille de leurs toits et du haut des trains.

La révolution s'étendit sur le sol américain. En 1912, Villa, échappé de prison, se terra dans un hôtel discret d'El Paso, puis retourna peu de temps après au Mexique, où, à la tête de sa troupe, il rejoignit Zapata à Mexico. Les relations entre les révolutionnaires et le gouvernement américain furent tantôt bonnes, tantôt mauvaises. En 1916, Pancho Villa lança un raid contre Columbus, une ville frontalière du Nouveau-Mexique, où la seule animation jusque-là avait été une invasion de crotales.

Les combats dans les rues et les maisons de Columbus entre les *villistas* et les soldats et citoyens américains mirent en scène l'une des plus impressionnantes fusillades qui ait jamais retenti dans le Sud-Ouest, et durant laquelle 16 citoyens américains trouvèrent la mort. Une expédition punitive revint sans avoir pu mettre la main sur celui qu'on surnommait le « Centaure du Nord ».

Jusqu'à la Première Guerre mondiale et au-delà, le Sud-Ouest connut de fortes tensions raciales. Durant cette « époque des *gringos* », les communautés parlant espagnol furent submergées par un afflux d'immigrants anglos, qui méprisaient les Hispanos. Les problèmes raciaux empêchèrent l'Arizona et le Nouveau-Mexique d'obtenir le statut d'État avant 1912.

Les législateurs et les prédicateurs américains s'y opposaient farouchement. Un membre du Congrès s'exclama : « *Nous n'accepterons pas d'autre État tant que nous n'aurons pas civilisé le Kansas !* » Les pasteurs protestants n'étaient pas moins véhéments. Selon eux, le statut d'État amènerait dans son sillage des

Les mœurs évoluèrent lentement. Au début des années 1900 il était encore nécessaire de légiférer contre la polygamie. A Flagstaff (Arizona), le barman Sandy Donohue accueillit dans son saloon le président Théodore Roosevelt en ces termes : « *By God, you are a better looking man than your picture, you old son-of-a-bitch !* » *(Nom de Dieu ! Vous êtes bien mieux qu'en photo, sacré fils de garce !)* Roosevelt dut se rappeler qu'il avait jadis été cow-boy, car il apprécia le compliment.

Les commodités de la vie moderne se firent attendre. Flagstaff eut son premier téléphone en 1900, avec 85 abonnés pour tout le comté. Les premières automobiles firent leur appari-

tion en 1902, l'électricité en 1904. Les enseignants étaient peu nombreux et touchaient un salaire dérisoire.

législateurs qui feraient « *peser le joug du catholicisme et du papisme sur l'homme du Nord moralement et mentalement supérieur* ». L'Arizona vota la Alien Labor Law, une loi stipulant que 80 % des travailleurs de cet État devaient être citoyens américains par la naissance. Cette mesure était destinée à endiguer l'afflux des Mexicains et des Orientaux. Anglos et Hispanos mirent longtemps avant de se réconcilier. Dans certains villages de montagne le ressentiment à l'égard des étrangers persiste encore.

Les télescopes ultra-sophistiqués de l'observatoire national de Kitt Peak traquent les pulsars et les quasars.

Mineurs et fermiers

Les chercheurs d'or avaient afflué au milieu du XIXᵉ siècle, mais ils n'avaient guère fait fortune, car les filons étaient peu importants. Après la ruée vers l'or, on découvrit de grands gisements dans toute la région, qui n'égalaient toutefois pas les filons du Nevada et du Colorado.

Fort heureusement, le sol du Sud-Ouest renfermait d'autres minéraux. Le cuivre devint roi.

Aujourd'hui, son exploitation reste florissante, même si la production a ralenti. Dès que l'industrie américaine commença à s'y intéresser, les villes minières se multiplièrent du jour au lendemain (25 mines nouvelles au Nouveau-Mexique en l'espace d'une décennie). Le charbon joua aussi un rôle important, d'autant plus que le chemin de fer ne cessait de s'étendre à travers le continent.

Les mineurs qui extrayaient le cuivre et le charbon ne ressemblaient pas aux chercheurs d'or à l'esprit indépendant. C'étaient des prolétaires mexicains, allemands, irlandais, grecs, hongrois et slaves qu'on avait fait venir, et qui étaient honteusement exploités par les magnats de la mine, des hommes *« qui faisaient la loi bien que personne ne les eût nommés à des fonctions officielles »*. Les mineurs travaillaient dans des conditions très dures pour de misérables salaires, et ils vivaient dans de sordides cabanes que la compagnie leur louait à des prix élevés. Ils devaient s'approvisionner dans les magasins de la compagnie et n'étaient guère mieux lotis que des esclaves. Cette situation engendra des conflits dramatiques entre la direction et les ouvriers au début des années 1900 ; les mineurs et le service d'ordre de la compagnie, appuyée par les soldats de la garde nationale, s'affrontèrent. Il y eut des morts et la loi martiale fut décrétée. Le Congrès finit par voter des lois protégeant les mineurs, et des syndicats se formèrent.

Après le cuivre et le charbon vint le tour de la potasse et d'autres minéraux tels le cobalt, l'antimoine et le molybdène. De nouvelles agglomérations surgirent de terre, tandis que les anciennes devenaient des villes fantômes.

Un touriste venu visiter le Sud-Ouest s'exclama un jour : *« Ce serait un pays fantastique si seulement il y avait de l'eau. »* Les premiers Anglos étaient venus ici pour cultiver la terre. En 1900, dans le seul État du Nouveau-Mexique, 2 millions d'hectares étaient cultivés, et en 1910 on y dénombrait 35 000 fermes. La sécheresse de 1906 à 1912 provoqua un départ massif de fermiers. Le premier grand barrage fut construit en Arizona en 1911 (Roosevelt Dam), le deuxième en 1916, au Nouveau-Mexique (Elephant Butte Dam). L'irrigation sauva la culture, mais les petites fermes furent remplacées par des exploitations agricoles plus modernes.

90 % du territoire du Sud-Ouest est impropre à la culture, en revanche c'est une bonne terre d'élevage. Le bétail n'engraisse pas dans les ranchs du Sud-Ouest ; il est vendu aux engraisseurs du Middle West et d'ailleurs. En 1910, l'Arizona comptait à lui seul 64 500 km de fil de fer barbelé. La disparition des pâturages non enclos entraîna celle des cow-boys des temps héroïques. En 1892, un écrivain de l'Ouest déplorait : *« Le chemin de fer et le fil de fer barbelé signifient la mort de ce personnage haut en couleur »*. A la fin de la Première Guerre mondiale, le Sud-Ouest était enfin prêt à devenir le « New West ».

Les plus anciens habitants de la région allaient bénéficier de cette évolution. En 1919, les Indiens qui s'étaient engagés dans l'armée pour combattre les ennemis du pays purent accéder à la citoyenneté américaine. Le pétrole

découvert dans la réserve des Navajos apporta un revenu à la tribu. L'argent fut prudemment investi dans l'éducation et d'autres projets d'intérêt général. En 1922 les Indiens pueblos créèrent le All Pueblo Council (Conseil de tous les Pueblos) pour combattre un projet de loi visant à déposséder les Indiens de leurs terres au bénéfice des squatters blancs. En 1924, la citoyenneté américaine fut reconnue à tous les Indiens nés aux États-Unis.

A gauche, en 1978, les leaders de l'American Indian Movement organisent une « longue marche » de Californie à Washington pour sensibiliser l'opinion publique américaine sur le sort des nations indiennes.

En 1934, l'Indian Reorganization Act (loi de réorganisation indienne) accorda aux tribus indiennes une autonomie partielle. Les tribus élaborèrent leurs constitutions et élurent démocratiquement leurs présidents et leurs conseils. Cette victoire ne fit pas l'unanimité. Les leaders représentaient souvent des Indiens bien assimilés, ceux qui avaient bénéficié d'une éducation et parlaient l'anglais. Les Indiens traditionalistes, qui ne voyaient aucune raison d'adopter des lois inspirées du mode de gouvernement des Blancs, continuèrent de s'en remettre aux anciens ou aux chefs religieux. Progressistes et traditionalistes s'affrontèrent dans certaines régions.

Sur le plan économique et professionnel, les Hispanos du Nouveau-Mexique étaient à la remorque des Anglos, car ils s'intéressaient d'abord à la politique. Comme l'écrivait un auteur américain : « *La politique est une vraie religion. Elle passe avant la famille. Le « niño » l'absorbe dès le sein de sa mère ; elle constitue l'un des ingrédients de la « tortilla », on la sert à la louche avec les haricots, on la mastique avec chaque bouchée de chili, on l'arrose avec chaque verre de bière. Sacrée, enracinée, rituelle, mystérieuse, c'est la POLITIQUE qui tient lieu de race, de couleur et de credo.* »

La prohibition fit moins de ravages dans le Sud-Ouest qu'ailleurs. Les responsables politiques fermaient d'autant plus les yeux qu'eux-mêmes ne dédaignaient pas l'alcool. Dans un tel climat de tolérance, les spiritueux ne représentèrent jamais un enjeu pour le gangstérisme, contrairement à ce qui se passa dans les États dominés par les Anglo-Américains.

Alors que les mines d'or et d'argent n'étaient plus qu'un souvenir, et que de nombreuses mines de charbon fermaient pour cause d'improductivité, celles de potasse firent leur entrée en force sur la scène économique en 1931. Le gaz naturel devint une source de revenus dans les années 1920. Dans la même période, la fièvre du pétrole s'empara du Sud-Ouest. On se mit à exploiter d'importantes mines de cuivre en Arizona et au Nouveau-Mexique. Le Hoover Dam (barrage Hoover) fut achevé en 1936. L'eau, ou plutôt le manque d'eau, devint un sérieux problème. L'ancienne génération dénonçait l'« assèchement de l'Ouest » par l'industrie moderne, l'agriculture, l'élevage, les touristes et l'accroissement de la population.

En 1942, l'armée exerça son droit de préemption sur une terre appartenant à une école de garçons, à Los Alamos. Nul secret ne fut mieux gardé que celui-ci. Les habitants de Santa Fe s'aperçurent que des lumières éclairaient les Jemez Peaks, mais ils n'étaient au courant de rien. Seul un reporter osa écrire dans le *Santa Fe New Mexican* qu'il avait vu arriver « *des cars bondés d'Indiens, de gens baragouinant l'espagnol, ainsi qu'un prix Nobel* ».

Une ville de 8 000 habitants sortit de terre presque du jour au lendemain dans le voisinage de la capitale de l'État, sans que quiconque y prêtât attention. Et c'est sur un plateau abritant des centaines de grottes taillées dans le calcaire par les anciens Pueblos troglodytes que fut construite, dans le plus grand secret, la bombe atomique. La première explosion eut lieu près d'Alamogordo (Nouveau-Mexique), en 1945... Ce fut un officier du Nouveau-Mexique qui arma la bombe destinée à Hiroshima, et un Indien navajo, Paddy Martinez, qui trouva le premier morceau d'uranium dans le désert d'Arizona, en 1950. L'ère nucléaire est bel et bien née dans le Sud-Ouest américain.

L'ÈRE MODERNE

A la fin de la Seconde Guerre mondiale, la région du Sud-Ouest était familière aux Américains, car les chemins de fer, les routes et les vols réguliers en rendaient l'accès facile. Et pourtant, elle semblait repliée sur ses activités traditionnelles.

Lieu d'intense activité pendant la guerre, du fait de la présence de l'Air Force, l'Arizona retourna pourtant à sa culture du coton, ses ranchs et ses mines de cuivre. L'agriculture du Nouveau-Mexique restait marquée par ses influences hispaniques et pueblos.

ment fédéral joua en ce sens un rôle primordial. Hoover Dam, sur le Colorado, fut achevé en 1935, et une multitude de petits barrages furent construits à l'initiative de l'administration fédérale, des États ou de groupes privés. Une fois l'effort de guerre terminé, le Bureau of Reclamation put consacrer des moyens très importants à la mise en valeur des terres inutilisées et à l'aménagement de la plupart des cours d'eau de l'Ouest. Sa plus grande réalisation, le Glen Canyon Dam, fut achevée en 1963. Il retient l'eau sur près de 300 km dans de spectaculaires canyons du Colorado pourtant peu connus des touristes. Au centre de l'Arizona, le projet le plus ambitieux, en cours de réalisa-

Le sud du Nevada, en déclin depuis le boom de l'argent des années 1880, traversait une crise politique. Quant au sud de l'Utah, il restait délibérément replié sur lui-même, pour préserver l'authenticité de sa culture mormone. En 1945, le Sud-Ouest ressemblait au Grand Bassin de l'Utah et du Nevada, dont les fleuves se perdent dans les vallées au lieu de se diriger vers la mer.

Les grands barrages

Souffrant continuellement du manque d'eau, le Sud-Ouest réclamait des initiatives de grande envergure souhaitées par tous. Le gouverne-

tion, vise à canaliser les eaux du Colorado vers Phoenix et Tucson. Le coût initial estimé à un milliard de dollars a aujourd'hui quadruplé.

L'initiative fédérale a donné un coup de fouet à l'économie de la région et suscité la création d'un large éventail d'activités. La réalisation des projets pour la mise en valeur des terres a été confiée en priorité aux compagnies régionales, ce qui leur a permis enfin d'échapper à la domination de l'Est. La politique de la terre à bon marché prônée par le gouvernement a favorisé l'implantation d'immenses

Las Vegas, capitale du loisir, et symbole, à sa manière, de la réussite américaine.

ranchs, mais de nombreuses pâtures se sont appauvries.

L'industrie du gaz et du pétrole a touché des subventions sous forme de provisions pour reconstitution de gisements. Les politiciens conservateurs ont dénoncé l'intervention du gouvernement fédéral – tout en s'efforçant d'obtenir un maximum de fonds pour la réalisation des grands travaux publics. Une telle politique a permis au commerce du Sud-Ouest de se développer, même si les entreprises indépendantes locales en ont peu profité.

L'armée a conservé une grande partie des terres non encloses qui lui avaient été attribuées durant la Seconde Guerre mondiale. Dans les années 1950, les bassins du Nevada riches en sel et en alcali ont servi de cadre à des centaines d'essais nucléaires souterrains, et l'Utah a abrité la principale base de missiles de l'Ouest. Des villes telles Yuma et Sierra Vista, dans le sud de l'Arizona, servent en fait de bases logistiques à l'armée ; d'immenses espaces déserts sont interdits aux civils.

Paradoxalement, les terres que l'armée s'est appropriées sont restées relativement intactes ; en revanche, l'exploitation des gisements minéraux, du bois d'œuvre et de l'énergie bon marché est responsable des dévastations les plus durables. L'exploitation minière des terres fédérales a intéressé de nombreuses sociétés, car les droits à payer étaient infimes et la réglementation peu précise. Au début des années 1950, les prospecteurs d'uranium ont laissé des cicatrices indélébiles dans le sud de l'Utah. Dans les années 1970, ils ont exploité l'uranium dans le nord-ouest du Nouveau-Mexique d'une façon plus rationnelle, mais ils ont laissé derrière eux des crassiers aux déchets radio-actifs, malgré la proximité de la population indienne.

L'ère du charbon

La découverte d'importants gisements de charbon à faible profondeur n'a pas tardé à exciter les convoitises. En 1957, une compagnie de l'Utah a conclu le premier contrat avec le Navajo Tribal Council, les autorisant à exploiter le charbon dans le sous-sol de leur réserve. Pressentant que le charbon du Colorado Plateau jouerait un jour un rôle vital dans l'économie, les grandes compagnies pétrolières ont commencé à racheter les compagnies charbonnières dont elles ont fait leurs filiales. La politique énergétique défendue par le président Nixon en 1973 ne leur a pas donné tort. Le président estimait que les États-Unis devaient désormais assurer leurs besoins énergétiques en comptant sur leurs propres ressources.

Le Colorado Plateau a fait l'objet d'un projet de grande envergure. Des villes comme Los Angeles et Phoenix, dont le degré de pollution toléré était déjà dépassé, ne pouvaient produire elles-mêmes l'énergie supplémentaire dont elles avaient besoin. En revanche, le charbon du sud de l'Utah et du nord de l'Arizona pouvait être brûlé sur place. L'énergie électrique devait parvenir à des villes distantes de plusieurs centaines de kilomètres grâce à des lignes à haute tension. Un consortium représentant sept États s'est constitué en 1974 pour proposer la création d'un complexe énergétique sans précédent, comprenant un certain nombre de mines exploitables à ciel ouvert, de centrales électriques et de lignes à haute tension. Le projet a été partiellement réalisé, et de grandes centrales ont vu le jour à Farmington (Nouveau-Mexique) et à Page (Arizona).

Tandis que le Colorado Plateau se transformait en immense chantier, la politique de développement à grande échelle a commencé à ne plus faire l'unanimité. Le Sud-Ouest a attiré de plus en plus une population fuyant la dévastation industrielle des autres régions. Vers la fin des années 1960, les écologistes ont été suffisamment puissants pour repousser la construction de deux barrages hydro-électriques dans le Grand Canyon.

Il a été alors question d'exploiter une mine de charbon à ciel ouvert sur le Kaiparowits Plateau pour alimenter une centrale. Les cendres risquant de s'éparpiller dans tous les parcs nationaux du sud de l'Utah, procès et lobbies ont retardé le projet, jusqu'au moment où l'État de Californie, se rendant compte que ses besoins énergétiques étaient surestimés, s'est retiré. Le projet a été abandonné.

Retraités et immobilier

Pendant que la bataille de l'énergie battait son plein sur le Colorado Plateau, les terres du Sud se sont peuplées. Avec l'apparition de la climatisation durant la Seconde Guerre mondiale, aucun désert n'était trop chaud pour les colons. Les retraités se sont installés dans de vastes communautés telles que Sun City, Green Valley et Youngtown, dans des résidences et des camps de caravaning le long du Colorado, de Boulder City (Nevada) à Yuma (Arizona), et jusque dans les petites villes du sud du Nouveau-Mexique. Tandis que les mines de cuivre ou les petits ranchs traditionnels végétaient, les industries de haute technologie d'Albuquerque, de Phoenix et de Tucson ont attiré dans la région des jeunes gens ambitieux, accroissant la population.

Le secteur immobilier en a été le premier bénéficiaire. Florissant dans les villes, il s'est étendu au-delà, remplaçant la végétation du désert par de véritables « villages sur roues », des duplex en fausse adobe, des cités résidentielles autour de lacs artificiels. Un promoteur a même construit une réplique du London Bridge sur le fleuve Colorado, et fait jaillir la plus haute fontaine du monde en captant des nappes d'eau souterraines, dans le seul but de

promouvoir ses entreprises. Les escroqueries ont demandé moins de peine : les projets « mirobolants » sur le papier pour des terrains parfois inexistants n'ont souvent jamais vu le jour. Dans les années 1970 Phoenix, Albuquerque et El Paso se sont agrandis du tiers de leur superficie. Depuis le début des années 1980, Phoenix attire plus de 100 000 personnes par an ; parmi les villes de moins de 500 000 habitants, Las Vegas est celle qui croît le plus vite ; et Santa Fe – ce haut lieu de la tradition hispanique – est devenu trop cher pour les gens qui y sont nés.

On se rappelle que le président Carter proposa d'utiliser les vastes espaces de l'ouest de l'Utah et de l'est du Nevada pour y faire circu-

ler les missiles MX sur un réseau de rails entre 4 600 abris. Les habitants du sud de l'Utah n'ont guère été enthousiastes, car certains cancers frappant une partie de la population ont été attribués aux essais nucléaires souterrains effectués dans le Nevada vingt ans auparavant. Influencés par leurs électeurs, les politiciens locaux, d'abord favorables à l'idée, ont tergiversé, puis s'y sont opposés après que l'Église mormone eut attaqué le projet. Celui-ci a été finalement abandonné.

Si les hommes ont récemment modifié le paysage du Sud-Ouest, la plupart des touristes y recherchent surtout l'empreinte de la nature. L'industrie touristique doit s'adapter à leurs exigences tout en s'efforçant de préserver la beauté des lieux. La publicité faite autour des parcs protégés a suffi à faire affluer les touristes par cars entiers. Quelques endroits restent néanmoins encore intacts : ce que l'on appelle l'*Arizona Strip,* au nord du Grand Canyon, ou le sud du Nouveau-Mexique et le paysage vallonné du Texas, au nord de Big Bend National Park, où s'éparpillent bourgs, ranchs d'une autre époque et mesas, sont encore relativement peu fréquentés.

Mais les hommes ont également laissé dans le paysage du Sud-Ouest des témoignages de leur génie artistique qu'on aurait tort de dédaigner. Santa Fe, Taos et Scottsdale, le Flagstaff Summer Festival of the Arts, l'Opéra de Santa Fe, ou les superbes buildings de Frank Lloyd Wright disséminés dans Phoenix sont autant de preuves que la douceur du climat n'a pas assoupi toute créativité. L'activité artistique actuellement la plus importante est sans doute due aux Indiens qui perpétuent et renouvellent des traditions telles que le tissage, la céramique, la sculpture et la peinture en mêlant des motifs ancestraux aux dernières innovations de New York.

Résolument tournées vers l'avenir, les sciences progressent silencieusement. Los Alamos, qui continue d'expérimenter du matériel de guerre dans le plus grand secret, s'est également orienté vers des buts porteurs de vie : énergie solaire et géothermique, recherche sur le cancer, chirurgie au laser, astrophysique. L'observatoire national de Kitt Peak, à l'ouest de

A gauche, la construction du Hoover Dam (Nevada), dans les années 1930, traduit l'évolution de l'État vers une économie moderne. A droite, atterrissage de Columbia 3, à White Sands Missile Range.

Tucson, possède les télescopes les plus modernes. C'est de là que nous est parvenue une grande part des informations stupéfiantes concernant les pulsars, les quasars, les trous noirs et les tempêtes solaires. Le Very Large Array, un ensemble de radiotélescopes situé dans une étendue déserte à l'ouest du Nouveau-Mexique, est en train d'explorer les confins de l'univers et s'emploie à remonter le temps jusqu'au Big Bang originel. La NASA procède à de nombreuses expériences dans la base militaire de White Sands Missile Range, près d'Alamogordo (Nouveau-Mexique) ; c'est aussi l'une des bases de la navette spatiale. A Alamogordo, l'International Space Hall of

Las Vegas est devenu un important centre de congrès, en même temps qu'un carrefour économique et politique du Sud-Ouest. C'est aussi le lieu de pèlerinage des amateurs d'ambiances surréelles et de ceux qui ont un peu d'argent à dépenser. Si, comme d'aucuns le prétendent, les enseignes lumineuses au néon représentent une forme d'art, alors Las Vegas est un musée vivant.

Depuis que l'homme a commencé à façonner ainsi le paysage immémorial du Sud-Ouest, l'immigration des populations et l'exploitation des ressources se sont accélérées à un rythme tel que l'histoire de cette région semble se dérouler

Fame retrace l'histoire de la conquête de la lune ; la combinaison spatiale de John Glenn y est exposée.

Enfin, parmi les autres réalisations, il faut citer Las Vegas. Le Nevada légalisa les jeux de hasard en 1931, juste à temps pour profiter de la clientèle des ouvriers et techniciens employés à la construction du Hoover Dam. La petite ville mormone de Las Vegas connut alors un bref essor, mais ce n'est qu'en 1946 qu'elle se métamorphosa avec l'ouverture du *Flamingo*, premier club de divertissement pour superstars, bientôt suivi par d'autres, de plus en plus prestigieux, qui vinrent s'aligner le long du Strip. Le citoyen ordinaire fréquentait pour sa part l'un des casinos clinquants de Glitter Gulch.

au cœur d'une véritable tornade. Mais de nouveaux facteurs pourraient modifier les choses d'une manière radicale.

Dans ce défi croissant à la chaleur et à la sécheresse, la nature pourrait, par exemple, reprendre un jour l'avantage. Sur le plan culturel, l'afflux de tous les Latino-Américains, immigrés clandestins ou non, à la recherche d'un travail ou de l'asile politique, renforce l'hypothèse que le Sud-Ouest pourrait un jour faire face à un mouvement séparatiste hispanique semblable à celui des Québécois au Canada.

Loin de perdre sa spécificité régionale, le Sud-Ouest est peut-être sur le point de la voir s'épanouir.

LA POPULATION

L'histoire et la géographie ont façonné la population du Sud-Ouest. Les peuples arrivèrent par vagues successives et coexistèrent avec un bonheur inégal, se faisant la guerre, se supportant ou se respectant tour à tour.

Les Indiens, venus d'Asie par le détroit de Béring, furent les premiers arrivés et leur présence marqua la région de façon indélébile. Ils étaient ici comme chez eux.

Les tribus, les cultures, les langages et les traditions sont multiples ; prétendre, comme le firent les colons européens, que tous les Indiens se ressemblent relève de l'ignorance. L'histoire des Indiens du Sud-Ouest s'inscrit dans la durée, contrairement à celle d'autres peuplades qui ne firent que passer.

L'influence hispanique est également omniprésente dans le Sud-Ouest. C'est précisément le mélange des cultures hispanique et indiennes qui donne à cette région son caractère spécifique. L'espagnol est parlé dans tout le Sud-Ouest, et les *Hispanos* dominent traditionnellement la scène politique. Leur nourriture, leur religion et leurs valeurs fondées sur la famille font que leur mode de vie est en harmonie avec celui des Indiens.

Le terme *Anglos*, vague et pas toujours apprécié, désigne tous les autres immigrants venus s'installer par la suite. Ils apportèrent avec eux le commerce et une culture parfois en désaccord avec celles qui la précédèrent. De nos jours, le Sud-Ouest est le pays de prédilection des entreprises commerciales, des stations thermales et des retraités qui viennent passer la fin de leur vie dans un climat chaud et sec. Ces derniers arrivés sont essentiellement des Anglos ; les Indiens et les Hispanos ont, eux, des racines plus profondes.

La population du Sud-Ouest vit une époque de transition où le contact des différentes cultures semble traduire un conflit entre un ancien et un nouveau monde. Nul ne saurait dire avec certitude s'il sera résolu. Le Sud-Ouest est vaste, et son immensité paraît plaider en faveur du temps.

LES INDIENS

Qu'on les appelle « Indiens d'Amérique » ou « Amérindiens », l'essentiel est de reconnaître leur appartenance tribale. Eux-mêmes se considèrent avant toute chose comme membres d'une tribu, celles-ci se différenciant géographiquement. Les noms mêmes de tribus tels que Navajo, Ute ou Pueblo sont des appellations arbitraires données par les Européens, incapables de prononcer ou peu soucieux de découvrir le nom indien, par lequel chaque tribu s'identifiait.

Le mythe selon lequel tous les Indiens se ressemblent perdure, mais nulle part la preuve de cette aberration n'est plus évidente que dans le Sud-Ouest, où, souvent à quelques kilomètres seulement les unes des autres, coexistent des communautés indiennes dont les différences culturelles et linguistiques sont aussi manifestes que celles existant entre la France et la Turquie. Prétendre ne voir qu'une communauté indienne est assurément n'en voir aucune.

En symbiose avec la nature

Le climat et l'environnement ont toujours déterminé le mode de vie des tribus indiennes et continuent de le faire en bien des cas. Indépendamment de leurs différences, les Indiens du Sud-Ouest ont toujours eu un rapport étroit avec leur environnement. Jusqu'à une date très récente, leur survie dépendait de leur capacité d'adaptation ainsi que d'une connaissance parfaite de la faune et de la flore de leur milieu et... des signes du ciel.

Dans les régions où précipitations annuelles et drainage permettaient la culture, où collines et montagnes avoisinantes grouillaient de petit ou gros gibier, les Pueblos du Nouveau-Mexique et les Hopis du nord de l'Arizona se sédentarisèrent dans des villages aux murs en pierre et en mortier épais pour se protéger des rigueurs de l'hiver. Les Pimas et les Papagos, qui vivaient dans le désert du sud de l'Arizona, s'établirent dans des villages plus simples, à proximité des points d'eau. Leurs habitations faites de joncs entrelacés les protégeaient du soleil tout en étant aérées par le vent. Ces com-

Les habitants de l'Ouest forment une étonnante mosaïque de races. Pages précédentes, « cow-girls » de Santa Fe ; le shérif du comté devant sa voiture ; à gauche, un enseignant navajo.

munautés qui vivaient essentiellement de leurs récoltes, et un peu de la chasse et de la cueillette, dépendaient toutes du bon vouloir de la pluie. Les cérémonies religieuses étaient toujours – et sont encore – destinées à faire tomber les pluies en abondance. Prier pour la pluie en scrutant le ciel est un comportement que tous ceux qui cultivent la terre sans bénéficier des avantages de la technologie moderne n'ont aucune peine à comprendre.

Malgré l'imprévisibilité du climat et les conséquences désastreuses des longues périodes de sécheresse, toutes les tribus ont survécu, comme le dit un Pueblo hopi, *« grâce à la prière »*. La « Femme arc-en-ciel » qui étend son arc par-dessus l'emblème de la tribu navajo (omniprésent sur les véhicules de la tribu) accorde la manne à son peuple en faisant tomber la pluie.

Création ou migration ?

Selon les croyances religieuses des tribus du Sud-Ouest, la création de leur peuple et de l'univers est due à une force, ou à un être, supérieure. Chaque tribu conte à sa manière l'histoire de la Création ; quant aux théories anthropologiques selon lesquelles les premiers Américains seraient venus d'Asie ou des mers du Sud, les Indiens les rejettent catégoriquement.

Lorsque les Espagnols débarquèrent sur le continent américain en 1540, les Indiens les avaient précédés depuis près de 9 500 ans. Au cours des siècles, les tribus du Sud-Ouest ont appris à connaître leur Terre, que nombre d'entre elles considèrent comme la Mère créatrice. Les montagnes, les collines, les sources et les cours d'eau sont sacrés, et les Indiens s'attribuent une parenté avec tous les êtres vivants, même les plus humbles.

L'impact de l'arrivée des colons espagnols, puis européens, sur les cultures indiennes se mesure difficilement, d'autant que les informations sur l'époque précoloniale font cruellement défaut. En outre, les critères retenus par les Occidentaux pour juger de l'« évolution » ou de la « perte de l'intégrité culturelle » ne s'appliquent véritablement qu'aux cultures occidentales. Les Occidentaux ont tendance à accorder une importance démesurée aux témoignages matériels, alors que les cultures indiennes du Sud-Ouest sont des cultures spiritualistes et non matérialistes. L'essence même de ce qui constitue la culture navajo, pueblo ou apache échappe généralement aux étrangers.

A l'évidence les cultures indiennes sont profondément imprégnées d'une philosophie qui croit possible la coexistence avec tous les êtres humains, quelles que soient leur race et leur culture, et d'une manière générale avec tout ce qui vit. Elles ont du reste constamment démontré leur respect des croyances et des modes de vie différents. Cette faculté d'adaptation et cette ouverture intellectuelle leur ont permis de survivre et même de prospérer dans le rude climat du Sud-Ouest. Aujourd'hui, le fait qu'un sorcier, ou « homme-médecine » comme les appellent les Indiens, possède une télévision en couleur ne signifie pas pour autant qu'il a rejeté les croyances et traditions du passé ; sa curiosité d'esprit à l'égard de toutes les formes de civilisation l'a simplement amené à intégrer à son monde cet étrange produit de la haute technologie contemporaine. Il considère que tout ce qu'il voit et apprend en la regardant ne peut que renforcer ses pouvoirs de guérison traditionnels.

Si certaines danses et cérémonies sacrées sont aujourd'hui interdites aux étrangers (le prix à payer pour un siècle et demi de conduite grossière), celles qui sont destinées à favoriser le renouvellement de tous les êtres humains et du monde entier se déroulent encore en public. Les habitants de Zuni Pueblo, dans l'ouest du Nouveau-Mexique, croient même que, s'ils excluaient les étrangers de leur impressionnante Winter Solstice Shalako Ceremony, le monde ne pourrait être renouvelé. C'est pourquoi, tous les ans, des centaines de touristes viennent admirer les masques de bois géants des danseurs shalakos qui traversent la rivière Zuni au coucher du soleil.

Un patriotisme fervent

Quelle que soit leur tribu, la plupart des Indiens se sentent des Américains à part entière et non seulement conscients d'être les premiers hommes à avoir peuplé l'Amérique mais fiers d'avoir combattu et d'être morts pour leur patrie. L'écrasante richesse de son identité tribale obscurcit parfois le fervent patriotisme qui est pourtant un élément majeur de l'identité d'un Apache de White Mountain ou un Pueblo d'Isleta.

La Constitution américaine de 1787 a accordé aux tribus indiennes un statut à part (« paternaliste », au dire des Indiens). Ainsi, les communautés situées dans les réserves fédérales indiennes jouissent parfois de curieux privi-

lèges. En Arizona, par exemple, à une quinzaine de kilomètres de Tucson, la tribu New Pascua des Indiens yaquis peut ouvrir un établissement de bingo où les sommes en jeu atteignent parfois des millions de dollars, contrairement aux lois de l'Arizona, car leur réserve dépend de la juridiction fédérale du ministère de l'Intérieur des États-Unis. Autre exemple : la tribu apache des Jicarillas, au nord du Nouveau-Mexique, peut exhiber en toute impunité ses trophées de chasse ; et le Stone Lake est un paradis pour les pêcheurs de truites.

Mais les Indiens ne disposent pas librement des terres qui leur ont été allouées. Ils ne peuvent rien faire sans l'accord du ministère de

l'Intérieur et du Bureau des affaires indiennes. A cause de cette politique inaugurée il y a 200 ans, les Indiens bénéficient peu des commodités modernes dont jouissent tout naturellement les autres communautés américaines. Ne possédant aucun droit de propriété sur leurs terres, ni individuellement ni collectivement, il y a quelques années encore les communautés indiennes ne pouvaient obtenir des prêts pour leurs logements ni bénéficier du tout-à-l'égout ou du ramassage des ordures.

Cette danse des nuages (à gauche) exécutée à San Juan pueblo, pourrait fort bien se dérouler au son des tambours de San Ildefonso pueblo (à droite).

Les entreprises situées sur les réserves sont rarement gérées par les Indiens. Et, jusqu'à une date récente, il était extrêmement difficile pour les plus entreprenants d'entre eux d'obtenir des prêts bancaires, leur terre ne pouvant servir de garantie. Dans un tel contexte, les tribus du Sud-Ouest n'avaient guère leur mot à dire concernant la mise en valeur des ressources naturelles. Aidées par une bureaucratie laxiste, d'importantes sociétés minières obtinrent des concessions dans les réserves indiennes pour des sommes dérisoires. Ces contrats signés au milieu des années 1950 n'expireront bien souvent qu'en l'an 2000. La politique de l'administration fédérale permettant l'extraction de charbon et d'ura-

nium à ciel ouvert sans exiger la remise en état des sols eut également des conséquences désastreuses. De nombreuses réserves portent les traces visibles de ces abus anciens.

Cette politique a été d'autant plus douloureusement ressentie par les Indiens qu'ils considèrent la Terre comme leur Mère créatrice. Mais, depuis dix ans, les choses ont commencé à changer ; une nouvelle génération de jeunes diplômés et de juristes indiens fait valoir ses droits. Cependant, leur besoin urgent de se loger et de trouver du travail s'accommode mal de leur panthéisme. Les logements manquent cruellement et n'ont bien souvent ni électricité ni canalisations intérieures ; quant au chô-

mage, il peut atteindre jusqu'à 75 % des travailleurs d'une même communauté.

Les tribus du Sud-Ouest sont restées relativement peu touchées par l'influence européenne longtemps après l'arrivée des premiers Espagnols, ce qui explique que les récentes réalisations de l'ère technologique moderne paraissent presque incongrues dans le paysage, à côté des murs de grès effrités construits en l'an 1000.

Un patrimoine culturel bien vivant

Les tribus du Sud-Ouest font bel et bien partie du présent, aussi matérialiste soit-il. La juxtaposition de cette civilisation ancienne, non européenne, au monde moderne est dérangeante car elle soulève de nombreuses questions – sans y apporter de réponses – sur la multiplicité des identités culturelles.

Les « étrangers » se sont souvent mépris sur les apparences. En 1900, Franz Boas, un éminent anthropologue, annonça que les tribus pueblos étaient menacées d'extinction culturelle dans la décennie suivante. Quatre-vingt-dix ans plus tard, les anthropologues commencent seulement à se rendre compte que, malgré les multiples influences dues à des vagues successives d'envahisseurs, l'identité tribale des Pueblos reste intacte et leur échappe complètement. Ces propos sont ceux d'une femme pueblo : « *Comment avez-vous pu vous fier à ce point au jugement de Franz Boas ? Les États-Unis d'Amérique n'existaient même pas il y a deux cent cinquante ans. Nous, nous étions là il y a neuf ou dix mille ans au moins. Nous avons été témoins de l'arrivée puis du départ des Espagnols. De même pour les Mexicains. Je m'étonne de leur surprise.* »

LES HISPANOS

En 1598, le gouverneur Juan de Oñate quitta le Mexique à la tête d'un convoi de 130 familles et de 270 célibataires pour se rendre au Nouveau-Mexique. Ils s'installèrent au nord de l'actuel Santa Fe. Le destin des Indiens pueblos qui vivaient le long du Rio Grande fut désormais lié à celui des colons. Durant plus d'un siècle, les villages hispaniques s'étalèrent le long du Rio Grande dans un paysage agréable dominé par d'imposantes montagnes verdoyantes. Pour les premiers colons espagnols et mexicains qui vivaient de la culture et de l'élevage, le Mexique et ses centres urbains étaient loin. Ils étaient partis à la recherche d'une nouvelle vie, accompagnés par des moines catholiques en quête d'âmes à christianiser. El Paso devint une ville étape, frontière entre l'ancien Mexique et le Nouveau-Mexique, ce qu'elle est encore aujourd'hui avec Juarez. Quittant El Paso, les colons traversèrent, au nord, le désert de La Jornada del Muerto (Le Voyage de la mort), avant d'atteindre les hauts plateaux et les montagnes de Sangre de Cristo (Sang du Christ) qui rappelèrent à certains le sud de leur Espagne natale et à d'autres le Mexique.

Les colons commencèrent à étendre leur influence au-delà des premiers villages. Ils prièrent les autorités espagnoles du Mexique de leur accorder des concessions de terrains. Ayant obtenu satisfaction, ils purent s'installer le long du fleuve et dans les montagnes. L'indépendance du Mexique en 1821 n'interrompit pas ce système de lotissement collectif qui surprit les Anglos à leur arrivée dans le Sud-Ouest.

Ce système joua un rôle crucial dans la formation culturelle des Hispanos. A l'origine, les concessions de terrains accordaient un emplacement pour les maisons, les champs, le système d'irrigation, le bois de chauffage et les pâturages des animaux. Avec l'arrivée des Anglos, en 1846, un nouveau système d'accession à la propriété s'imposa, et nombre de concessions furent rendues caduques ou se réduisirent à de petits lots. De nos jours, les Hispanos héritiers de ces concessions survivent difficilement, et quittent peu à peu ces terres pour aller vivre dans les grands centres urbains. Coupée de ses racines, la communauté est en

Femme sur le seuil d'El Rancho De Las Golondrinas, un ranch construit par ses ancêtres espagnols au XVIIIᵉ siècle.

pleine mutation. La culture hispanique se fond avec une rapidité étonnante dans le grand courant culturel anglo-américain, dont le rôle est prépondérant. C'est peut-être le fait marquant du Sud-Ouest d'aujourd'hui.

Durant des siècles, les Hispanos cohabitèrent avec les Pueblos. Ces influences culturelles réciproques se poursuivirent jusqu'en 1680, date à laquelle les Pueblos du Nouveau-Mexique se révoltèrent contre les colons hispaniques qui les exploitaient et les prêtres catholiques qui s'entêtaient à vouloir en faire des chrétiens. Ils prirent les armes contre eux et les chassèrent du Nouveau-Mexique. Les colons espagnols revinrent en 1692. Commandés par don Diego de Vargas, ils reconquirent Santa Fe et réinstaurèrent l'autorité espagnole. Par la suite, les communautés vécurent dans une entente toute relative, mais elle sont inextricablement liées par un passé commun.

La terre, l'eau et le ciel

Le Sud-Ouest et ses habitants semblent devoir leur caractère à trois éléments essentiels dont ils sont tributaires : la terre, l'eau et le ciel. Les Hispanos découvrirent que les Pueblos sacralisaient la terre créatrice et mère nourricière. Pour les Hispanos, la *tierra* (terre) qui appartient au village, doit être protégée dans l'intérêt de tous. L'Hispano est très conscient de ses racines, et il aime son village. Il est dévoué à sa famille et à sa communauté et n'admet pas qu'on attente à leur honneur. Comme les Pueblos avant lui, il a appris au cours des siècles à vivre en symbiose harmonieuse avec sa terre natale, la *sagrada tierra* (la « terre sacrée »). De nos jours, alors que la population hispanique est essentiellement urbaine, cet attachement à la terre s'exprime symboliquement par la présence de quelques arbres ou fleurs dans un jardin, ou de simples géraniums dans un vieux café.

Deux grands fleuves irriguent le Sud-Ouest hispanique : le Colorado, qui coule depuis le nord de l'État du Colorado pour former en Arizona le Grand Canyon et se jeter dans le golfe de Californie ; et le Rio Grande qui prend sa source dans le sud du Colorado et traverse le Nouveau-Mexique, avant de poursuivre son cours vers le golfe du Mexique. Historiquement, la population hispanique s'est concentrée le long du Rio Grande, source de vie. La culture hispanique a ainsi étendu son influence sur le tracé frontalier du fleuve, entre le Mexique et les États-Unis. On pourrait dire que cette partie du Rio Grande est aux Hispanos ce que le Mississippi est aux États-Unis.

Le ciel est le troisième élément qui complète magistralement le paysage de déserts, de *mesas*, d'*arroyos* et de canyons. Le ciel et la lumière déterminent les tons, les couleurs et l'ambiance. Le ciel est clair, l'air est vif, les couleurs distinctes, l'aube et le crépuscule bien marqués, et les formations nuageuses sont d'une beauté incomparable en été.

Les Hispanos ont façonné le visage industriel du Sud-Ouest. Ce sont eux qui ont créé la première industrie minière de la région. Les *vaqueros* furent les premiers cavaliers ; les cowboys ont hérité de leurs traditions et de leurs costumes. Les Indiens pueblos apprirent aux Hispanos à construire des demeures en adobe, c'est-à-dire avec des briques cuites au soleil, et à utiliser le système de l'*acequiás* pour arroser leurs champs. L'espagnol est parlé dans tout le Sud-Ouest. Il suffit de lire le nom des lieux pour se rendre compte de l'influence hispanique. De San Francisco à San Antonio, c'est tout le couloir frontalier qui en porte la marque ; Santa Fe, Española, Albuquerque, Belen, Socorro, Las Cruces, El Paso ont été fondés par les Espagnols le long du Rio Grande.

La religion catholique, les fêtes familiales et communautaires, les contes oraux et autres formes d'art populaire ont nourri la culture hispanique. Bien que l'espagnol reste l'âme de cette expression culturelle, son rayonnement s'affaiblit, car de plus en plus d'activités s'organisent dans un monde où l'on parle l'anglais. Cependant, à la fois conscients et fiers de leurs racines ethniques, les Hispanos luttent pour que leur langue soit plus largement enseignée à l'école et davantage parlée dans la vie quotidienne, et, quoique s'exprimant en anglais, ils s'accrochent aux valeurs espagnoles.

La famille et le foyer sont les deux valeurs suprêmes, et, à ce titre, le nom de famille revêt une très grande importance. Un réseau de *compadrazco* élargit la cellule familiale, Les *compadres* et *comadres* sont les parrains et marraines que les parents choisissent lors du baptême, de la communion et du mariage de leurs enfants. Une famille du Nouveau-Mexique peut ainsi avoir des parrains en Californie, au Texas ou dans le Middle West, qui font partie de la cellule familiale. Ces liens familiaux élargis contribuent également à maintenir et à propager les traditions culturelles.

De la même façon, l'immigration des travailleurs mexicains (ceux qu'on appelle les *Chica-nos*) aux États-Unis depuis un demi-siècle renforce la culture hispanique. En émigrant vers le nord, ils apportent avec eux leur musique, leur style de vie et surtout leur langage. Chicanos et Hispanos sont environ 20 millions aux États-Unis, et constituent la majorité de la population dans les régions frontalières.

La fierté des Chicanos

Les Hispanos ont activement participé au développement des États frontaliers du Sud-Ouest. Le mouvement politique et social moderne est issu du Chicano Movement des années 1960. A l'instar des mouvements luttant en faveur des droits civiques des Noirs, la population mexicano-américaine du Sud-Ouest exigea l'égalité de l'enseignement et de la protection sociale ainsi que des conditions de travail et de vie décentes. A travers ce mouvement, les Chicanos revendiquaient avec fierté leur appartenance ethnique.

A la recherche de leurs racines, les leaders et les artistes mexicano-américains se retournèrent vers leur mère patrie, le Mexique. L'histoire des leaders politiques et des héros populaires, ainsi que le rôle joué par les Chicanos dans l'exploitation minière, l'élevage en ranchs et l'industrie ferroviaire reflètent le dynamisme de cette communauté. Dynamisme qui s'exprime aussi à travers une imagination créatrice effervescente, puissamment nourrie par le passé (arts populaires, contes oraux, musique religieuse, représentation de pièces édifiantes durant la période de Noël...). Les Chicanos n'ont qu'à se plonger dans leur propre histoire pour découvrir la richesse de leur héritage.

Si le Sud-Ouest d'aujourd'hui ne ressemble guère à un melting-pot, les différents groupes culturels sont loin d'êtres repliés sur eux-mêmes. Ainsi, la nourriture mexicaine est appréciée par tous. A Noël, une foule de personnes, de la région ou non, se pressent pour voir les *luminarias* qui illuminent églises et maisons. On ne saurait plus concevoir Noël sans ces bougies. La nourriture, en cette période de fête, est également typique, et tout le monde mange du *posole*, du *chile*, du *carne adovada*, des *natillas*, des *biscochitos*, et des *enpanaditas*. Le reste de l'année, haricots, *chili*, *enchiladas*, *burritos* et *tacos* comblent ceux qui aiment la nourriture mexicaine.

Le Chicano Movement a suscité une renaissance de l'art. Des groupes artistiques se sont formés dans chaque ville. Fiers de leurs origines, les Chicanos explorent de nouveaux horizons : le cinéma, les peintures murales, la musique moderne.

L'art hispanique : l'expression d'une tradition

Mais l'art traditionnel et les manifestations rituelles sont à la base de cette renaissance. Il suffit de se représenter la scène suivante :

Une procession serpente solennellement le long d'un *arroyo*, comme un long ruban coloré à travers les champs, pour s'arrêter finalement en haut d'une colline dominée par une vieille

chapelle en adobe. Les cloches carillonnent, des violons les accompagnent et des chants s'élèvent. A la tête du cortège, un homme brandit une croix dorée, à ses côtés se trouve le prêtre du village et, derrière eux, la statue de saint Isidore, portée par quatre personnes. Ce bel exemple de sculpture traditionnelle sur bois représente le patron des laboureurs avec un joug, une charrue et un ange minuscule qui lui sert d'aide. Viennent ensuite les fidèles – des hommes vêtus de leurs vieux costumes traditionnels, des croyantes enveloppées de châles

La récolte des piments rouges, pour rien au monde les Hispanos du Nouveau-Mexique ne se passeraient de Chile.

noirs sous des ombrelles également noires qui les abritent des rayons trop chauds du soleil du Sud-Ouest, des enfants, des touristes, et tous ceux qui ont souhaité se joindre au cortège.

Cette procession a lieu deux fois par an – au printemps, quand on bénit les champs, et en automne, lorsqu'on rend grâces à Dieu pour la récolte abondante. Elle se déroule à El Rancho De Las Golondrinas, un ranch espagnol du XVIIIe siècle, devenu un véritable musée vivant. Durant les deux jours de fête qui suivent, où l'on danse et joue de la musique, les artisans hispaniques viennent exposer leur travail. On peut y voir des *santeros*, ou graveurs d'images saintes, des peintres de retables, des orfèvres, des tisseuses devant leur métier fabriquant des couvertures chimayos aux couleurs éclatantes, des brodeuses, des vanniers, ainsi que des cuisinières qui servent à la louche de succulents plats épicés qui emportent la bouche. En toile de fond de cette grande animation, de vieilles chapelles et des édifices anciens rappellent les racines historiques des artistes et *artesanos* d'aujourd'hui.

L'art populaire hispanique traditionnel, d'inspiration rustique et locale, était et est toujours représenté par d'humbles cultivateurs désireux d'améliorer leurs maigres revenus. Il a très peu subi d'influences extérieures car, pendant des siècles, le Sud-Ouest fut pour ainsi dire coupé du reste du monde. Pour atteindre les villes populeuses du Mexique, il fallait en effet avoir le courage de traverser un immense désert. Deux ou trois fois par an, un train de mulets ou une caravane de *carretas* – de lourds chars à bœufs peu maniables, guère robustes et d'une lenteur mortelle – parvenait à Santa Fe. Durant les années où les Apaches furent sur le sentier de la guerre, aucune caravane ne put passer. A partir des années 1820, les marchandises yankees arrivèrent par la longue et dangereuse piste de Santa Fe, mais, jusqu'à l'apparition du chemin de fer, la contrée demeura isolée. Les objets d'art et les meubles européens qui auraient pu servir de modèles aux artisans locaux étaient rares.

Les Hispanos devaient compter sur leurs propres ressources et se contenter d'utiliser les matériaux locaux. Même les demeures des *ricos*, les gens cultivés, étaient simples, et leur mobilier se limitait au strict minimum. Le raffinement était l'apanage des riches.

Le *trastero*, un buffet peint richement ouvragé, constituait le principal meuble d'une habitation hispanique. Les familles rangeaient leurs biens dans des coffres qui servaient aussi de tables et de bancs. Certains coffres décoratifs possédaient des ferrures très travaillées ; des lions et des roues dentelées étaient sculptés dans le bois ; parfois, des motifs mauresques. Les chaises étaient robustes et simples. Dans l'angle des pièces, des niches peintes accueillaient les images des saints et d'autres objets religieux. Des lithographies de saints ou de personnages bibliques ainsi que des retables décoraient la demeure. De nombreuses églises possédaient des peintures naïves représentant le donateur à genoux, remerciant tel ou tel saint de l'avoir guéri d'une maladie, d'une chute de cheval ou sauvé d'un incendie.

L'art religieux

Les *santeros* sculptaient des *santos*, c'est-à-dire des figurines du Sauveur, de la Vierge, des saints et des anges. De telles représentations ne cherchaient pas l'exactitude anatomique, l'artiste faisant œuvre de foi plus que d'art. Les anges avaient les jambes courtes ; les saints une taille de guêpe, de grands pieds, un corps tout en longueur. Les Anglos, qui étaient habitués à la vision formelle et réaliste des Américains blancs, parlèrent d'« *effrayantes abominations artistiques* ». Aujourd'hui, ces « abominations » sont avidement convoitées par les musées et les collectionneurs. On trouve souvent des représentations tragiques de Jésus, le visage émacié, le corps blanc comme de la craie, les cheveux et la barbe très noirs, le sang rouge vif coulant de multiples blessures.

La souffrance et la mort ont toujours occupé une grande place dans l'art hispanique. N'oublions pas que les chrétiens espagnols furent longtemps opprimés par les Maures. Les membres de la secte mystérieuse des *Penitentes* se flagellent jusqu'au sang en demandant à Dieu de leur donner « une belle mort ». Cette conscience aiguë du caractère inévitable de la mort, de la damnation et du salut, apparaît dans une sculpture particulièrement impressionnante, où la mort, symbolisée par un squelette, met en garde les hommes : « *Telle je suis aujourd'hui, tels vous serez. Repentez-vous !* » Autres statues typiques du Sud-Ouest : celles de la Conquista, patronne de Santa Fe, de Nuestra Señora de Guadalupe, la Vierge indienne, et de la Sainte Trinité ; ainsi que les *bultos*, statues polychromes.

Les *santos* sont généralement en peuplier ou en plâtre. Les couleurs sont d'origine naturelle ; les artistes obtiennent le rouge et l'orange avec des oxydes de fer ; le blanc et le jaune avec de l'argile ; le noir à partir du charbon de bois finement broyé ; et le vert avec des herbes. Jusqu'en 1850, ils n'utilisaient guère le bleu qu'il fallait faire venir spécialement. Les figurines font encore partie intégrante de chaque foyer, notamment les saints patrons qui ont donné leur nom aux membres de la famille. Les croix de bois, décorées de mosaïque de paille et recouvertes de résine, sont très populaires.

Les femmes excellent dans la broderie des couvre-lits, ou *colchas*, souvent ornés de motifs floraux ou d'oiseaux sur fond blanc. Les moutons, introduits au Nouveau-Mexique par les premiers colons espagnols, fournissent de la laine bon marché en très grande quantité. Les femmes tissent d'épaisses couvertures riches en couleurs. Les tisseuses de Chimayo et de Truchas fabriquent également des couvertures étonnamment modernes, des sacs de laine, des taies d'oreiller et des carpettes.

Argent et argile

Les ouvrages d'orfèvrerie sont exécutés par le *platero* qui se sert parfois encore d'un four en terre cuite, du charbon de bois et d'un soufflet en peau de bouc. A l'occasion, il refond des pesos pour utiliser l'argent dans la fabrication d'objets divers – croix, colliers, chapelets, bracelets, boucles d'oreille, tabatières, poudriers, boutons, brides de cheval, éperons de cavalier. C'est le *platero* espagnol qui enseigna son art aux Navajos dans les années 1850.

Les objets en céramique étaient simples et usuels. De nos jours, certains céramistes façonnent de charmantes figurines peintes de Marie, de Joseph et du Divin Enfant dans la crèche, des trois Rois mages et des bergers en prière, à l'image des fermiers hispaniques entourés de leurs animaux – ânes, agneaux, bœufs et chèvres. On peut les admirer dans les musées ou dans la plupart des magasins d'antiquités locaux, notamment à Taos et Santa Fe. Malgré une pléthore de saints en plastique *made in Taiwan* ou de personnages bibliques (et de nudités blondes) peints sur du velours noir en provenance du Mexique, les artistes réalisent toujours des *bultos*, des *santos* et des *retablos*, les femmes de Chimayo tissent encore des couvertures ; l'artisanat d'art traditionnel se porte bien.

A Truchas, vieux village espagnol, l'influence hispanique reste manifestement bien vivante.

LES ANGLOS

Les Anglos sont les représentants de la culture dominante du Sud-Ouest. Très peu d'entre eux, contrairement à ce que laisserait supposer leur nom, descendent en réalité des Angles, ce peuple germanique qui envahit l'Angleterre au ve siècle. Le terme générique d'Anglos désigne en fait tous les Américains d'ascendance européenne à la peau claire et qui n'ont pas un nom espagnol.

Les premiers Anglos à venir dans le Sud-Ouest furent des aventuriers, des trappeurs et des marchands ; ces derniers arrivèrent par la piste de Santa Fe et introduisirent le commerce dans la région. La « Nouvelle Espagne », auparavant repliée sur elle-même, allait bientôt voir affluer par cette brèche toute une population. L'armée américaine se fit construire des forts et créa des garnisons. Chargée à l'origine d'assurer la protection des routes commerciales contre les attaques des hors-la-loi et des Apaches, elle se trouva bientôt engagée dans la guerre contre le Mexique, au terme de laquelle l'Arizona et le Nouveau-Mexique furent cédés aux États-Unis en 1848. Les chemins de fer du Southern Pacific et de Santa Fe n'allaient pas tarder à ouvrir le Sud-Ouest au peuple américain.

La grande migration

Les Yankees qui prolongèrent les chemins de fer jusqu'au Sud-Ouest devaient y bâtir plus tard les premiers grands hôtels, préparant ainsi le terrain à une clientèle oisive. La construction de nouvelles routes, jointe à la mise en service de lignes aériennes et à des campagnes nationales de promotion, favorisa le tourisme. Les malades vinrent y respirer l'air pur et les « nordistes » y trouvèrent un cadre idéal pour refaire leur vie. Des villes entières pour retraités sortirent de terre, ce qui entraîna dans les années 1960 un vaste mouvement migratoire.

Dans les années 1970, les grands hôtels et les ranchs pour touristes s'effacèrent devant de gigantesques complexes de loisirs, incluant terrains de golf et courts de tennis, restaurants,

Anglo-Américains typiques. A gauche, jeune fille sur les terres d'un ranch d'Artesia (Nouveau-Mexique), avec son cheval. A droite, cow-boy.

discothèques, etc. Les camps de caravaning – véritables villages sur roues – se multiplièrent. L'industrie du loisir était devenue l'activité la plus visible du Sud-Ouest.

Parallèlement, l'agriculture et les industries traditionnelles connaissaient un relatif déclin, notamment les exploitations minières, victimes à la fois d'une baisse de la demande, de la concurrence étrangère, de l'épuisement des gisements et des conflits sociaux. Nombre d'entre elles durent fermer. Pour rentabiliser une mécanisation coûteuse, les ranchs se sont agrandis, mais leur nombre a diminué. Le bétail est surtout engraissé en enclos, et les cow-boys doivent savoir faire fonctionner les

machines. Les ranchs, les vergers d'agrumes et les champs de coton ont été en grande partie remplacés, autour des principales villes du Sud-Ouest, par de grandes exploitations industrialisées.

Le ralentissement industriel a été compensé par l'essor des industries touristique, aérospatiale et électronique. L'Arizona est aujourd'hui réputé pour ses industries de haute technologie qui emploient une importante main-d'œuvre, tout comme les laboratoires de microbiologie et de physique nucléaire de Los Alamos et de Sandia, au Nouveau-Mexique. Les Américains travaillant dans ces secteurs de pointe ne peuvent encore bénéficier de nombreux loisirs, mais ce *silicon desert* a engendré une classe professionnelle ambitieuse, vivant dans des ensembles modernes, fréquentant les bars pour célibataires, et dont le style de vie se reflète dans les pages de certains magazines qui présentent sous des couleurs séduisantes un patchwork superficiel où se mêlent informations diverses, recettes à la mode, photos de deltaplanes et autres rubriques *in*.

Cette culture en effervescence a eu un impact considérable sur les minorités plus stables. Malgré leur attachement à leur terre natale, plus de la moitié des Indiens sont partis pour les grandes villes en quête d'un travail. Dans les réserves, les tribus sont divisées : certaines voient d'un bon œil le changement, les autres s'efforcent de préserver la tradition. Les réserves, délimitées à l'origine par les Anglos sur des terres *a priori* sans valeur, sont aujourd'hui envahies par des compagnies d'exploitation de gisements. On y a en effet découvert du charbon, du pétrole et de l'uranium – souvent dans des régions considérées comme sacrées. Les contrats reflètent hélas ! l'ignorance des tribus à l'égard des lois américaines. Mais on assiste à d'étranges rapprochements culturels : les astronomes ont obtenu le droit de s'installer sur le Kitt Peak seulement après avoir donné l'assurance aux Indiens pagagos, pour qui ce lieu est consacré au dieu I'itoy, qu'ils souhaitaient y adorer le ciel à leur manière. Déplorant que la nouvelle génération ne s'intéresse qu'à l'anglais, les Navajos envisagent d'enseigner leur langue par ordinateur. Tandis que les danses sacrées attirent une foule d'Anglos, bardés d'appareils photos et de caméras. Mais ce sont les Papagos du sud de l'Arizona qui subissent le comble de l'humiliation. La vie dans leurs réserves est rendue quasiment insupportable en raison des entraînements des pilotes d'avions supersoniques qui survolent leur territoire parfois en rasant presque le sol.

Les Hispanos, mieux assimilés, sont confrontés à des problèmes moins graves. Les tensions les plus vives sont ressenties au Nouveau-Mexique où un quart de la population porte un nom espagnol. La rancœur des Hispanos remonte à l'époque où nombre d'entre eux se virent confisquer leurs concessions de terrains, lorsque le Mexique dut céder le Sud-Ouest aux États-Unis. Les Hispanos se plaignent du sectarisme des Anglos, et ceux-ci leur reprochent leur corruption politique. Les relations entre les deux communautés sont plus amènes dans l'Arizona, en dépit du sérieux problème de l'immigration clandestine à la frontière mexicaine. Phoenix représente un exemple encourageant pour l'avenir, car Anglos, Hispanos et Noirs, en nombre sensiblement égal, y vivent dans une remarquable entente.

La tendance à surexploiter les ressources naturelles et à surconsommer trouve sa plus forte opposition au sein de la communauté anglo-américaine elle-même. Dans l'Arizona et l'Utah, les mormons offrent un solide rempart aux valeurs familiales, même si quelques compromis leur permettent notamment de posséder ou de diriger des établissements de jeu. Les mouvements écologiques anglo-américains, de plus en plus combatifs à mesure que le paysage naturel disparaît, réagissent en premier lieu contre le matérialisme de la société. Il n'est pas rare que les écologistes s'associent aux tribus indiennes traditionnelles, telle celle des Hopis, pour poursuivre en justice les sociétés américaines.

Même combattue à la fois de l'intérieur et de l'extérieur, la politique industrielle et touristique des Anglos semble balayer tous les obstacles sur son chemin. Le paysage a été largement remodelé par les mines à ciel ouvert, le déboisement des forêts, le pâturage intensif, la pollution industrielle, le réseau des communications, l'accroissement des villes et, par-dessus tout, la redistribution des eaux. Retenues par des barrages, canalisées, puisées dans des nappes aquifères, drainées de bassin en bassin, les eaux du Colorado, fleuve jadis fougueux, s'écoulent à présent servilement. La rapidité des déplacements, la commercialisation en franchise, et le culte du dollar sont en train de niveler les différences culturelles d'une manière aussi radicale.

Les retraités du Sud-Ouest

On pense généralement que les Américains ayant choisi de « se retirer dans le Sud-Ouest » vivent dans un univers de piscines, de chaises longues et de terrains de golf sous un soleil de plomb. Si les clichés contiennent une part de vérité, la réalité est fort heureusement plus diversifiée. Le Sud-Ouest lui-même n'admet pas l'uniformité. Du fait d'une altitude souvent plus élevée que ne l'imaginent les étrangers, de nombreux endroits subissent les hivers classiques du Nord. Certaines personnes s'établissent dans de petites villes de montagne telles que Saint George (Utah) ou Flagstaff (Arizona), sachant qu'elles bénéficieront d'un été tempéré, tandis que leurs compatriotes devront se cloîtrer dans des pièces climatisées. D'autres choisiront Santa Fe et Taos (Nouveau-Mexique) ou Sedona et Prescott (Arizona) parce que les étés y sont à peine trop chauds et les hivers à peine trop froids. Mais la plupart des retraités n'ont que trop connu le froid glacial des mois de janvier et veulent des hivers sur mesure, sans se soucier des étés ! Étant donné l'ensoleillement du Sud-Ouest, le sud du Nouveau-Mexique est très prisé, mais le désert de Sonoran plus encore ; situé au centre et dans le sud de l'Arizona, il connaît des hivers tout simplement paradisiaques.

Si le Sud-Ouest jouit d'une si grande popularité auprès des retraités, c'est essentiellement grâce à Sun City. Située à l'ouest de Phoenix, cette ville conçue par la Del Webb Corporation

pied ou à vélo. Sun City ne pouvant plus faire face à la demande, d'autres villes, comme Sun City West, Green Valley et Youngtown, ont été bâties dans le même esprit. Les communautés pour retraités proposent, en Arizona, une panoplie impressionnante d'activités. Pourtant, à la vue de ces maisons presque identiques aux tons pastel complémentaires, on ne peut s'empêcher de penser que leurs occupants ont renoncé à une part de leur individualité.

L'uniformité ne menace guère ceux qui ont la possibilité de concevoir leur propre oasis. La clientèle âgée des Boeing, fatiguée de survoler le continent, a découvert le charme des vieux adobes de Santa Fe, où elle vient se distraire et

en 1960 est l'ancêtre des communautés de retraités. Environ 46 000 personnes vivent dans ce labyrinthe dont les allées sinueuses mènent à des demeures sans étage, des terrains de golf, des lacs artificiels, des centres de commerce et de loisir, des églises et des établissements médicaux. Tous ces heureux propriétaires doivent avoir au moins cinquante ans. Ils se retrouvent dans des clubs sportifs et touristiques, et sont membres de diverses amicales (il y a même une amicale d'anciens syndicalistes). La tranquillité des lieux permet de circuler en toute sécurité à

Cultivatrice de Lovina Farm (Nouveau-Mexique) montrant les courges qu'elle cultive.

s'imprégner de l'ambiance artistique. Carefree, dans le désert de Sonoran, au nord de Scottsdale, est une communauté moins résidentielle. Dans un environnement de cactus se dressent des demeures à l'architecture audacieuse, flanquées d'énormes blocs de granit. Le golf est un *must*.

Café, cocktails et tutti quanti

Toutefois, les communautés vivant en camping-cars et en caravanes sont bien plus nombreuses. On les trouve non loin d'El Paso et d'Albuquerque, le long du Colorado, de Boulder City (Nevada) à Yuma (Arizona), et de Tempe à Apache Junction, à l'est de Phoenix, par la route de Mesa. La vie sociale est dans ces lieux très active : bingo, jeux de cartes, repas collectifs, soirées dansantes, réunions conviviales devant une tasse de café, cocktails de fin d'après-midi, promenades en voiture dans les collines ou en bateau sur les lacs artificiels. Pour donner à chaque résidence une touche personnelle, un effort particulier est apporté aux jardins et à la décoration. Mais cette population reste malgré tout peu stable.

Une autre catégorie de retraités, encore plus itinérante et fascinante, choisit chaque hiver de converger vers le Sud-Ouest en caravane, en camping-car, ou tout simplement en camion aménagé. Certains ont des racines dans leurs « quartiers d'été », mais dans l'ensemble c'est une population nomade qui échappe même au percepteur. Ils sont disséminés à travers le sud du Nouveau-Mexique et le désert de Sonoran. Quartzsite, une petite agglomération dans l'Arizona, près de la frontière californienne, attire bon nombre d'entre eux. Au cours de l'hiver, les quelques centaines d'habitants voient surgir des dizaines de milliers de nouveaux venus. Certains restent dans leur véhicule, mais la plupart s'organisent un endroit pour rester dans les environs. L'unique rue de Quartzsite se transforme en un immense marché aux puces qui dure tout l'hiver. Brocante et antiquités avoisinent objets d'arts : outils, vieilles bouteilles et autres curiosités dénichées l'été précédent ; bijoux, poteries, articles en cuir, sculptures en bois et vêtements faits maison. La saison bat son plein en février, lors du Powwow, un « festival roc » dont les vedettes sont des minéraux et des pierres précieuses à l'état brut ou serties – un événement qui attire actuellement plus d'un million de touristes chaque année.

Si les retraités ont tendance à se fixer dans des endroits où le conformisme est de bon ton, ici l'individualisme se montre au grand jour. Malgré leur esprit d'indépendance, ces éphémères habitants de Quartzsite se sont regroupés pour bâtir une grande salle communale et fonder un centre médical. Ils organisent des soirées dansantes publiques, et, sans aucun policier local, maintiennent l'ordre par le respect mutuel.

L'art du XXᵉ siècle : un réalisme scrupuleux

Les premiers artistes d'origine européenne à peindre le Sud-Ouest et ses habitants firent par-

tie des expéditions. Toutefois les premières visions nous en sont données par le *Paysage des Indes occidentales* (Haarlem), une œuvre réalisée en 1542 par le peintre néerlandais Jan Mostaert. S'inspirant des récits de l'expédition de Coronado à Zuni Pueblo (Nouveau-Mexique), le tableau montre des montagnes, des collines, des forêts, des animaux et des indigènes nus.

John Mix Santey, chroniqueur officiel de l'expédition de W.H. Emory en 1846-47, fut l'un des premiers peintres à se rendre en personne dans le Sud-Ouest. Son tableau *Chain of Spires Along the Hila River*, 1855, constitue l'une des premières représentations héroïques des paysages de l'Arizona.

Au cours des trois décennies suivantes, beaucoup d'artistes de talent firent le voyage. En 1872, après avoir achevé ses aquarelles monumentales sur Yellowstone, Thomas Moran visita le Grand Canyon et peignit un grand nombre d'esquisses qui lui servirent d'études préparatoires à une série de paysages sur l'Ouest légendaire. Le Congrès des États-Unis dépensa 10 000 dollars pour accrocher dans le hall de l'édifice *The Chasm of the Colorado (Le Gouffre du Colorado)*. Moran retourna souvent peindre les merveilles géologiques du Sud-Ouest.

Dans le dernier quart du XIXᵉ siècle, alors que seuls les Apaches résistaient encore aux efforts des Américains pour les parquer dans des réserves, les artistes commencèrent à décrire les derniers jours d'une race primitive et digne vouée, selon eux, à l'extinction. Les motivations et les idéaux de cette nouvelle génération d'artistes n'avaient rien à voir avec ceux de leurs prédécesseurs qui s'étaient joints aux expéditions : ils voulaient témoigner pour la postérité.

Au tout début du XXᵉ siècle, Frederic Remington et Charles M. Russell acquirent la célébrité en tant que peintres et sculpteurs de l'Ouest légendaire. Tout en exaltant la beauté des paysages, l'œuvre de Remington met en scène, pour la glorifier, la vie héroïque des premiers colons et soldats blancs. Les travaux de Remington et de Russel ont servi de modèles aux artistes désireux d'exécuter des peintures narratives sur l'Ouest. Par le choix de leurs sujets et par leur style, ils représentent l'art traditionnel de cette région.

Au cours du XXᵉ siècle, artistes conformistes et avant-gardistes ont contribué à la renommée de Taos et de Santa Fe en venant s'y installer.

En 1898, lorque Bert Phillips décida d'établir sa résidence principale à Taos, il inaugura une ère nouvelle pour la ville. En 1915, les peintres de Taos fondèrent la célèbre Taos Society of Artists. Bien que la fonction première de l'association fût d'encourager l'excellence artistique et de faire connaître les œuvres de ses adhérents, notamment par des expositions, lorsque l'association fut dissoute en 1927, ses membres étaient célèbres et riches, et Taos était devenu un centre artistique permanent.

La vocation artistique de Santa Fe se manifesta plus tard dans une voie différente. Santa Fe était une ville plus cosmopolite ; le Museum of New Mexico (le musée du Nouveau-Mexi-

Les valeurs américaines

Les peintures narratives restent appréciées par la majorité des marchands et des collectionneurs. Elles restituent des pages de l'histoire américaine, la vie dans les anciens ranchs, les exploits des rodéos ; elles représentent aussi des images d'un monde indien que les années ont épargné. Le Sud-Ouest est devenu le foyer d'un art traditionnel qui s'appuie sur les valeurs américaines essentielles et célèbre les héros et les idoles de l'Ouest du passé aussi bien que du présent.

Une foule d'expositions, de ventes, de séminaires, de concours primés sont organisés cha-

que), ouvert en 1917, offrait aux nouveaux venus des ateliers, des lieux d'exposition et une aide financière.

L'arrivée de Robert Henri, durant l'été 1914, modifia les orientations artistiques de la localité. L'art devait, selon lui, procéder d'une vision réaliste et emprunter ses sujets à la vie quotidienne des gens ordinaires. Henri passa trois étés à Santa Fe, peignant une remarquable série de portraits d'Indiens, et il encouragea nombre de ses amis, disciples et élèves à venir dans le Sud-Ouest.

Ce vieil Anglo-Américain est employé au barrage d'Avalon, près de Carlsbad.

que année. Lors de certaines ventes publiques, collectionneurs et propriétaires de galeries font monter les enchères à des sommets vertigineux. Parmi les vedettes du jour, on peut citer Olaf Wieghurst, Tom Lovell, John Clymer et Clark Hulings.

La sculpture a suivi la même évolution que la peinture. La sculpture traditionnelle se caractérise par le même mélange de réalisme et d'idéalisme. Le sujet est représenté avec une grande précision dans le détail, notamment les costumes, les armes et les objets. Aujourd'hui, les cow-boys, le rodéo et les portraits d'Indiens figurent parmi les sujets favoris de la plupart des sculpteurs du Sud-Ouest.

ITINÉRAIRES

Si vous comptez passer un certain temps dans le Sud-Ouest américain, vous aurez vite l'impression d'être à l'étroit en d'autres lieux ; c'est une contrée qui s'ouvre sur des horizons infinis et des cieux immenses. D'autre part, en vous promenant hors des sentiers battus, vous découvrirez bien souvent des canyons et des vallées à la végétation luxuriante qui seront des haltes toujours bienvenues de fraîcheur et d'ombrage. Ces plaisirs inattendus sont aussi caractéristiques du Sud-Ouest que les formations rocheuses rougeâtres et les étendues désertiques, mais le touriste trop pressé risque de passer à côté.

Les frontières géographiques du Sud-Ouest varient selon les critères retenus. Certains vont jusqu'à y inclure l'Oklahoma à l'est, le sud de la Californie à l'ouest, et au nord Salt Lake City, dans l'Utah, et Reno au Nevada. Ce guide se fonde sur les similarités culturelles et géographiques (voir carte page suivante), définissant ainsi une région que vous pourrez explorer en voiture sans faire de longs détours.

L'itinéraire que nous vous proposons part du Grand Canyon – l'un des sites naturels les plus visités du monde – pour vous mener vers le sud de l'Utah, où vous découvrirez, à une échelle plus humaine, des paysages souvent aussi spectaculaires que le Grand Canyon, mais moins accessibles et moins fréquentés. En vous dirigeant ensuite vers le sud, vous atteindrez les territoires indiens des Navajos et des Hopis, qui s'étendent de l'Arizona au Nouveau-Mexique. Vous passerez ensuite en pays pueblo, région qui inclut Albuquerque, Santa Fe et Taos, au Nouveau-Mexique. Vous y verrez des pueblos indiens et des villages hispaniques à proximité des grandes villes. Cette région est culturellement et géographiquement si riche et si diverse qu'on pourrait consacrer des années à l'explorer. Si vous êtes fasciné par les vieilles églises espagnoles et les constructions en adobe, vous serez comblé ; les marchés, les pueblos et les villages vous feront découvrir le travail artisanal des Indiens et des Hispanos ; et si vous aimez les plats relevés, sachez que cette région possède les meilleurs piments rouges. Dans l'est et le sud du Nouveau-Mexique, le paysage s'élargit, laissant la place à des déserts, des montagnes et des plaines qui méritent d'être explorés.

La région frontalière du sud de l'Arizona, qui sépare les États-Unis du Mexique, abrite une flore et une faune des plus intéressantes. Tucson fut jadis la capitale de l'État.

Au cœur de l'Arizona, Phoenix est dominé au sud, à l'est et au nord par des montagnes qui constituent un véritable paradis pour ceux qui aiment vivre en plein air. C'est le territoire des principales tribus apaches.

Las Vegas est une incongruité dans le Sud-Ouest. Comment cette grande ville tapageuse, illuminée d'enseignes au néon qui ne s'éteignent jamais et consacrée au dieu Loisir sous toutes ses formes peut-elle justifier sa présence ici ? Jugez-en vous-même en vous rendant sur place, et ne soyez pas étonné si vous en gardez la nostalgie.

Les auteurs de cet itinéraire vivent dans le Sud-Ouest et lui consacrent des livres depuis des années. Ils ont choisi de vous parler de leurs endroits favoris.

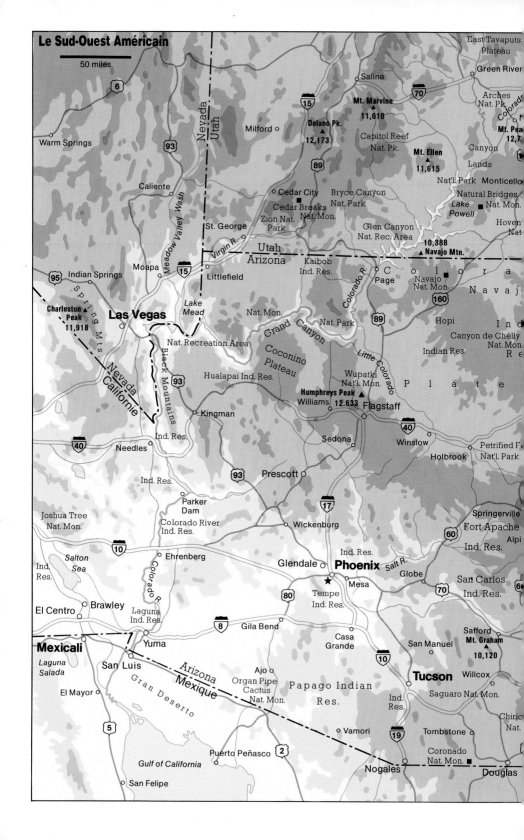

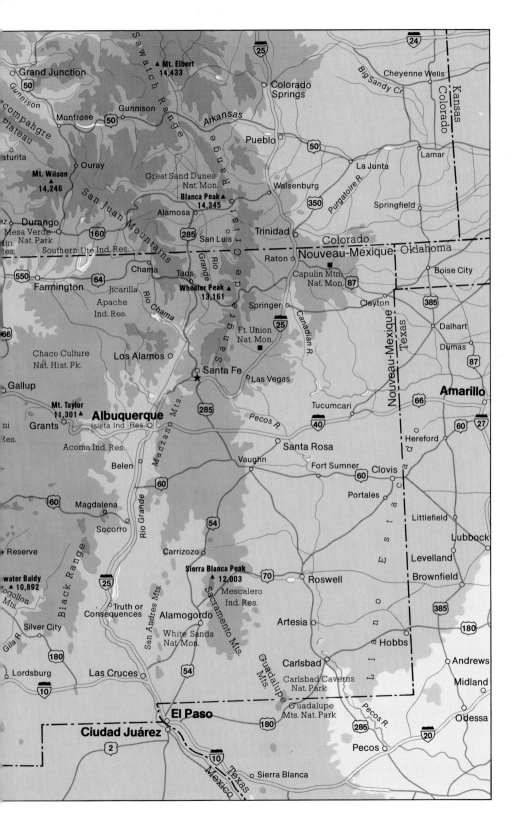

LES GRANDS ESPACES

Les activités de plein air qui attendent les touristes dans le Sud-Ouest, quelle que soit l'époque de l'année, sont si nombreuses et si variées qu'il n'est guère facile de les citer toutes. Les autres régions des États-Unis ne sauraient rivaliser sur ce terrain. En effet, où trouver un autre endroit en Amérique où il soit possible de skier à plus de 3 000 m le matin, et de jouer au tennis ou au golf l'après-midi en plein soleil ? De se promener en short et en T-shirt, et de pêcher des grosses truites arc-en-ciel en janvier ? De conduire un troupeau de bovins à travers une immense prairie, accompagné d'un chariot de pionniers datant de 1870 d'où s'échappe le tintamarre d'une batterie de cuisine sur laquelle veille une cuisinière en costume de cow-boy ? De descendre des rapides sur un *raft* ballotté au fond d'un canyon, et de se retrouver le même soir confortablement installé dans un restaurant de la ville ?

Nulle part ailleurs que dans le Sud-Ouest ! « *Quand votre esprit recherche désespérément la paix, venez dans ce monde où la terre se creuse de canyons profonds ; ressentez l'allégresse des hauts plateaux, la puissance des eaux en mouvement, la simplicité du sable et de l'herbe, le silence de la croissance.* » Séjournez ne serait-ce qu'une fois dans ces grands espaces et vous comprendrez réellement ce que cet auteur américain voulait dire.

Dans les pages qui suivent nous vous proposons une série d'activités de plein air auxquelles nous aurions volontiers ajouté des centaines d'autres suggestions, si un seul voyage pouvait y suffire. Les possibilités sont infinies. Qui s'en plaindrait ?

Sur les flots du Colorado

« *Il nous reste une distance inconnue à parcourir ; un fleuve inconnu à explorer. Nous ignorons quelles chutes nous attendent ; nous ignorons quels rochers vont se présenter en travers des flots ; nous ignorons quelles murailles s'élèveront au-dessus du fleuve.* » Le naturaliste amateur John Wesley Powell griffonna ces notes dans son journal le 13 août 1869, avant de s'embarquer quelques heures plus tard avec neuf compagnons dans trois canots pour explorer le **Grand Canyon** sur le **Colorado**, en Arizona. Seize jours plus tard, à moitié morts de faim et à bout de forces, ils émergèrent à l'autre extrémité de la gorge. C'était la première fois que des hommes réussissaient à franchir les 446 km du Grand Canyon.

L'exploit historique de Powell marqua le début d'une ère nouvelle. En l'espace d'un siècle, la descente des rivières en canot allait devenir l'un des sports favoris des Américains. Ces dernières années, des milliers de participants ont découvert que nulle part ailleurs le paysage est plus extraordinaire et les rapides plus excitants que dans les lointains canyons et sur les cours d'eau indomptés du Sud-Ouest c'est-à-dire là où tout commença. Descendre le cours d'un fleuve du Sud-Ouest dans un kayak, seul ou accompagné d'une douzaine de compagnons dans un radeau gonflable, est une expérience inoubliable.

Souverain incontesté des régions arides, le Colorado prend sa source dans les Rocheuses et, après un parcours tumultueux de 2 576 km, se jette dans les eaux du golfe de Californie, au Mexique. Ce fleuve magnifique est navigable sur presque tout son cours, mais une descente en radeau du Grand Canyon de l'Arizona offre de loin le spectacle le plus grandiose. Toutes les descentes partent de **Lee's Ferry**, une bourgade située à quelques kilomètres du barrage de Glen Canyon sur le Lake Powell. Comptez de huit à quinze jours pour parcourir les 446 km du canyon, selon que votre embarcation est à moteur ou non. Vous pouvez vous arrêter à mi-chemin, à **Phantom Ranch**, et prendre un hélicoptère pour remonter. Réservez longtemps à l'avance car, de toutes les descentes de rivières, celle du Grand Canyon est la plus populaire.

Dans le sud de l'Utah, le cours supérieur du Colorado permet aussi de belles équipées. Pour descendre les **Westwater Canyon** (42 km) et le **Cataract Canyon** (76 km), il faut partir de Moab (Utah), à l'est de Canyonlands National Park, sur la route US 163. De nombreux organismes proposent des excursions dans les deux canyons ou des courses moins mouvementées sur le Colorado. On vous fournira tout le matériel nécessaire à l'exception des sacs de couchage.

Pages précédentes, camping-car sur les routes sinueuses du Zion National Park ; néons de Las Vegas ; randonnée à cheval dans Bryce Canyon. A gauche, un randonneur contemple la forêt pétrifiée.

Le Colorado et ses canyons fabuleux représentent sans doute un marché touristique énorme mais, parallèlement, d'innombrables cours d'eau vous transportent en pleine contrée sauvage. Vous souhaiterez peut-être descendre la **Green River** dont les eaux puissantes coulent à travers le **Desolation Canyon** ou le **Canyon of Lodore**, deux gorges d'une sublime beauté taillées dans la roche rougeâtre de l'Utah, au nord de Moab. Ou bien explorer la région impénétrable de **Dinosaur National Monument**, à la frontière du Colorado et de l'Utah, en suivant le cours turbulent de la **Yampa River** qui dévale des Rocheuses, tout comme le Colorado.

Si vous recherchez un parcours moins long mais plus impressionnant, descendez le **Rio Grande River Gorge** à l'ouest de Taos (Nouveau-Mexique), en kayak ou sur un vapeur à aubes. Cette entaille dans la croûte terrestre a 81 km de long, 244 m de profondeur et, le plus souvent, moins de 1 600 m de large. Seuls les 40 premiers kilomètres sont navigables, mais vous ne trouverez nulle part une excursion d'une journée aussi excitante. L'écume des rapides de **Powerline Fall** et de **Ski-Jump** vous fera frissonner ; toutefois, les méandres du courant et la lenteur des remous vous permettront d'apprécier en passant le spectacle des parois rocheuses volcaniques qui semblent littéralement jaillir des rives du fleuve. Mai et juin sont la période idéale pour s'engager sur le Rio Grande et les autres cours d'eau car les eaux sont au maximum de leur débit.

A la redécouverte de l'Ouest sauvage

Il y a moins d'un siècle, le cheval était le seul moyen de transport dans les régions sauvages de l'Ouest. Les voleurs de chevaux étaient pendus après un jugement sommaire, alors que les forfaits des meurtriers, des pilleurs de banque, des voleurs de bétail et autres hors-la-loi restaient souvent impunis. *« Plaignez le vaurien qui vole un cheval*, dit un juge rendant sa sentence, *ses bottes se balanceront dans l'air avant le coucher du soleil. »*

Les temps où s'exerçait une justice

Motocyclistes à Winter Park (Colorado).

inflexible sont révolus, mais les voyages à cheval reviennent à la mode depuis peu. De plus en plus d'Américains désirent passer leurs vacances à l'aventure, loin des foules. Ce type de voyage est devenu si populaire dans le Sud-Ouest que les organismes de tourisme sont prêts à vous faciliter l'accès aux endroits les plus reculés.

Si les broussailles, les cactus et les immenses panoramas ne vous font pas peur, louez un cheval et allez explorer les quelque 60 000 ha du **Superstition Mountain Wilderness**, à environ 50 km au nord-est de Phoenix. De toutes les chaînes de montagnes d'Amérique, les Superstitions sont les plus légendaires. Elles baignent dans un climat mystérieux peuplé de scélérats et de trésors perdus. Le récit le plus célèbre est celui de *La Mine d'or du Hollandais*, un immense filon d'or découvert par Jacob Waltz (surnommé le Hollandais par ses amis), et dont nul ne connaîtrait plus l'emplacement depuis 1892, date de la mort du prospecteur.

Déjeuner entre cow-boys (Nouveau-Mexique).

Disposant d'un cheval sûr, vous pouvez visiter la **Dutchman's Valley**, censée abriter l'ancienne mine, et découvrir des sites impressionnants, comme les anciennes demeures des Sinaguas à **Roger's Canyon Cliff Ruin** et **Weaver's Needle**, un piton en forme de dent de requin dressé dans le désert, qui sert depuis deux siècles de repère aux voyageurs. Le soir, vous camperez sous de gigantesques cactus arborescents et, tout en faisant (éventuellement) frire quelques tranches de crotale pour votre dîner, vous contemplerez un coucher de soleil grandiose.

La piste qui relie **Navajo Mountain Trading Post** (Arizona) à **Rainbow Bridge National Monument**, sur la rive nord du Lake Powell (Utah), vous propose un autre trajet inoubliable dans le désert. Cette ancienne piste de 40 km, probablement empruntée par des Indiens nomades au début de l'ère chrétienne, serpente à travers une contrée hérissée de gigantesques monolithes en grès et parcourue de canyons profonds, preuve d'une érosion ininterrompue depuis des temps immémoriaux. Vous consacrerez certainement un jour entier à explorer les ruines indiennes de **Surprise Valley**, un canyon rendu célèbre grâce au romancier Zane Grey, l'un

des fondateurs du western. A la fin du voyage, laissez votre cheval aux guides et consacrez les jours suivants à explorer les canyons à l'aspect lisse et magique du **Lake Powell**, à bord d'un bateau aménagé.

Si vous préférez les versants couverts de pins et les ruisseaux qui chantent aux paysages de cactus, une excursion à cheval dans l'une des larges contrées sauvages du Nouveau-Mexique semble tout indiquée. Près de Taos, le paysage alpin du **Wheeler Peak Wilderness** (8 600 ha) comprend les pics les plus hauts de l'État. Vous y apercevrez peut-être des bouquetins, des ours noirs et même des pumas. Mais les panoramas que l'on découvre des plus hauts sommets sont encore plus impressionnants ; certains embrassent jusqu'à 28 000 km² de terrain. A deux heures de route au sud, près de Santa Fe, se trouve **Pecos Wilderness** (90 000 ha). Si vous comptez camper dans cette région prisée par les chasseurs de castors au XVIIᵉ siècle, emportez une canne à pêche : la plupart des lacs et des cours d'eau regorgent de truites. Dans la partie méridionale de l'État, près de Silver City, **Gila** et **Aldo Leopold Wilderness** recouvrent ensemble 328 000 ha de terrains désertiques et pour ainsi dire inexplorés. Vous pourriez facilement y passer des semaines sans jamais retomber deux fois sur la même piste.

Si vous voulez connaître une aventure exceptionnelle, portez-vous volontaire pour conduire un troupeau de bétail sur les pistes du désert. S'inspirant avec un grand souci d'exactitude de la vie des cowboys qui conduisaient leurs troupeaux sur les pistes harassantes du Texas des années 1870, ces vacances modernes offrent aux touristes l'occasion de revivre une partie de l'histoire de l'Ouest. Vous travaillerez parmi de vrais cow-boys, participant, entre autres, au marquage du bétail et au ferrage des chevaux. Vous dormirez à même le sol, et vous mangerez la nourriture traditionnelle des cow-boys – des huîtres des montagnes (des testicules de veau frits), du bœuf aux haricots, des *sourdough biscuits* (biscuits au levain) et du *spotted-pup pudding* (pudding au riz et aux raisins). Cette incursion dans le passé dure en général de trois à sept jours et elle vous est proposée la plupart du temps par des ranchs en activité.

La meilleure époque pour visiter le désert se situe au début de l'hiver et du printemps. A la mi-octobre, la canicule sans pitié de l'été s'en est allée, les sources débordent, et la vie sauvage est en pleine effervescence. Si vous comptez séjourner en montagne, choisissez votre moment entre fin juin et fin septembre. Les journées y sont agréables et chaudes, les nuits fraîches, les insectes peu agressifs et la flore des Rocheuses est à cette époque particulièrement variée et riche en couleurs.

Fourrures, plumes et nageoires

Avez-vous jamais rêvé de partir en safari en Afrique ? Dans ce cas, le Nouveau-Mexique vous réserve une bonne surprise. Les amateurs viennent y traquer des espèces exotiques de gibier africain et asiatique à travers une contrée qui ressemble étonnamment à la savane kenyane. Il y a vingt ans, des couples de koudous et d'oryx (des antilopes d'Afrique) ainsi que des moutons de Barbarie furent importés et introduits dans les réserves protégées du Nou-

Ski de fond, près de Durango, dans le sud du Colorado.

veau-Mexique. Leur acclimatation fut une telle réussite que la chasse est ouverte annuellement dans la région de **White Sands Missile Range**, près d'Alamogordo, et dans le **Canadian River Canyon**, non loin de Wagon mound.

Si vous pratiquez la chasse au gros gibier, le Sud-Ouest vous comblera. La saison du daim, de l'élan, de l'ours noir et de la dinde sauvage commence en novembre et se termine à Noël. Les permis de chasse pour traquer le puma et le pécari sont accordés en nombre limité. Les beaux jours d'automne voient venir des formations volantes de canards et d'oies sauvages dans les bassins du Rio Grande et du Colorado. Les cieux deviennent noirs de colverts, de canards pilets et de bernaches du Canada attirés vers les paisibles marécages. Ces mêmes régions sont habitées par un excellent gibier à plume des hautes terres – cailles, pigeons, grouses...

La pêche à la truite a de nombreux adeptes dans le Sud-Ouest car la saison y est ouverte toute l'année et les cours d'eau s'étirent sur d'innombrables kilomètres. Vous trouverez des truites arc-en-ciel ou saumonées dans les rivières et les lacs. Depuis des décennies, les pêcheurs de toutes les parties du monde viennent tenter leur chance dans la **San Juan River** à l'est de Farmington (Nouveau-Mexique) et dans le Colorado, en aval du Glen Canyon Dam (Arizona), car on y trouve des truites arc-en-ciel qui peuvent atteindre 7 kg. En Arizona, vous pêcherez en short et en T-shirt en plein mois de janvier.

Les eaux chaudes des lacs artificiels tels **Lake Mead**, **Lake Roosevelt**, Lake Powell (Arizona), **Navajo Lake** et **Elephant Butte Lake** (Nouveau-Mexique) attirent également de nombreux pêcheurs. On y pêche de superbes perches et des poissons-chats bleu et jaune.

On rapporte ces propos étonnés d'un Géorgien venu dans le Sud-Ouest en hiver. *« Je croyais qu'il n'y avait que le désert par ici, et je vois de la neige partout. »*

Ô surprise ! La neige tombe aussi dans le Sud-Ouest. En réalité, plus de la moitié de la région est située à plus de 2 000 m d'altitude. Les sports d'hiver attirent une nombreuse clientèle de la mi-novembre à Pâques.

Chasseurs de canards sauvages au Caballo Lake (Nouveau-Mexique).

Les meilleures stations de sports d'hiver sont au Nouveau-Mexique. L'État a aménagé douze centres de ski, la plupart faciles d'accès à partir d'Albuquerque. **Taos Ski Valley**, au nord-est de la ville, et **Santa Fe Ski Basin**, à proximité de la capitale de l'État, sont les stations de ski les plus réputées du Sud-Ouest. Des prix raisonnables joints à un panorama magnifique font de ces deux stations un *must* pour qui aime se retrouver dans un environnement digne de la Suisse. **Sandia Peak Winter Recreation Area**, la station d'hiver de Sandia Crest (3 353 m), se trouve aux abords d'Albuquerque. On peut y aller en voiture, mais la plupart des touristes préfèrent prendre le Sandia Peak Tramway qui y mène en dix-huit minutes. Les pentes sont à portée de boule de neige du terminus. Vu la douceur du climat, les vacanciers skient de préférence le matin, pour profiter de l'après-midi ensoleillé en jouant au tennis ou au golf à Albuquerque.

L'Arizona ne possède que deux grandes régions pour skier, **Snow Bowl**, au nord de Flagstaff, et **Mount Lemmon**, dans les Catalina Mountains, à 64 km au nord-est de Tucson. On peut pratiquer le ski de randonnée et le ski de fond à travers les forêts de l'État dans un cadre superbe. Deux circuits sont uniques en leur genre : le premier longe les bords du Grand Canyon et l'autre mène au sommet du célèbre **Mogollon Rim**, près de la ville de Payson.

Purgatory, au nord de Durango, est la plus connue des stations de ski du sud du Colorado. De cette large cuvette bien aménagée, on découvre une vue superbe sur les Rocheuses. L'enneigement moyen est de 2,50 m. On peut se loger à un prix raisonnable à Durango. **Wolf Creek Ski Basin** est situé au sommet de Wolf Creek Pass (3 307 m). La saison de ski y est plus longue que dans toutes les autres stations du Sud-Ouest ; vous pourrez même skier en plein mois de juillet.

Certaines des activités de plein air qui vous sont proposées sont typiques du Sud-Ouest. Si, par exemple, vous vous trouvez à Albuquerque (Nouveau-Mexique) lors de la première quinzaine d'octobre, vous apercevrez un grand nombre de ballons dans le ciel. Pendant les neuf jours que dure l'International Hot Air Balloon Festival, le ciel d'Albuquerque est rempli de ces objets volants plus légers que l'air, qui dérivent au gré des vents du désert. La fête commence et se termine par le spectacle inoubliable de ces quatre à cinq cents aérostats quittant le sol en même temps pour s'élever gracieusement dans la lumière transparente du matin. Si vous souhaitez être plus qu'un simple spectateur, une contribution financière vous permettra de monter à bord de l'un de ces monstres colorés.

Depuis peu, le Sud-Ouest offre aux touristes la possibilité de faire des randonnées à dos de lama, ce qui est nettement moins risqué que l'aérostat. Si vous prévoyez une excursion de plusieurs jours en montagne, et que vous ne souhaitiez pas vous encombrer de votre matériel de camping durant la montée, cette formule est tout indiquée. Avec ses longues oreille, et ses airs de ruminant, ce faux chameau se chargera de votre matériel et vous suivra imperturbablement partout où vous irez.

On peut louer des lamas dans les régions de **Pecos** et **Gila Wilderness** (Nouveau-Mexique) et dans la **San Juan National Forest** (sud du Colorado). Ce mode de transport tend à remplacer de plus en plus chevaux et mulets, car les lamas mangent très peu, ne boivent presque pas et ne risquent pas de nuire à l'équilibre écologique des sentiers et des prairies qu'ils traversent. En outre, la location d'un lama varie de 30 à 50 dollars par jour, ce qui est moins cher que pour les mulets et chevaux de bât habituels.

Si vous avez envie d'être maître à bord de votre propre yacht, prenez la direction du Lake Powell (Utah) ou du Lake Mead (Arizona). Vous pourrez louer un yacht équipé pour deux à vingt personnes, et passer deux semaines à explorer les milliers de bras secondaires rarement fréquentés par les hors-bords et les bateaux de pêche. La plupart des bateaux de location font de 10 à 20 m, mais il n'est pas nécessaire d'avoir déjà eu une expérience nautique. Les membres de l'équipage suivent des cours intensifs de navigation et de mécanique, et doivent se familiariser avec le code maritime avant de quitter le quai. Chaque bateau possède un jeu complet de cartes marines, du linge et des ustensiles de cuisine. Charge à vous de prévoir la nourriture et des vêtements appropriés. Ce type d'excursion est idéal pour les familles nombreuses en quête d'aventure.

Les publicitaires n'hésitent pas à employer les grands moyens lors de l'International Balloon Fiesta d'Albuquerque.

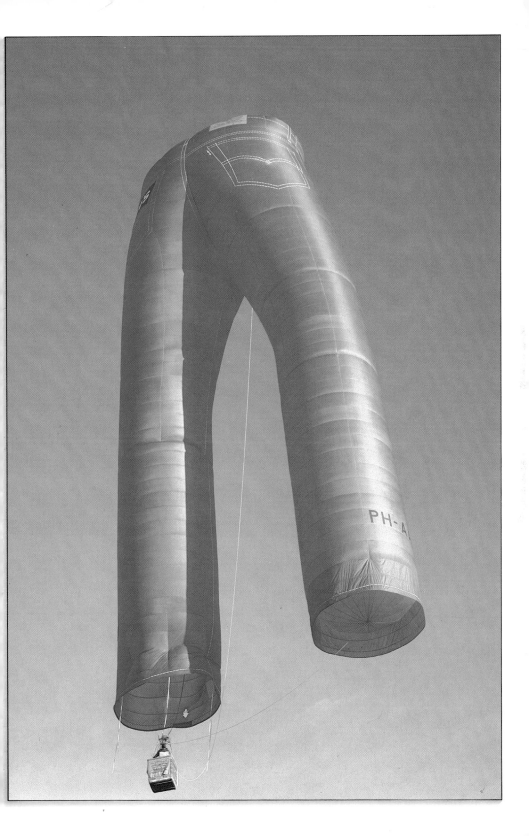

LE GRAND CANYON

Bien que le Grand Canyon soit à quatre-vingt-dix minutes en voiture, pour les habitants de Flagstaff il fait partie du paysage. Avec un mélange de respect et d'affection, ils l'appellent « *the Big Ditch* » (le Grand Fossé).

A quelques kilomètres au nord de Flagstaff, sur la route US 180, se trouve le **Museum of Northern Arizona** (musée de l'Arizona septentrional) qui finance en grande partie les travaux scientifiques menés dans le Grand Canyon. On entend souvent dire que le Canyon est un véritable livre ouvert pour les géologues. Pourtant, après plus d'un siècle d'investigations, les scientifiques n'ont pas encore pu apporter de réponses définitives à nombre de questions essentielles. Ainsi, ils se demandent comment, et à quelle époque, le Colorado s'est fixé dans son lit actuel. Le musée ne manque pas d'intérêt. En partie consacré à la géologie du Canyon, il expose également une splendide collection de couvertures et de poteries indiennes.

Poursuivez ensuite votre route vers le nord, à travers les forêts de pins ponderosa et les prairies qui s'étalent généreusement sur les flancs des San Francisco Peaks, les plus hautes montagnes de l'Arizona, vénérées par les Indiens navajos et hopis. En arrivant par le **South Rim** (versant sud) on ne découvre pas tout de suite le Canyon, masqué par une légère déclivité. Il faut pénétrer dans le **Grand Canyon National Park** et rouler pendant encore 4 km avant d'atteindre **Mather Point**, d'où l'on aperçoit l'abîme. Parcourez encore 2 km jusqu'à **Yavapai Point** pour éviter la foule des touristes.

Renoncez provisoirement à la visite du **Yavapai Museum** et à ses explications géologiques pour marcher le long du sentier qui longe le Rim, à la recherche d'un lieu paisible d'où vous contemplerez, selon les propres termes du géologue Clarence Dutton au XIXᵉ siècle, « *le spectacle le plus sublime de la Terre* ».

Un spectacle hors du commun

Pour avoir tant entendu parler du Grand Canyon, la plupart des touristes savent qu'ils vont découvrir un spectacle extraordinaire. Pourtant, ils anticipent rarement l'échelle grandiose du gouffre. Le Grand Canyon évoque un « espace-temps » déconcertant, car insondable. Comment, tenant entre ses mains un petit morceau de roche noire de la Gorge intérieure, peut-on concevoir que ce fragment a deux milliards d'années ? Il est si vieux qu'il date d'une époque où la vie n'était pas encore apparue sur la Terre. L'humilité et la stupéfaction qu'inspire le Canyon sont inextricablement mêlées. Pour apprécier pleinement sa grandeur, nous devons accepter qu'elle nous écrase. Comme l'a écrit le poète russe Yevtushenko :
« *Dans le Canyon,*
Avec tous ceux qui souffrent de mégalomanie !
Hôte de l'abîme,
le nain comprendra vite
qu'il n'est qu'un nain. »

Les différentes tribus indiennes qui vivent dans le Canyon depuis au moins 2 000 ans ont certainement dû éprouver les mêmes sentiments. Le lieutenant Joseph Ives, en 1857, reconnaissant de

Pages précédentes, le Grand Canyon. A gauche, descente du Colorado en canot pneumatique ; à droite, havre de fraîcheur dans le Grand Canyon.

mauvaise grâce que le paysage procure un « *plaisir étonnant* », devait ajouter : « *La région n'est bien entendu d'aucun intérêt. On ne peut l'approcher que par le sud et, une fois qu'on y a pénétré, il n'y a plus rien à faire d'autre que d'en sortir. Nous sommes le premier groupe de Blancs et sans doute le dernier à visiter cet endroit dont on ne peut tirer nul profit.* »

Il se trompait. Deux millions de visiteurs s'y rendent chaque année. Le Grand Canyon est la formation géologique la plus célèbre des États-Unis. Pour l'un des bateliers du Colorado, c'est « *la première église de la Terre* ».

Le South Rim (versant sud)

Après Yavapai Point, dirigez-vous vers l'ouest, à travers un paysage de genévriers et de pins parasols, pour atteindre au bout de quelques centaines de mètres un sentier qui va vous mener au Visitors Center, plus au sud. Là, vous pourrez faire le tour des expositions, regarder une projection de diapositives, feuilleter un très beau choix de livres et même admirer des embarca-

tions anciennes qui descendirent jadis les dangereux rapides du Colorado.

De l'autre côté de la route, vous trouverez le Mather Campground (un terrain de camping), Babbitt's (un supermarché), une station d'essence, un bureau de poste, une banque, des douches publiques et même une laverie automatique. **Grand Canyon Village** est à 1 km environ à l'ouest. C'est là que sont situés la plupart des lodges et hôtels. **El Tovar Hotel** et **Bright Angel Lodge** furent construits au début du siècle, quand la plupart des touristes arrivaient par le train. Pour éviter l'affluence des visiteurs en été, empruntez le sentier qui longe le bord du Canyon, entre ces différents lieux. Un **Nature Trail** (chemin panoramique) relie le Visitors Center au Grand Canyon Village.

De Bright Angel Lodge part le **Bright Angel Trailhead**. Ce sentier et le **Kaibab Trail** sont les seuls chemins entretenus qui descendent à l'intérieur du Canyon ; l'administration du parc recommande de les emprunter en priorité avant de s'aventurer sur les autres. Vous ne trouverez pas d'eau le long du Kaibab. La plupart des

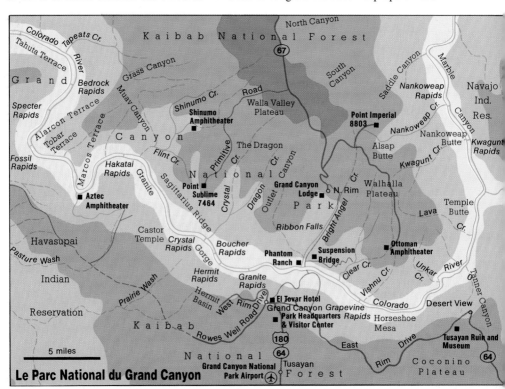

Le Parc National du Grand Canyon

touristes choisissent de descendre par le **Bright Angel**, car ils y trouvent de l'eau en trois endroits. Étant donné la chaleur – plus de 40 °C –, il est conseillé d'emporter au moins un litre d'eau par personne.

Descendre dans le Canyon est une expérience tout à fait étonnante. Vous allez être brusquement assailli par le silence et vous prendrez la mesure du paysage à la longueur de vos pas. Nul besoin d'aller loin pour éprouver de tels plaisirs ; une heure ou deux de marche suffit pour faire cette expérience.

945 m plus bas et à 7 km du bord, l'oasis verdoyante d'**Indian Gardens** constitue une destination logique pour une excursion d'une journée. Partez de bonne heure ; les couleurs sont plus éclatantes et la chaleur plus clémente. Cette perspective est encore plus attrayante si vous prévoyez de contempler le lever du soleil en prenant tranquillement votre petit déjeuner au El Tovar.

Si la plupart des touristes s'en retournent avant le soir, certains désirent passer la nuit dans le Canyon, dans l'intention, peut-être, de descendre jusqu'au Colo-

A dos de mulet sur le Kaibab Trail en hiver.

rado. Faire de la randonnée avec son matériel de couchage est une épreuve difficile, même si elle a sa récompense. Les plus âgés, les parents accompagnés de leurs enfants et tous ceux qui refusent de se lancer dans une pareille équipée peuvent y aller à dos de mulet. Pour passer la nuit dans le Canyon vous devez réserver soit à **Phantom Ranch**, soit dans un camping. Malheureusement, il est parfois nécessaire de s'y prendre jusqu'à six mois à l'avance. Pour tout renseignement, joindre le Backcountry Reservations Office du Visitors Center.

Le West Rim (versant ouest)

Deux chemins, l'un vers l'est et l'autre vers l'ouest, partent de Grand Canyon Village pour longer le Canyon. En été le **West Rim Drive** est interdit aux véhicules privés. Une navette gratuite vous emmène en bas, mais vous pouvez vous arrêter en chemin à l'un des points de vue qui jalonnent le parcours. En descendant à **Prima Point**, d'où vous découvrirez l'une des meilleures

vues du Canyon et du Colorado, vous pourrez marcher jusqu'à **Hermit's Rest**, terminus du West Rim Drive.

Louis Boucher, l'ermite en question, fut l'un des nombreux prospecteurs à arriver vers la fin des années 1800, et l'un des premiers Blancs à habiter le versant sud. Ces pionniers avaient découvert des gisements de cuivre, d'amiante, de plomb et d'argent, mais le transport des minerais à dos de mulet ou par le train revenait si cher qu'aucune de ces tentatives ne se révéla profitable. On doit à ces mineurs la plupart des sentiers qui descendent dans le Canyon, notamment le **Hermit Trail**, à l'ouest de Hermit's Rest, qui permet d'atteindre **Santa Maria Springs** (8 km) ou **Dripping Springs** (9 km), deux excursions à pied d'une journée.

La route carrossable se termine à Hermit's Rest, mais il est possible, en empruntant la **Rowe's Well Road** qui part de Grand Village, de poursuivre vers l'ouest en longeant le bord. Par prudence, procurez-vous une carte topographique et quelques litres d'eau au Visitors Center avant de partir. Surplombant le canyon, le **Bass Trailhead** est l'un des sentiers non entretenus d'où l'on découvre les plus beaux panoramas ; c'est aussi l'un des plus faciles à suivre. Quiconque désire se soustraire à l'ambiance effervescente de Grand Canyon Village trouvera en cours de route des emplacements idéaux pour pique-niquer ou camper. En poursuivant vers l'ouest, le **Topocoba Hilltop Trail** mène à **Havasu Canyon**, territoire des Indiens havasupais depuis le XIVᵉ siècle.

Jusqu'au XXᵉ siècle, les Havasupais quittaient régulièrement leurs champs pour errer une partie de l'année dans le Canyon, à la recherche de gibier et de plantes comestibles. Jadis dédaigné, Havasu Canyon est devenu depuis peu un lieu de vacances très fréquenté par les scouts et les étudiants. Mais ce sont trois cascades impressionnantes, dont l'une, **Mooney Falls**, tombe de 60 m de haut, qui attirent les touristes au bord des eaux bleu-vert de **Havasu Creek**. Havasu est le plus spectaculaire des canyons latéraux dont les eaux se jettent dans le Colorado, et, malgré la foule, il mérite le détour, notamment entre fin septembre et début

Havasu Falls, Grand Canyon.

avril, durant la période hors saison. On ne peut y accéder qu'à pied ou à cheval par un sentier de 13 km qui part de **Hualapai Hilltop**, à 108 km au nord de **Peach Springs**, sur la route US 66 ; ou bien à pied par le Topocoba Hilltop Trail (19 km) ou à partir du fleuve Colorado. La plupart des circuits en *raft* prévoient une excursion d'un jour dans Havasu Canyon. Bien qu'il y ait un petit hôtel à Havasu, les touristes préfèrent en général le camping. Réservez d'avance.

L'East Rim (versant est)

En empruntant l'**East Rim Drive**, à l'est, au sortir de Grand Canyon Village, vous roulerez à travers des forêts de pins ponderosa odorants, vous passerez près de **Yaki Point**, là où se forme Kaibab Trail, et après 32 km vous arriverez à **Tusayan Ruin & Museum**. Les anthropologues pensent que les Indiens anasazis qui construisirent ce petit pueblo s'établirent dans le Canyon vers le début du VIᵉ siècle. Sans pour autant être les ancêtres des Havasupais, les Anasazis menèrent une vie similaire. Ils cultivaient du maïs, des courges et des haricots sur le versant durant l'été, et descendaient vers le fond du Canyon, plus chaud, en hiver. Vers 1150, une longue sécheresse força les Anasazis à quitter Tusayan et un certain nombre d'autres lieux du Sud-Ouest.

Mais les Anasazis ne furent pas les premiers Indiens à habiter le Canyon. Les anthropologues ont découvert des ouvrages de vannerie, notamment des figurines en osier percées de petites lances, qui leur permettent de faire remonter la présence humaine à 2 000 ans av. J.-C. Descendants des Anasazis qui abandonnèrent ces lieux il y a 800 ans, les Hopis y font un pèlerinage tous les ans, car ils continuent de croire que leur peuple est venu au monde par une source du Grand Canyon.

Desert View est le dernier point de vue de l'East Rim Drive. De la **Watchtower**, une tour en pierre haute de 20 m, on a une vue splendide sur le Colorado, coulant 1 200 m plus bas. Desert View possède un terrain de camping. Une petite route peu connue, et qui bientôt se réduit à un sentier, conduit à **Comanche Point**, 8 km plus

Nankoweap Ruins : habitations troglodytiques surplombant le Colorado.

loin. Ce lieu retiré et rarement visité est un véritable paradis pour les amoureux de la nature, et de la solitude.

De Desert View, prenez la State 64 vers le **Cameron Trading Post**, plus à l'est. Vous pourrez vous y arrêter pour refaire le plein d'essence et goûter à ce que les connaisseurs appellent un « *honnête tortilla navajo* », plat local à base de pain indien, de haricots frits, de laitue et de fromage.

La route bifurque ici : au sud, elle s'en va vers Flagstaff, au nord, vers Page et le versant nord. Le Grand Canyon est flanqué de deux immenses lacs artificiels. Le **Lake Powell**, en amont du Canyon, est formé par le **Glen Canyon Dam** (barrage), près de Page ; le **Lake Mead**, en aval, par le **Hoover Dam**, près de Boulder City. Merveilles d'ingénierie, ces deux barrages méritent une visite guidée (gratuite).

Sur les eaux du Canyon

Lee's Ferry, à 24 km de Glen Canyon, est le point de départ de toutes les « descentes du Grand », comme l'appellent les bateliers. John D. Lee fit construire le ferry en 1871, alors qu'il était recherché par la police pour avoir participé, avec d'autres mormons, au massacre d'un convoi d'émigrants en route vers la Californie. Lee était polygame comme de nombreux mormons. Il passa ses années d'exil avec l'une de ses femmes, Emma, et lorsqu'il fut finalement capturé et abattu par la police fédérale, il laissa 17 veuves.

Le ferry est juste en amont de l'embouchure de la Paria River. Une randonnée pédestre de quatre jours vous mènera à travers les **Paria Canyon Narrows** ; c'est un défilé large d'une quinzaine de mètres dont les parois en grès atteignent de chaque côté 300 m de haut. Évitez cette excursion durant la saison des orages à cause des crues subites. Pour tout renseignement, adressez-vous au poste de rangers près du ferry ou au Bureau of Land Management (BLM) à Kanab (Utah).

Deux ans avant l'arrivée de Lee, dix hommes décharnés dérivaient hors du Glen Ganyon dans trois bateaux sérieusement endommagés. Dix semaines auparavant ils avaient quitté Green River (Wyoming) à 800 km de là, avec quatre

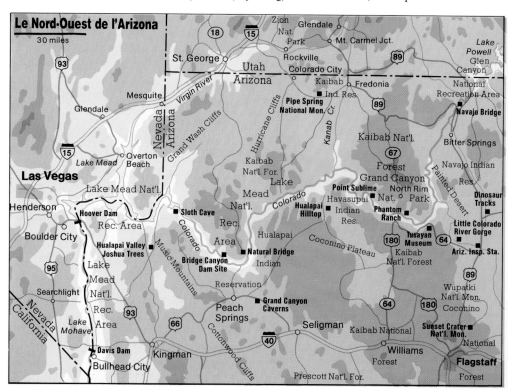

bateaux et dix mois de provisions. Après avoir chaviré plusieurs fois, ils durent se contenter de lard rance, de farine moisie et de fruits secs pour se nourrir. Les hommes commençaient à se mutiner, mais le responsable de l'expédition, le major John Wesley Powell, demeurait apparemment imperturbable. *« Il se soucie peu de savoir ce qu'on va manger, du moment qu'il peut étudier sa géologie »*, grommelait George Bradley, un des hommes d'équipage.

Powell n'était pas encore célèbre. Il fut, des années plus tard, l'un des hommes les plus influents de Washington, en tant que directeur du Geological Survey et du Bureau of Ethnology. Mais, à cette époque, ce n'était qu'un vétéran de la guerre de Sécession, un scientifique autodidacte qui, grâce à sa curiosité d'esprit, son intuition et sa rigueur de pensée, allait apporter une contribution essentielle à deux sciences encore balbutiantes – la géologie et l'anthropologie. Powell était aussi un écrivain talentueux, comme le prouve ce passage tiré de son journal :

« Le 13 août 1869 – Nous sommes fin prêts à entamer notre descente du Grand Inconnu. Nous sommes à 1 200 m dans les profondeurs de la Terre ; le grand fleuve se réduit à presque rien alors qu'il s'élance furieusement contre les murailles des falaises qui se dressent plus haut ; les vagues ne sont ici que de faibles ondulations, et nous des pygmées parcourant les fonds ou perdus parmi les rochers. »

Au rythme du fleuve

Deux semaines après avoir écrit ces lignes, Powell et six de ses compagnons arrivaient sains et saufs au bout de leur voyage d'exploration. Les trois autres, refusant de risquer leur vie en affrontant un ultime rapide particulièrement menaçant, avaient abandonné l'expédition deux jours plus tôt. Ils furent tués par des Indiens alors qu'ils s'efforçaient d'atteindre par voie de terre la colonie mormone de l'Utah.

L'exploitation commerciale du fleuve commença en 1938 quand Norm Nevills s'embarqua sur un bateau construit avec les planches d'une remise et d'un abreuvoir. Son bateau était si petit que ses deux

Promenade en bateau sur le Colorado.

passagers furent contraints de se coucher sur le pont pour franchir les 160 rapides. Dix ans plus tard les canots pneumatiques provenant des surplus de l'armée américaine inauguraient une ère nouvelle. Aujourd'hui, Powell et Nevills seraient fort surpris d'apprendre que plus de 10 000 personnes descendent les eaux du Canyon chaque année.

La descente du fleuve révèle une succession de strates de plus en plus anciennes, toutes striées et polies par les caresses incessantes de l'eau. Durant les cinquante premiers kilomètres d'un parcours qui en compte 370, vous pouvez littéralement contempler 350 millions d'années. Buzz Holstrom, le premier homme à avoir descendu le Canyon en solitaire, raconta : « *C'est comme si j'avais plus vécu durant les quelques heures passées sur le fleuve qu'en une année dans la capitale.* »

Le North Rim (versant nord)

A une heure de route à l'ouest de Lee's Ferry, vous atteindrez **Jacob Lake** et l'embranchement pour le North Rim. Dominant le South Rim de 300 m, le versant nord est inaccessible de novembre à mai à cause de la neige. Mais, en été et en automne, il constitue un havre de fraîcheur à l'écart de la foule du versant sud.

Faites vos provisions à Jacob Lake et prenez la direction du sud, à travers les forêts luxuriantes de pins ponderosa, d'épicéas, de sapins et de trembles qui alternent avec des prés bordés de neige et parsemés d'étangs où barbotent des canards. Au bout de 73 km, vous arrivez à **North Rim Village** où fut construit en 1928 ce chef-d'œuvre architectural qu'est **Grand Canyon Lodge**. Pour l'apprécier dans toute son élégance, allez déguster un *pie* dans le restaurant perché sur le versant.

Profitez de votre séjour sur le versant nord pour aller à **Point Imperial**, d'où l'on a une vue splendide sur la partie orientale du Grand Canyon, puis à **Painted Desert** et **Cape Royal**. Parmi les excursions classiques d'une journée : le **Widforss Trail** et le **Ken Patrick Trail** longent le Canyon. Le seul sentier entretenu qui descend dans le Canyon est le **North Kaibab Trail**. Accor-

Rafting sur le Colorado.

dez-vous un jour entier pour vous rendre à **Roaring Springs**, un circuit aller et retour de 15 km. Les marcheurs chevronnés souhaiteront peut-être partir avec leur matériel de camping en direction de **Deer** et **Tapeats Creeks**, des cours d'eau où abondent de superbes truites. Empruntez dans ce cas le **Thunder River Trail**.

La région du **Tuweep** est la partie la moins visitée du Grand Canyon National Park. Elle se trouve à l'ouest du North Rim. Pour l'atteindre, il faut rouler pendant une centaine de kilomètres sur des routes non bitumées, en partant soit de Fredonia, soit de Colorado City.

Coulées de lave et fonte des neiges

La difficulté d'accès mise à part, il est surprenant que Tuweep attire si peu de monde. « *Ce que nous voyons ici*, dit Ken Hamblin, *est l'une des conjonctions d'un phénomène volcanique et d'un phénomène d'érosion parmi les plus spectaculaires de la planète.* » Les travaux de Hamblin révèlent que, dans le dernier million d'années,

le Colorado a été endigué onze fois par de la lave en fusion. Le plus grand barrage naturel atteignit 165 m de haut ; il refoula les eaux à 290 km en amont de Lee's Ferry. « *Quelle formidable lutte entre l'eau et le feu !* », écrivit John Wesley Powell, lors de son voyage d'exploration. « *Un fleuve de roches en fusion se précipitant à la rencontre d'un fleuve de neige fondue. Quel bouillonnement d'eau ! Quels nuages de vapeur dans les cieux !* »

Deux endroits sont à voir à Tuweep : **Toroweap Overlook**, d'où la vue sur ces flots de lave qui cascadèrent dans le Canyon est exceptionnelle ; et **Lava Falls**, les rapides les plus violents de tout le Canyon. Les Américains évaluent les autres rapides du continent en les comparant à ceux-ci. On y accède par un petit chemin particulièrement rocailleux. (Pour tout renseignement, adressez-vous au poste de rangers de Tuweep.) Si vous voulez photographier les *rafts* qui descendent les rapides, quittez le versant à l'aube de façon à être sur place à 10 h. Si contempler les rapides ne vous suffit plus, demandez à un batelier de vous prendre à son bord.

Antelope Canyon (Arizona).

LE SUD DE L'UTAH, LE PARADIS DES RANDONNEURS

En 1869, après avoir descendu la Green River durant deux mois, l'expédition commandée par John Wesley Powell atteignit le confluent de la Green River et du Colorado, l'un des lieux les plus inaccessibles du continent nord-américain. Durant leur voyage, ils avaient rencontré d'innombrables rapides et, en franchissant l'un d'entre eux, ils avaient perdu une barque et une grande partie de leurs provisions.

A l'endroit où se rejoignent les deux fleuves, au cœur de ce que Powell appela « le Grand Inconnu », s'élèvent des falaises abruptes façonnées par le lit très profondément creusé de deux cours d'eau. Désireux de connaître le paysage alentour, Powell grimpa sur le versant. *« Quel monde grandiose !* écrivit-il. *Où que nous regardions, ce n'est qu'une étendue sauvage de rochers, de gorges profondes où se perdent les fleuves dominés par des falaises et des tours et des pics ; et des milliers de formes étranges dans toutes les directions ; et au-delà, des montagnes qui se fondent avec les nuages. »*

Aujourd'hui on peut parcourir le sud de l'Utah en deux jours de voiture, mais pour rendre justice à la description de Powell, un séjour d'une semaine est un minimum. Paradoxalement, l'attrait de cette région est en partie dû à ce dont elle est dépourvue : vous n'y verrez aucune grande ville, aucun musée célèbre, aucune cathédrale s'élevant vers le ciel. C'est simplement un paysage de rochers nus sculptés par les âges. Au premier coup d'œil, cette topographie semble morne et déroutante. Mais, une fois votre perception ajustée, vous constatez que ces formes absurdes sont en réalité d'une saisissante beauté. Et vous n'êtes plus étonné d'apprendre que cette région comprend cinq parcs nationaux, quatre sites protégés, trois forêts nationales et trois secteurs classés.

Moab, la capitale de l'uranium

Puisque chaque itinéraire a un début, commençons par Moab, dans le sud-est de l'Utah. La ville fut bâtie par les membres de l'Église de Jésus-Christ des Saints du Dernier Jour, les mormons, secte religieuse fondée sur la côte est des États-Unis, au début des années 1800. En 1847, lassés de subir de fréquentes et violentes persécutions depuis plusieurs dizaines d'années, les mormons, ou saints (ainsi s'appelaient-ils entre eux), traversèrent les Grandes Plaines et gagnèrent l'Utah, qui était à cette époque une contrée désolée rattachée au Mexique.

Les mormons fondèrent Salt Lake City, puis essaimèrent à travers l'Utah, notamment à Moab, en 1855. Pendant presque un siècle, Moab fut un bourg assoupi, coupé de tout. Il le serait encore s'il n'y avait eu « la Bombe ».

Lorsqu'il fut évident, après Hiroshima, que l'Union soviétique fabriquait des armes nucléaires, l'Atomic Energy Commission (AEC), lança une campagne nationale pour inciter les prospecteurs à rechercher de l'uranium. Charlie Steen découvrit le premier gisement dans une zone située au sud de Moab, que l'AEC avait jugée sans intérêt. L'uranium qu'il parvint à extraire représentait une valeur de 100 millions de dollars. Du jour au lendemain, Moab devint la « capitale mondiale de l'uranium ». Les difficultés rencontrées ces dernières années dans le secteur de l'énergie nucléaire ont fait perdre à Moab une grande part de son rayonnement, mais elle demeure la plus grande ville du sud de l'Utah, et le point de départ d'une excursion vers les parcs nationaux des Arches ou des Canyonlands.

La vérité sur les Arches

Les superlatifs viennent vite aux lèvres dans le sud de l'Utah. Tentons de rester objectifs : **Arches National Park** possède la plus grande concentration d'arches naturelles du monde (plus d'une centaine). Elles ont été façonnées par le vent et l'eau dans un dépôt de grès rouge de 90 m d'épaisseur formé il y a 150 millions d'années, c'est-à-dire à l'époque des dinosaures. Vous verrez toutes ces arches en empruntant une route qui part du Visitors Center, à 8 km au nord de Moab, ou en vous engageant sur les sentiers pédestres bien entretenus et facilement accessibles.

Pages précédentes, Monument Valley ; à gauche, « Delicate Arch », Arches National Park.

Si vous êtes pressé, visitez au moins **Windows Section** pour voir **Double Arch**, **Parade of the Elephants** et **Balanced Rock** (la Roche en équilibre). Puis faites la visite guidée à travers **Fiery Furnace**. Ce chemin de près de 2 km serpente à travers un dédale spectaculaire de rochers en grès couleur rouille séparés par des lits de rivières à sec. La visite ne peut se faire sans être accompagné par un ranger, car de nombreux touristes se sont jadis perdus dans ce labyrinthe ; les horaires de visite sont disponibles au Visitors Center.

Les campeurs peuvent passer la nuit à **Devil's Garden Campground**, à 29 km au nord du Visitors Center. Du terrain de camping, un chemin serpente sur 10 km entre sept arches, notamment **Landscape Arch**. Cette arche élancée – la plus longue du monde – a une portée de 90 m. En plein été les températures dépassent souvent 40 °C dans tout le sud de l'Utah. Pour les excursions à pied, prévoyez au moins un litre d'eau par personne.

En quittant Arches National Park, revenez vers Moab où vous ferez une halte avant de partir pour **Canyonlands National Park**. Faites le plein d'essence, approvisionnez-vous et, éventuellement, restaurez-vous. (Les restaurants locaux n'ont rien d'exceptionnel.)

En arrivant dans Canyonlands vous serez contraint à un choix difficile. Recouvrant plus de 800 km², ce parc fabuleux est si vaste qu'on ne peut en visiter qu'une petite partie en une seule fois, d'autant que le Colorado et la Green River le divisent en trois secteurs qui, s'ils se touchent, n'en sont pas moins isolés à cause de leur relief accidenté.

Island in the Sky, à 67 km, est le secteur le plus proche de Moab. Si vous êtes pressé de rejoindre au nord la route US 70 après avoir vu les Arches, passez la nuit sur l'un des deux terrains de camping d'Island. C'est un plateau abrupt qui s'élève à 600 m au-dessus du paysage environnant et d'où l'on découvre le reste de Canyonlands : **Grand View Point**, **Green River Overlook** et **Dead Horse Point State Park**. **White Rim Trail**, la meilleure piste du sud de l'Utah pour véhicules tout-terrain, se trouve juste au-dessous d'Island. (Renseignements et réservations à Moab.)

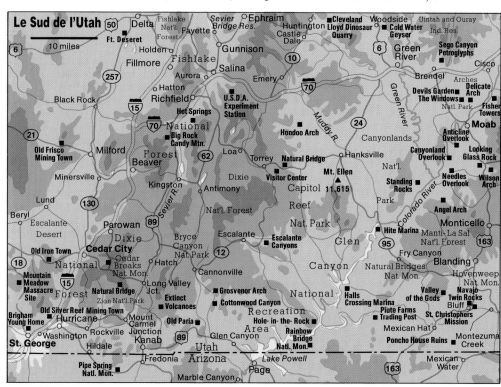

Si vous disposez d'un jour ou deux, prenez la direction du sud en quittant Moab pour visiter le **Needles District**. Vous trouverez un camping à **Squaw Flat** mais pas de magasins ni de stations-service ou de motels avant **Monticello**, à 85 km. Prévoyez par conséquent des provisions si vous souhaitez camper dans la région.

Il y a beaucoup de choses à voir à Needles, notamment des ruines et des peintures indiennes préhistoriques, des arches, dont l'une, **Angel Arch**, est peut-être la plus belle de Canyonlands, et les Aiguilles proprement dites, des blocs de 150 m de haut de grès rouge, ocre et beige affinés par l'érosion. Pour se faire une idée exacte et rapide de cet endroit, rien de tel qu'une excursion à pied sur le **Peekaboo Springs Trail** en partant du camping de Squaw Flat. Le sentier serpente d'abord au fond d'un ravissant canyon, puis traverse un paysage rocheux désertique. Des cairns, ou petits empilements de pierres, balisent la piste. Il est recommandé d'être prudent.

Avec un véhicule tout-terrain on parvient rapidement à des gorges en forme de boîte à chaussures (les géologues les appellent des « *grabens* ») qui constituent une autre curiosité des Needles. Pour y accéder, on passe par **Elephant Hill**, véritable test pour les conducteurs de Jeep car, une fois parvenu sur la colline, il faut faire demi-tour au bord d'un à-pic rocheux, et rouler en marche arrière sur une piste en zigzag dont la dénivellation est de 30°. On comprend, dans ces conditions, que les passagers préfèrent souvent poursuivre leur route à pied.

Dans la partie orientale des Needles, quatre canyons – **Davis**, **Lavender**, **Salt** et **Horse** – abritent des ruines indiennes, des arches et, par intermittence, des cours d'eau. On y découvrira des vues splendides. Si une journée suffit à explorer la partie inférieure de ces canyons à pied ou en Jeep, il vaut mieux prévoir une randonnée pédestre de plusieurs jours pour véritablement apprécier le magnifique paysage environnant. Les rangers du Visitors Center vous donneront tous les renseignements nécessaires. Enfin, pour comprendre ce que la vue de la Green River et du Colorado a pu inspirer à Powell, ne manquez pas de visiter le **Confluence**

« Courthouse Towers », Arches National Park.

Overlook, en Jeep ou à pied, en empruntant la piste qui part de **Big Spring Canyon** (16 km aller et retour).

Bien que le **Maze District** se trouve juste de l'autre côté du Colorado, il faut aimer l'aventure pour vouloir franchir les 400 km qui le séparent de Needles. Commencez par retourner à Moab et prenez la direction de Green River, au nord. N'oubliez pas de faire le plein d'essence, de remplir vos gourdes et de vous approvisionner pour plusieurs jours. (Tous ceux qui atteignent « enfin » cette région veulent y rester au moins trois ou quatre jours.) Quittez Green River pour prendre l'Interstate 70, à l'ouest, puis tournez en direction de **Hanksville**, au sud. Après environ 40 km vous apercevrez un panneau indiquant que vous vous engagez ici à vos risques et périls. Tournez à gauche pour prendre une piste poussiéreuse longue de 97 km jusqu'à **Han's Flat Ranger Station**. Peu avant d'y arriver, vous passerez devant **Robber's Roost Ranch** qui, il y a un siècle, était le repaire de Butch Cassidy et du Kid, deux des plus célèbres hors-la-loi de l'Ouest.

De Han's Flat, il faut compter un jour à pied, ou une demi-journée en voiture, pour atteindre le **Maze Overlook**, d'où l'on découvre une belle vue sur **Land of Standing Rocks** et le Maze lui-même, ce labyrinthe formé par la sinuosité de six canyons. Là, un sentier vous amène au cœur du Maze. Cette véritable forteresse de pierres qui s'étend sur 50 km^2 ne s'ouvre sur l'extérieur qu'en de rares endroits. Procurez-vous une carte au poste des rangers de Han's Flat et demandez-leur de vous indiquer ces passages ainsi que les ruines indiennes et les sources.

Autre solution pour visiter le Maze. Les sociétés qui louent des canots pneumatiques à proximité de la Green River ou à Moab organisent des descentes de quatre à sept jours à travers le **Cataract Canyon**, et la plupart de ces excursions prévoient une randonnée pédestre dans le Maze.

Vers le sud

Lorsque vous quitterez Canyonlands, vous souhaiterez peut-être visiter les parcs

Couleurs d'automne à Zion National Park (Utah).

nationaux de **Capitol Reef**, de **Brice** et de **Zion**. Dans ce cas, prenez d'abord la direction de Hanksville – soit au nord par la Green River (comme si vous alliez vers le Maze), soit vers le sud en passant par **Blanding**. Si vous n'êtes pas pressé, prenez la route du sud, deux fois plus longue, mais trois fois plus intéressante.

Ayant donc quitté Moab par le sud, vous atteindrez la petite ville de Monticello sur les flancs des **Abajo Mountains** coiffées de neige. Les Abajos offrent une agréable diversion au paysage rocheux désertique que vous avez traversé, et aussi un refuge contre la canicule estivale.

Si vous souhaitez fraîcheur et repos, attardez-vous entre Monticello et Blanding, au camping de **Devil's Canyon**, et promenez-vous entre les trembles qui ont pris racine au fond du canyon.

Les randonneurs à pied qui veulent explorer **Grand Gulch Primitive Area** doivent en demander l'autorisation et se renseigner auprès du Bureau of Land Management (BLM) à Monticello. Les Indiens anasazis vivaient jadis dans le Grand Gulch avant de l'abandonner voilà

800 ans. Des centaines d'habitations abritées de façon typique sous la roche formant saillie sont restées en parfait état. Pour les préserver, le BLM patrouille en hélicoptère pour empêcher le pillage des ruines. Il existe en effet un marché noir lucratif de la poterie précolombienne.

A quelques kilomètres au sud de Blanding, vous arrivez à un carrefour. Que vous alliez à **Monument Valley** puis en Arizona, ou que vous choisissiez de faire un petit détour pour voir les méandres de **Goosenecks State Park**, continuez au sud vers **Bluff** et **Mexican Hat**. Vous reviendrez par la route 261 en passant par Cedar Mesa. En tournant à droite sur la State 95, après Blanding, vous arriverez directement à **Natural Bridges National Monument**, endroit tout indiqué pour interrompre votre voyage entre Moab et Capitol Reef. Il y a un camping à Bridges, mais ni essence ni magasins. Faites vos emplettes à Blanding ou Hanksville.

Bridges constitue la plus grande concentration au monde de ponts façonnés par des cours d'eau. En prenant une route sinueuse qui part du Visitors Center, on

« Landscape Arch », l'arche naturelle la plus longue du monde.

peut voir les trois ponts constituant le site. Une promenade de dix minutes vous mènera en bas de l'un d'eux. Si vous devez choisir, **Sipapu** est peut-être le plus spectaculaire. Si vous avez le temps, promenez-vous le long du cours d'eau, de Sipapu ou **Owachomo** à **Kachina Bridge**. Entre ces deux derniers ponts, vous découvrirez un emplacement idéal pour vous baigner. Si vous recherchez vraiment l'aventure, laissez Kachina derrière vous et passez la nuit dans White Canyon. Vous explorerez le lendemain les canyons de **Hideout** et de **Cheesebox**, rarement visités.

« Le lieu ignoré de tous »

Juste à l'ouest de Natural Bridges, la State 263 conduit à **Hall's Crossing Marina** près du **Lake Powell**, tandis qu'en suivant la State 95 on remonte au nord vers Hanksville. Avec ses 290 km de long, le Lake Powell est le second lac artificiel des États-Unis et le plus spectaculaire. Le **Glen Canyon Dam** (215 m de haut) qui l'a créé a suscité une vive polémique.

La construction du barrage commença en 1956 à la grande satisfaction de tous. Mais en 1963, date de son achèvement, les partisans de la défense de l'environnement se rendirent compte que Glen Canyon, « le lieu ignoré de tous », supportait la comparaison avec toutes les curiosités naturelles du Colorado Plateau, y compris le Grand Canyon. Aujourd'hui, nombre d'Américains considèrent que l'ensevelissement sous les eaux de Glen Canyon fut un non-sens. Le sud de l'Utah étant une contrée riche en uranium, en charbon et autres ressources naturelles, les controverses n'ont pas manqué. La plus récente fut suscitée à la suite d'une proposition pour le stockage de déchets nucléaires près de Canyonlands National Park.

Le Lake Powell reste toutefois un endroit fantastique pour le ski nautique, la pêche ou les randonnées. **Rainbow Bridge** est le plus haut pont naturel du monde (188 m). On peut se procurer de l'essence, louer du matériel de pêche, des hors-bords ou des bateaux de plaisance dans les cinq marinas aménagées au bord du lac. Il est préférable de réserver d'avance.

Bryce Canyon National Park, véritable palais sculpté dans le calcaire.

Au sud de Hanksville, on aperçoit les **Henrys**, dernières montagnes du continent nord-américain à avoir été découvertes. A 64 km à l'ouest de Hanksville se trouve **Capitol Reef National Park**, dont la principale curiosité est le **Waterpocket Fold**, une faille géologique de 160 km de long, surnommée *reef* (écueil) par les prospecteurs d'uranium pour qui elle représentait un obstacle. Soulevé et érodé au cours des siècles, le *reef* présente un paysage de canyons étroits et de calottes géantes de grès blanc qui ne sont pas sans rappeler les dômes des capitoles américains.

La largeur maximale du *reef* ne dépassant pas 25 km, la plupart des randonnées dans le parc sont courtes (3 à 6 km aller et retour en moyenne). Promenez-vous, par exemple, dans le **Grand Wash Narrows**, un canyon de 6 m de large environ, dont les parois ont 150 m de haut. L'excursion vers le **Golden Throne** (Trône en or) est plus difficile, mais une vue magnifique sur le reste du parc vous y attend. Autre randonnée conseillée pour la journée : le **Chimney Rock Trail** ; ne manquez pas de vous promener en haut du splendide **Spring Canyon**.

Un des nombreux méandres resserrés (gooseneck) de la San Juan River (Utah).

Vers Bryce Canyon

Le Capitol Reef est un paradis pour les randonneurs. Cependant, le terrain étant extrêmement accidenté et l'eau rare, si vous comptez aller du côté de Spring Canyon, **Deep Creek**, **Hall's Creek** ou **Muley Twist Canyon**, renseignez-vous au Visitors Center sur les possibilités d'excursions.

Du Capitol Reef plusieurs itinéraires mènent à **Bryce Canyon National Park**. Si vous êtes pressé ou si vous n'avez pas de roue de secours, restez sur les State 24, 62 et 89. Sinon faites le plein d'essence et d'eau et empruntez les pistes du sud en direction de **Boulder** et **Escalante**, en traversant l'**Aquarius Plateau** ou en longeant le Capitol Reef par l'est, vers le **Burr Trail**.

Durant l'été, choisissez la fraîcheur du plateau. Au printemps et en automne, quand la route est fermée, passez par le Burr Trail. Quelle que soit votre route, vous trouverez deux campings ouverts toute l'année (à moins que vous ne préfériez le camping sauvage), et vous traverserez le cœur désolé du Colorado Plateau.

Clarence Dutton, membre du Geological Survey dirigé par Powell, évoque ainsi la vue qu'on découvre de l'Aquarius Plateau : « *Un panorama sublime – un dédale d'escarpements et de gradins stratifiés, de buttes effritées, de dômes rouges et blancs. [...] C'est le comble de la désolation, la solitude à l'état pur, le désert suprême.* »

Vous obtiendrez tous les renseignements concernant les excursions à pied dans **Escalante Primitive Area** au BLM d'Escalante. On peut entrer dans Escalante par **Coyote Gulch**, en passant devant deux arches de pierre, ou par **Harris Wash**.

Si vous êtes en voiture, vous atteindrez ensuite **Bryce Canyon National Park** après quelques heures de route. Les Indiens païutes désignaient Bryce comme le lieu où « *les roches rouges se tiennent comme des hommes dans un canyon en forme de cuvette* ». Ebeneezer Bryce, le mormon qui donna son nom au canyon, parlait plus prosaïquement du « *dernier endroit au monde où perdre une vache !* ».

Bryce est un paysage coloré et féerique, un palais enchanteur taillé dans le grès. Ce n'est pas un canyon mais plutôt une série de 12 amphithéâtres escarpés, sculptés par l'érosion. Une route de 32 km vous permettra d'apprécier en différents points de vue la beauté de ces roches évidées, mais ne manquez pas de descendre à pied dans le canyon pour admirer de plus près l'œuvre de la nature.

Voici quelques excursions intéressantes : un circuit guidé sur le **Navajo Loop Trail**, le **Fairyland Loop Trail**, plus long, ou une randonnée à cheval sur le **Peekaboo Loop**. Vous pouvez aussi emprunter le **Rim Trail** entre deux points de vue, puis prendre le tram circulant dans le parc pour revenir à votre voiture.

Ne quittez pas Bryce sans vous rendre à **Rainbow Point**, au sud. Vous émergerez lentement de la forêt de pins parasols pour être bientôt entouré d'épicéas, de trembles et de sapins. Au début de l'été, des fleurs magnifiques jalonnent la route. Quand le ciel est parfaitement dégagé, de **Yovimpa Point** on embrasse du regard près de 160 km, la vue s'étend vers le versant nord du Grand Canyon, où les roches ont 160 millions d'années de plus que celles sur lesquelles vous vous tenez. Si cette échelle du temps vous écrase, contemplez l'un des pins qui bordent le **Bristlecone Loop Trail** : ils n'ont que 4 000 ans.

Angel's Landing, dans le **Zion National Park**, représente l'une des randonnées pédestres les plus classiques des États-Unis. Après une montée de 460 m (les cent derniers mètres longent une étroite corniche protégée par un garde-corps), vous aboutirez sur une plate-forme d'où vous pourrez contempler l'abrupt rocheux qui n'est pas sans rappeler le paysage grandiose du Yosemite National Park en Californie. Zion est le plus sauvage des parcs américains ; de larges sections n'y sont accessibles qu'aux pumas.

Gateway to the Narrows Trail et **Emerald Pools Trail** constituent deux excursions très populaires au fond du canyon. Comme c'est bien souvent le cas dans le sud de l'Utah, il est difficile de faire un mauvais choix dans le parc de Zion ; en effet, tous les sentiers entretenus offrent de belles promenades. Et puisque vous êtes dans une région sauvage, explorez les environs en allant, par exemple, vers l'un des canyons latéraux, entre Mount Carmel Tunnel et l'entrée est du parc.

A gauche, fleurs de cactus (Opuntia phaeacantha) à Arches National Park ; à droite, « Thor's Hammer » (le marteau de Thor) Bryce Canyon.

AU CŒUR DES TERRES INDIENNES

Une légende indienne veut que lorsque le peuple hopi émergea du sein de la terre, dans l'actuel nord de l'Arizona, il fut accueilli par le dieu Maasaw. *« Vous êtes les bienvenus, dit Maasaw. Mais sachez que cette terre a peu de nourriture et d'eau à vous offrir. La vie ici ne sera pas facile. »* Les Hopis choisirent pourtant de rester.

Le 28 mai 1868, à Bosque Redondo, au Nouveau-Mexique, la Commission pour la paix chargée d'attribuer une réserve aux Navajos fit part de ses délibérations. Le général William Tecumseh Sherman proposait trois solutions : la tribu pouvait rester à Bosque Redondo, sous le contrôle de l'armée ; s'installer dans les plaines alluviales fertiles de l'Oklahoma ; ou retourner sur ses terres d'origine – dans la contrée aride des canyons, le long des frontières de l'Arizona et du Nouveau-Mexique. Sherman ajouta qu'il doutait que cette région désertique pût subvenir aux besoins de la tribu, mais comme elle n'avait aucune valeur aux yeux des Blancs, les Navajos pourraient y vivre en paix.

Barboncito, le porte-parole de la tribu navajo en 1868, était un homme dont les prouesses étaient plus guerrières qu'oratoires. Mais voici ce qu'il répondit :

« Si nous pouvons retourner sur nos terres, vous serez à nos yeux comme un père et une mère. S'il n'y avait qu'une seule chèvre là-bas pour nous nourrir tous, nous nous en contenterions... Quand les Navajos furent créés, quatre montagnes et quatre rivières furent désignées à nos ancêtres, c'étaient les limites à ne pas franchir... La "Femme changeante" nous a donné cette terre. Notre Dieu l'a créée pour que nous l'habitions. »

Les 7 304 Navajos réunis à Bosque Redondo renoncèrent à l'unanimité aux terres luxuriantes de l'Oklahoma pour pouvoir retourner vivre dans le désert, car, selon les mots de Barboncito à Sherman, là était *« le cœur de notre pays »*.

Ces hautes terres arides du sud-ouest du Colorado Plateau demeurent le cœur des territoires indiens. L'exploration à laquelle nous vous convions commence à l'est, c'est-à-dire à Gallup.

Bureaucrates et lieux sacrés

Gallup (Nouveau-Mexique), surnommée la « capitale indienne du monde », est la ville où on rencontre le plus d'Indiens, en dehors des réserves. C'est un centre commercial pour les Navajos de l'Est et la réserve zuni. Il est rare de marcher dans la Railroad Avenue sans rencontrer des Indiens hopis, lagunas, acomas et parfois même des Apaches jicarilla. C'est un vieux bourg animé et pittoresque, un endroit idéal pour dénicher dans les bureaux de prêteurs sur gages des bijoux zunis, des objets en argent et des couvertures navajos, des poupées kachinas et autres objets artisanaux des Indiens du Sud-Ouest.

De Gallup prenez la direction de la **Checkerboard Reservation** (la Réserve en damier), ainsi nommée parce que la tribu posséda jadis des parcelles de terrain séparées les unes des autres – une bizarrerie en partie corrigée aujourd'hui. Un trajet de 61 km sur la route interstate 40 vous conduira à l'est de Thoreau. (Les grandes formations rocheuses à gauche ont servi de toile de fond à d'innombrables wes-

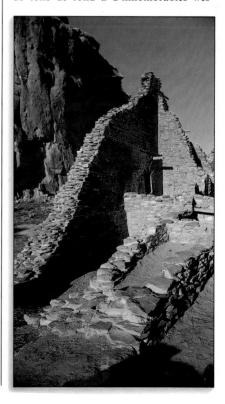

Pages précédentes, rodéo en territoire hopi (Arizona) ; à gauche, une Indienne couverte de turquoises. A droite : Pueblo Bonito, Chaco Canyon.

terns, et les mamelons de terre à droite servent de dépôt de munitions au Fort Wingate.) Tournez à gauche sur la State 57, vers Crownpoint, à 27 km de Satan Pass.

Crownpoint possède une école et un centre médical ; les Navajos y ont un poste de police et leur administration centrale, dont dépend le secteur oriental des territoires de la tribu (couvrant environ un million et demi d'hectares). Comme toutes les communautés navajos, la ville, à l'image des constructions gouvernementales, semble n'avoir qu'une existence provisoire, comme si demain les cactus allaient récupérer l'espace qui leur a été arraché. Six fois par an les tisseurs navajos convergent vers Crownpoint pour y vendre leurs couvertures à des centaines d'acheteurs séduits par leurs travaux artisanaux.

En suivant durant 60 km la State 57, vers le nord-est, vous arriverez ensuite à **Chaco Canyon National Historical Park** et ses mystères. C'est dans ce canyon peu profond qu'une civilisation vécut jadis, avant de disparaître durant les XIIe et XIIIe siècles, laissant derrière elle des maisons à étages en ruine et d'innombra-

bles énigmes auxquelles les anthropologues n'ont pas encore apporté de réponses. On pense que les pueblos de Chaco servaient en quelque sorte de centre administratif et religieux. Le Visitors Center et les ruines offrent une excursion inhabituelle dans le passé de l'Amérique.

48 km au nord, la State 57 rejoint la State 44 à Blanco Trading Post. Environ 3 km plus loin, vers Farmington, se trouve le pensionnat navajo de Dzilth Na O Dith Hle, et plus loin s'élève la mesa d'**El Huerfano**. Ce grand plateau est au cœur d'une région qui est aux Navajos ce que la Palestine est aux musulmans, aux juifs et aux chrétiens, par le nombre de lieux sacrés qui s'y trouvent. C'est là que, selon la légende, vécurent le Premier Homme et la Première Femme, ainsi que d'autres personnages sacrés du peuple navajo. La forme bleue du **Mount Taylor** se profile à l'horizon, 80 km plus au sud. C'est Tsoodzil, la montagne Turquoise, l'une des quatre cimes sacrées que le Premier Homme éleva dans le ciel pour servir de points cardinaux dans l'univers des Navajos. Au nord-est du mont, se dresse la

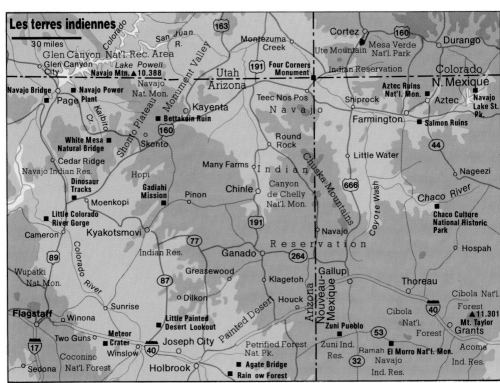

Les terres indiennes

roche basaltique de Cabezon Knob. C'est dans un nuage enveloppant sa crête que le Premier Homme et la Première Femme trouvèrent un jour un nouveau-né, la « Petite Fille à la coquille blanche ». Selon la tradition navajo, ce fut sur les collines d'armoises, au nord de Huerfano, que le Dieu qui parle, le Dieu noir et les autres personnages de la mythologie indienne célébrèrent le premier rite d'initiation par lequel la « Petite Fille à la coquille blanche » devint la « Femme changeante ».

La terre sacrée

A 13 km au nord-est d'El Huerfano, en tournant à droite, vous arrivez à **Angel Peak Scenic Overlook**. Un panorama spectaculaire embrasse les étendues sauvages de Blanco Wash et Canyon Largo. C'est là que les Ancêtres suspendirent les étoiles, et que la Femme changeante, fécondée par le soleil et la brume de la San Juan River, mit au monde le « Tueur de monstres » et « Né pour l'Eau », les « Héros jumeaux » qui allaient purger ce « Monde resplendissant » de ses monstres.

Juste avant que la State 44 ne débouche dans la San Juan Valley, le paysage aux couleurs argentées d'armoises et de broussailles où courent les lapins s'efface brusquement au profit du vert sombre des champs de maïs, de pommes de terre et de luzerne ; grâce au Navajo Irrigation Project, ce sont 18 000 ha qui ont pu ainsi être exploités et arrosés par un système d'irrigation commandé par ordinateur. **Farmington**, une ville indienne frontalière bien différente de Gallup, est la « capitale » de cette région de la San Juan River. Son économie dépend du pétrole, du gaz naturel, de l'agriculture et du charbon – le tourisme et le commerce indien étant secondaires. Mais c'est une base commode pour des excursions dans la région.

A 56 km en remontant la rivière, le **Navajo Dam** retient un lac aux eaux bleutées dans une région de canyons inondés, à la frontière du Colorado. Le lac est peuplé de truites et de saumons ; le meilleur endroit pour pêcher à la mouche de tout le Nouveau-Mexique s'étend sur plusieurs kilomètres, en deçà du barrage. A 21 km à

Cliff Palace Ruins, Mesa Verde National Park.

l'est de Farmington, **Aztec Ruins National Monument**, magnifiquement préservé, révèle comment les Indiens vivaient à l'apogée de la civilisation pueblo. Les touristes ont accès aux habitats de ce peuple disparu et à un immense *kiva* – le « temple » souterrain de l'une des communautés religieuses pueblos. Après une heure et demie de route, au nord de Farmington, vous atteindrez **Mesa Verde National Park**. Les habitations troglodytiques figurent à juste titre parmi les attractions touristiques les plus populaires. La plupart des touristes visitent Cliff Palace, un édifice de 200 pièces construit en haut du canyon, ou Spruce Tree House, une construction de 114 pièces surplombée par un énorme rocher. Mais d'innombrables petites habitations sont nichées dans les entrailles fissurées de la roche.

En territoire navajo

Farmington permet d'accéder à la « **Big Reservation** », terme qui demande une explication. Les quelque 150 000 Navajos de la tribu la plus importante de la nation vivent sur 6,5 millions d'ha, c'est-à-dire un territoire plus vaste que la Nouvelle-Angleterre. L'essentiel de ces terres est situé sur les frontières du Nouveau-Mexique, de l'Arizona et de l'Utah. Elles incluent également la Checkerboard Reservation, Alamo, Ramah et Canoncito. Les Navajos élisent leur conseil tribal, qui possède ses propres tribunaux, sa police et différents services. La réserve est desservie par un réseau de routes asphaltées (plus de 1 770 km), de routes gravillonnées et de pistes (1 600 km au total), impraticables en période de pluie. Le climat est d'une extrême variété : dans les régions désertiques les plus basses, les précipitations annuelles sont inférieures à 12 cm, alors que sur les pentes boisées des Chuska Mountains, où l'altitude atteint 3 174 m, elles dépassent 60 cm. Les 245 000 ha de la réserve des Hopis constituent une enclave pueblo au beau milieu de la réserve navajo.

L'une des meilleures façons d'explorer cet immense territoire est de prendre la direction de **Shiprock** en quittant Farmington par l'ouest. Comme Crownpoint,

Shiprock, Nouveau-Mexique.

Shiprock est un centre administratif navajo. Roulant toujours vers l'ouest, sur la US 550, vous apercevrez à l'horizon, au-dessus de la San Juan River, des nuages de fumée blanchâtre. Cette pollution vient de Four Corners Generating Plant. Le charbon de la plus grande exploitation à ciel ouvert de la nation navajo va directement dans les chaudières, et sert à produire l'électricité qui permet de chauffer les piscines de Californie. Seules les cendres et la pollution restent sur place... Un petit crochet de 10 km vers la ville agricole de Kirtland vous donnera un aperçu de ce paysage industriel ahurissant.

Avant de vous engager sur le **Navajo Trail** (State 504) à l'ouest de Shiprock, prenez la US 666, à 26 km au sud, en direction de The Rock With Wings. Vous avez pu apercevoir la forme bleutée et déchiquetée de la montagne sacrée de Shiprock à des kilomètres de distance, mais en grimpant sur la colline au sud de la ville vous vous rendrez mieux compte de sa taille. Il s'agit en fait d'un volcan érodé par le vent et la pluie durant 15 millions d'années. Cette masse rocheuse de

441 m au-dessus de la prairie herbeuse fait penser à une immense cathédrale gothique noire. Selon la mythologie navajo, c'était le repaire du « Monstre ailé », tué par les « Héros jumeaux » avec l'aide de la « Femme-Araignée ». Des parois basaltiques, hautes de 6 à 9 m mais de 1 m d'épaisseur seulement, se dressent sur leur socle naturel. Elles furent formées quand la lave en fusion, poussée par l'activité volcanique qui crevassa la terre, se fraya un chemin vers le ciel. L'érosion et le temps ont fait le reste, laissant finalement ces grandes murailles noires percées de trous où s'engouffrent les vents.

A l'ouest de Shiprock, le Navajo Trail traverse les petits comptoirs commerciaux de Teec Nos Pos, Red Mesa, Mexican Water, Tec Nez lah et Dennehotso, avant d'atteindre la ville de Kayenta, sur la route de **Monument Valley Navajo Tribal Park**. Des milliers de photos de calendriers et des centaines de westerns ont rendu familier ce paysage insolite. L'ensemble du Colorado Plateau constituait jadis le fond de l'Océan. Durant des millions d'années, le grès tendre et l'argile

Le comptoir de Fort Défiance (Arizona) est une véritable oasis pour les voyageurs dans cette région faiblement peuplée.

schisteuse furent érodés par les intempéries, pendant que le vent sculptait dans la roche plus dure les aiguilles et les monolithes que l'on voit aujourd'hui. Les formes les plus spectaculaires de ce paysage surnaturel et grandiose sont au nord de Kayenta.

Des ruines stupéfiantes

Ne manquez pas d'aller visiter **Betatakin Ruin**, à 30 mn environ de Kayenta. 1 600 m séparent le Visitors Center de ces habitations troglodytiques du XIIIᵉ siècle. Les **Keet Seel Ruins** sont encore plus impressionnantes, mais il faut une demi-journée pour les atteindre. Abritées depuis 700 ans sous un surplomb rocheux, on jugerait qu'elles étaient habitées hier.

De Navajo National Monument, la Navajo Route 221 permet de rejoindre la State 98, 20 km plus loin. Roulez vers le nord-ouest pendant 96 km à travers le paysage spectaculaire de **Kaibito Plateau**, en direction de Page, du Lake Powell et de Glen Canyon National Recreation Area. Le Visitors Center est situé près du barrage ; quant au lac, c'est un lieu idéal pour passer des vacances sur un bateau. Le lac donne accès à l'un des paysages de canyons les plus spectaculaires de l'Utah, le Rainbow Bridge National Monument.

Suivez la route US 89 vers le sud à la sortie de Page, puis tournez sur la 89A à Bitter Springs pour arriver à **Marble Canyon**. Vous passerez sous les incroyables formations rocheuses de **Vermillion Cliffs**, sur la route de **Jacobs Lake** et du **North Rim of the Grand Canyon**. La route à travers le Kaibab Plateau est superbe. Si vous pénétrez dans le hall du Grand Canyon Lodge, vous aurez l'impression de découvrir une immense peinture murale du canyon. Quelques secondes vous seront nécessaires pour vous rendre compte que vous êtes en train de voir le canyon par une grande baie vitrée. L'effet est garanti.

Si vous décidez d'éviter le North Rim, la route de Page vous mènera vers le sud à travers l'étroite Cornfields Valley. A l'est de la route, se dressent les Echo Cliffs, et Limestone Ridge à l'ouest. Cameron est à 25 km au sud de l'embranchement de Tuba City. Vous y trouverez un **Navajo Information Center**. A Cameron, prenez la

Deux scènes de la vie des Navajos. A gauche : tissage d'un tapis. A droite : un rodéo d'un type particulier.

State 64, à l'ouest ; 85 km vous séparent du South Rim Center du Grand Canyon National Park, et des plus belles vues sur le « fossé » le plus spectaculaire des États-Unis. Avant d'y parvenir, et à 24 km seulement de Cameron, vous découvrirez la gorge de **Little Colorado**, à moins de quelques centaines de mètres de la route. Le fleuve a creusé ici une tranchée incroyablement profonde et étroite dans la croûte terrestre. Le spectacle est un avant-goût de ce qui vous attend plus loin.

Selon une légende hopi, le peuple qui devait s'éparpiller sur toute la planète émergea des profondeurs de la terre quelque part à l'ouest de cet endroit, à l'aube d'une quatrième existence. Les clans qui allaient constituer le peuple hopi commencèrent leurs pérégrinations vers les quatre coins du monde et retournèrent finalement à Black Mesa. Les ruines de Mesa Verde, Chaco Canyon, Aztec, Keet Steel, notamment, sont autant d'« empreintes » laissées par les hopis lors de leurs migrations vers les villages de pierre de First Mesa, Second Mesa et Third Mesa, où le destin les a conduits aujourd'hui.

Il existe encore plus de 800 ruines à **Wupatki National Monument**, 32 km au sud de Cameron. Selon les archéologues, l'éruption de **Sunset Crater**, en 1065, fertilisa le Painted Desert, y attirant une importante population. Mais, deux siècles plus tard, une période de sécheresse de vingt-trois ans contraignit les habitants à quitter les lieux.

A 6 km de la US 89, s'élève Sunset Crater. Ce cratère de 300 m de haut est relié à Wupatki par une route de 55 km à travers le Painted Desert. Les formations de lave alentour sont très intéressantes à visiter.

Les **San Francisco Peaks**, l'un des lieux les plus sacrés d'Amérique, étendent leur ombre mythique sur toute la région. Ils culminent à 3 850 m – le sommet le plus élevé d'Arizona – juste au nord de Flagstaff. Pour les Navajos, il s'agit de la montagne du Crépuscule, créée à l'ouest par le Premier Homme. Pour les Hopis, les San Francisco Peaks équivalent au mont Sinaï. Les esprits kachinas y vivent durant six mois de l'année, passant le reste du temps dans les mesas, auprès de leur peuple. Humphrey Peak est la frontière entre le monde des

hommes et celui des esprits, le lieu de passage obligé de ces êtres surnaturels.

La région autour de **Flagstaff** est riche en curiosités naturelles. A environ 80 km au sud-ouest de Sunset Crater et à 8 km de la route I-40, se trouve le **Meteor Crater**, flanqué d'un musée où l'on apprend que ce trou de 175 m de profondeur et de 1 264 m de diamètre fut formé par une météorite voilà quelque 500 000 ans. **Walnut Canyon National Monument**, l'un des plus beaux sites d'habitations troglodytiques, est presque aux portes de Flagstaff. Ne manquez pas de visiter **Grand Falls**, à 32 km au nord de la I-40. Des chutes plus hautes que celles du Niagara ont sculpté des escaliers géants dans la gorge du Little Colorado. Lorsque plusieurs fois par an les eaux déferlent dans le canyon, elles soulèvent un immense nuage de poussière rouge. En continuant à l'est de la I-40, en direction du Nouveau-Mexique, la route mène au cœur de Painted Desert et longe **Petrified Forest National Park**, une vaste forêt aux arbres abattus et pétrifiés. Quel que soit votre itinéraire, arrangez-vous pour visiter les villages hopis.

La terre des Indiens hopis

Pour pénétrer en **territoire hopi**, il faut prendre la State 164 en quittant Tuba City par l'est. La route traverse le village hopi de **Moenkopi**, bâti en pierres rouges. Les petits champs de maïs, de haricots et de courges donnent une idée de la manière dont les habitants ont survécu dans cette contrée désertique depuis des millénaires. Vous allez arriver ensuite dans un paysage désolé qui s'étend sur environ 80 km ; c'est la région la plus anciennement peuplée d'Amérique.

La visite des mesas commence par **Third Mesa** et ses villages en pierre de Hotevilla, Bacobi et Oraibi. La création d'**Oraibi** remonte vers 1100 ; bien qu'en partie en ruine, le lieu est impressionnant. Le **Hopi Cultural Center** de **Second Mesa** permet de mieux comprendre la culture complexe de cette ancienne civilisation. Vous trouverez là un motel, un restaurant et un musée tribal. Les villages de **Shungopovi** et **Mishongnovi** sont intéressants à visiter, mais les plus remarquables de tous sont **Hano**, **Sichomovi** et surtout **Walpi**, situés sur **First Mesa**. De Walpi, en haut d'un éperon rocheux élevé, la vue embrasse un paysage désertique spectaculaire.

La State 264 rejoint Gallup par le vieux centre administratif hopi de Keams Canyon et par Ganado, où John Hubbell, bien connu des Navajos, ouvrit son célèbre **Hubbell Trading Post** en 1870. Ce comptoir, devenu National Historic Monument, devrait attirer tous ceux qui s'intéressent à la vie de cette époque. On peut également s'arrêter à **Window Rock**, « capitole » de la nation navajo.

A 50 km au nord de Ganado, trois grandes gorges ont entaillé le plateau sous les Chuska Mountains et forment aujourd'hui le **Canyon de Chelly National Monument**. Des générations d'Indiens troglodytes, hopis et navajos, ont vécu le long des fonds sableux de ces canyons, à l'abri de parois rocheuses atteignant par endroits 300 m de haut. Thunderbird Lodge organise des excursions en voiture tout-terrain dans les gorges mais on peut également y accéder par des sentiers pédestres.

Le silence, l'espace et la beauté de ces canyons aident à comprendre ce qui poussa les Navajos et les Hopis à s'établir sur cette terre inhospitalière.

Le Canyon de Chelly. A gauche : les « Spider Rocks ». A droite : les environs de White House Ruins.

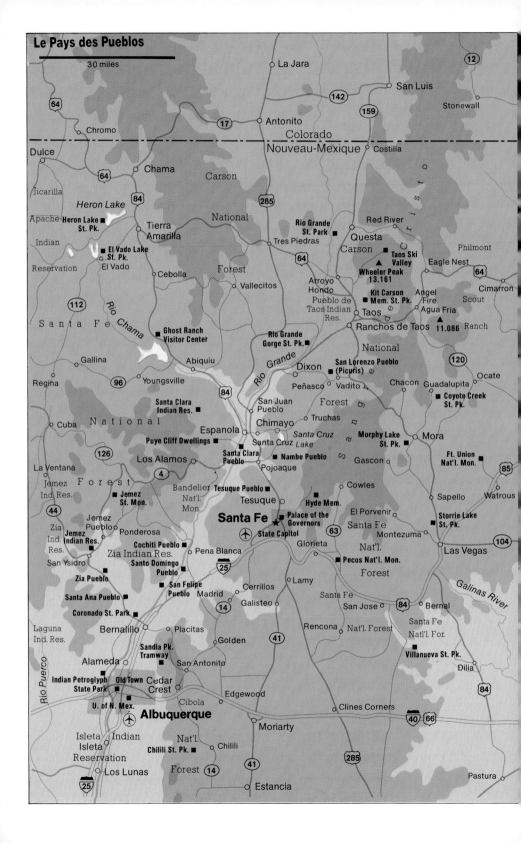

UNE INCURSION DANS LE PAYS DES PUEBLOS

Voilà des milliers d'années, l'odyssée de l'homme préhistorique l'a entraîné, à travers les migrations nébuleuses de l'ère glaciaire, jusqu'à l'apogée de la civilisation de l'âge de la pierre, aux environs de 1100 av. J.-C., dans les États des Quatre-Coins : le Nouveau-Mexique, l'Arizona, le Colorado et l'Utah. Et lorsque les Espagnols arrivèrent du Mexique, en 1540, les descendants des Anasazis, les Anciens, étaient installés de longue date dans leurs villages communautaires implantés le long du Rio Grande et de ses affluents, d'Isleta dans le sud jusqu'à Taos au nord. Quelques tribus avaient même poussé un peu plus à l'ouest. Les Espagnols baptisèrent ces Indiens les Pueblos (parce qu'ils vivaient dans des villages) pour les distinguer des tribus nomades et guerrières, comme les Navajos, les Apaches et les

Pages précédentes, l'hiver à la lisière nord de Taos ; ci-dessous, le clocher de l'église d'Acoma.

Utes, qui avaient émigré des grandes plaines du Nord pour venir installer leurs campements dans le sud-ouest du pays.

Aujourd'hui, plus de 80 000 Indiens vivent dans les dix-neuf pueblos du Nouveau-Mexique. Ils habitent encore, pour la plupart, le village qu'occupaient leurs ancêtres à l'arrivée des Espagnols. Chaque pueblo possède son propre gouverneur et son conseil ; il est assujetti à la plupart des lois fédérales et des règlements locaux mais il jouit cependant d'une certaine autonomie. Les danses rituelles, pratiquées depuis des millénaires, ont toujours cours. Et si elles apparaissent comme des réunions sociales, elles sont aussi une forme de prière, appelant la pluie, les bonnes récoltes, la fertilité et la paix. Les étrangers sont autorisés à assister à la plupart des danses dans les pueblos, mais ils ne doivent pas oublier leur statut d'invités. Ne faites jamais de photos à moins d'en avoir obtenu la permission auprès des autorités de la tribu. Dans certains pueblos, les photographies restent interdites. Dans d'autres, les autorisations sont partielles. Mais, dans tous les villages, il y a des cérémonies auxquelles les étrangers ne sont pas admis et, dans ce cas, vous verrez un panneau ou un gardien à l'entrée.

L'architecture ancienne d'Acoma

Acoma, que l'on appelle aussi souvent Sky City (la cité du Ciel) se trouve à 105 km à l'ouest d'Albuquerque par l'Interstate 40. Perché sur un plateau rocheux, à 125 m d'altitude, le vieux pueblo occupe une position défensive avantageuse. La plupart des habitants vivent dans les deux nouveaux villages situés en contrebas ; ils élèvent du bétail (ovins et bovins), gèrent le réseau routier local ou travaillent dans les villes voisines. Chaque année, certains d'entre eux sont désignés pour vivre au sommet du rocher et entretenir le vieux village et son église ; et la tribu tout entière y retourne pour célébrer certaines cérémonies. L'église, construite aux environs de 1630 en boue amalgamée et dalles de pierre, est chargée d'histoire. Chacune de ses poutres a dû être transportée des montagnes lointaines ; l'eau et la boue qui ont servi à façonner l'adobe ont du être acheminées par le sentier abrupt qui conduit au sommet du plateau. Son haut plafond, ses poutres taillées à la main, ses murs épais de trois mètres, ses tours carrées et le presbytère attenant en font un véritable chef-d'œuvre d'architecture primitive.

Les visiteurs peuvent emprunter en voiture la route sinueuse et raide qui conduit au sommet. Là, des guides leur feront découvrir le vieux pueblo et, moyennant une taxe, ils pourront prendre des photos.

Cochiti est à 58 km au sud-ouest de Santa Fe et à 22 km au nord d'Albuquerque. Les potiers de Cochiti sont réputés pour leurs pièces aux tons sourds, couleur de terre, en forme d'animaux ou ornées de motifs animaliers et graphiques à la peinture noire.

Le centre touristique de **Cochiti Lake**, à quelques kilomètres au nord, est situé sur une réserve. Les Indiens font partie de l'administration du site et beaucoup d'entre eux y travaillent ; on pratique sur le lac de nombreux sports nautiques. La fête annuelle a lieu le 14 juillet, date à laquelle on peut assister à une danse des Moissons.

Isleta est situé à 21 km seulement au sud d'Albuquerque. Les Indiens y cultivent les terres basses et fertiles qui bordent le fleuve mais beaucoup travaillent à Albuquerque. La plupart des habitants d'Isleta avaient pris le parti des Espagnols lors de la révolte de 1680 et s'étaient enfuis avec eux vers le sud pour revenir ultérieurement, dans les années 1692-94, avec de Vargas. La magnifique église des missionnaires, construite aux environs de 1615, fut sérieusement endommagée durant la rébellion mais restaurée dès leur retour. C'est l'un des lieux de prière les plus vénérables du Nouveau-Mexique. Son saint patron, San Agustín, est honoré par les Indiens le 4 septembre. Les potiers d'Istela produisent d'assez jolies pièces en terre brune.

Les pueblos des falaises

Jemez, à 77 km au nord-ouest d'Albuquerque, est niché au creux des falaises rouge et ocre des Jemez Mountains. Y vivait l'une des dernières tribus à se soumettre à l'autorité espagnole après la reconquête, et beaucoup d'entre elles émigrèrent alors vers l'ouest pour vivre avec les Navajos. Aujourd'hui encore, on

Un autel dans une église des Indiens Cochiti, Nouveau-Mexique.

trouve à Jemez pendant les jours de fête un nombre surprenant de Navajos.

Lorsque les Espagnols arrivèrent au Nouveau-Mexique, il y avait plusieurs pueblos jemez disséminés le long du canyon et dans les montagnes. Mais toute la tribu vit aujourd'hui dans un seul et unique pueblo, à 19 km environ en remontant le canyon, juste après le complexe touristique de Jemez Springs. Les ruines d'une mission bâtie pour et par les Jemez autour de 1617 sont aujourd'hui classées (Jemez State Monument). Jemez célèbre son saint patron, san Diego, le 12 novembre et, en août, vous pourrez assister à la Pecos Bull Dance (danse du Taureau) en l'honneur de la tribu des Pecos qui a rejoint celle des Jemez en 1838.

Laguna se trouve sur l'Interstate 40 à 75 km environ à l'ouest d'Albuquerque. De la route on aperçoit une église et ses dépendances, et des maisons carrées en adobe, sur une colline, quelques mètres plus loin. C'est l'une des plus importantes communautés indiennes de la région, avec près de 5 000 membres, vivant dans sept villages répartis sur la réserve.

Nambe, à 34 km au nord de Santa Fe, a été largement hispanisé. L'impressionnante église de la mission est bien préservée et domine la région. On y célèbre san Franciso (saint François) le 4 octobre, et une fête populaire s'y déroule tous les ans, le 4 juillet, avec de nombreuses danses ; les photos sont autorisées. Un terrain de camping a été récemment aménagé près des chutes (*Route 1, Box 117-BB, Santa Fe, NM 87501 ; tél. 505/455-7692*).

Picurís, à 32 km au sud-ouest de Taos, était autrefois beaucoup plus étendu. Situé à la lisière orientale du pays des Pueblos, il fut la première victime des attaques des Indiens des Plaines. Ce pueblo ayant été fondé aux environs de 1250 par un groupe d'Indiens taos, les deux tribus parlent la même langue. Leur fête annuelle, qui est aussi le jour de la danse des Moissons, a lieu le 10 août, en l'honneur de san Lorenzo. Les femmes fabriquent une poterie utilitaire servant à la cuisine d'un brun rouge, avec des incrustations de mica et non décorées (*P.O. Box 228, Penasco, NM 87553 ; tél. 505/587-2519*).

Le pueblo indien d'Acoma, l'un des plus anciens villages habités de l'Amérique du Nord.

Pojoaque, à 26 km au nord de Santa Fe, a connu un grave déclin et, il y a quelques années encore, il était menacé de disparition. Il a été depuis réorganisé dans sa structure tribale. Le 12 décembre, on y honore Notre-Dame de Guadalupe, sainte patronne du Nouveau-Mexique (*Route 1, Box 70, Santa Fe, 87501 ; tél. 505/455-2278*).

Sandia, à 22 km au nord d'Albuquerque, possède des terres basses fertiles le long du fleuve, qui sont cultivées avec succès. La réserve s'étend jusqu'au sommet des Sandia Mountains et les Indiens louent des terrains à la société d'exploitation Sandia Peak Tram (le tramway de crête). Sur le trajet du tramway, ils ont construit un grand centre d'artisanat. Le 13 juin, ils honorent san Antonio par une danse des Moissons. (*P.O. Box 608, Bernalillo, NM 87004 ; tél. 505/867-2876 ou 5021*).

La danse du Daim et les caracoles du Buffle

San Felipe, à 45 km au nord d'Albuquerque, est l'un des pueblos les plus tradition-nels ; les photos y sont interdites, sans aucune exception. La charmante mission du XVIIIᵉ siècle n'est ouverte que pendant les services religieux. Pendant la veillée de Noël, les esprits du royaume animal viennent rendre hommage à l'Enfant Jésus, sous le masque de danseurs représentant le daim ou le buffle. Revêtues de costumes très élaborés, les danseuses entrent dans l'église après la messe de minuit.

San Ildefonso, à 32 km au nord-ouest de Santa Fe, est surtout connu comme le village du fameux potier, Maria Martinez. Elle et son mari Julian ont développé un procédé qui leur permet de façonner des poteries noires auxquelles la cuisson confère l'état du cuivre, procédé que l'on utilise maintenant dans plusieurs autres pueblos. Leur fils, Po Povida, et son propre fils, Tony Da, ont pris la relève. Ces œuvres atteignent les plus hauts prix sur le marché de la poterie indienne. La famille possède une boutique sur la plaza et ses productions sont achetées par les musées et les magasins du monde entier.

San Ildefonso possède une grande plaza bien dégagée où les Indiens présentent, le

La fabrication de briques de terre pour les constructions en adobe.

L'ADOBE, UN ART FASCINANT

L'adobe est le matériau traditionnel de l'architecture du Sud-Ouest américain. Les structures qu'il permet d'obtenir sont de nature ondulante et sculpturale, et pourtant la masse dans son ensemble donne une impression de permanence et d'éternité. Le mot « adobe », d'origine arabe, fut importé dans le pays par les colonisateurs espagnols à la fin du XVe - siècle. Il désigne la terre qui sert à la construction d'édifices, les édifices eux-mêmes et les briques d'argile crue façonnées avec cette terre. Aujourd'hui, ce type d'architecture est désigné sous le nom de « style Santa Fe ».

Au Nouveau-Mexique, les archéologues ont découvert des vestiges de murs en adobe construits par les Indiens pueblos et datant du XIIIe siècle, quelque 400 ans avant l'arrivée des Espagnols. De cette époque jusqu'au XVe siècle, on distingue clairement deux types de murs en terre. D'une part les murs pleins, construits à partir de boue amalgamée avec toutes sortes de débris, allant de petits cailloux à des éclats de poteries, et montés à la main, poignée par poignée, jusqu'à ce qu'ils atteignent la hauteur désirée. Et, d'autre part, des échafaudages plus élaborés utilisant des briques d'argile crue façonnées à la main et séchées au soleil, puis consolidées au mortier.

Les colonisateurs espagnols n'importèrent pas seulement le mot adobe mais aussi une nouvelle méthode pour façonner les briques : des sortes de moules en bois, de la taille requise par la construction et munis d'une poignée à chaque extrémité. Ils étaient installés au sol et l'on y versait la boue mêlée à de la paille. Celle-ci facilitait le séchage en absorbant l'humidité de l'adobe et empêchait les briques de se fendiller en séchant. La boue en excès était grattée sur le dessus et lorsque les briques étaient suffisamment sèches pour ne pas s'effondrer, les moules étaient retirés.

C'étaient là les deux méthodes primitives de construction en adobe, du moins jusqu'à l'apparition du chemin de fer, dans les années 1880, qui élimina pratiquement l'utilisation de ce matériau pendant plusieurs décennies. Les colons américains importèrent non seulement de nouvelles techniques mais aussi certains préjugés défavorables à la culture établie de longue date par les populations autochtones. La brique rouge cuite, le bois en planches et en lattes, les blocs de béton et le stuc devinrent les matériaux dominants du paysage architectural du Sud-Ouest américain. L'implantation du chemin de fer eut également un impact considérable sur l'architecture existante. Les maisons toutes simples et au toit plat subirent un véritable remodelage avec des adjonctions ornementales élaborées et des toits en pente.

Ce n'est qu'après la Première Guerre mondiale qu'on assista à une réapparition significative de l'adobe. Les constructeurs et les architectes, prenant conscience de la diminution des ressources naturelles, tournèrent leurs regards vers un matériau de construction disponible en abondance et qui, de surcroît, possédait d'excellentes qualités de récupération de la chaleur solaire.

Avec ce retour à l'adobe, on vit surgir de nouveaux centres de production qui proposent aujourd'hui des blocs « stabilisés ». Cette stabilisation implique certains additifs, par exemple une émulsion d'asphalte qui, mêlée à la boue, permet de façonner des briques crues résistant à l'humidité, qui est le pire ennemi de l'adobe. Mais ces briques en adobe ne sont qu'un matériau parmi d'autres dans cette architecture dite « de terre ». Le pisé, connu également sous le nom de terre compressée, est un procédé développé en France au cours du XVIe siècle. Des cadres en bois sont dressés sur le lieu de la construction et remplis de terre humide. L'ensemble est compressé à la main ou à l'aide d'un tampon pneumatique. Les cadres sont ensuite retirés et remplis de nouveau pour façonner un autre panneau de mur.

Le long travail requis par les constructions en adobe en fait souvent un matériau trop coûteux, mais des méthodes de fabrication plus modernes devraient permettre une production à plus grande échelle et un abaissement des coûts.

23 janvier, leur danse la plus étonnante, une danse d'animaux ou de chasse. Elle commence au lever du jour et se poursuit toute la journée (*Route 5, Box 315-A, Santa Fe, NM 87501 ; tél. 505/455-2273*).

San Juan, à 47 km au nord de Santa Fe, fait face à l'endroit choisi par Juan de Oñate, en 1598, pour y établir la première capitale du Nouveau-Mexique, sur l'autre rive du fleuve. Seule une croix plantée sur le monticule formé par les ruines intactes du pueblo marque aujourd'hui ce site historique. La fête annuelle est célébrée le 24 juin et le jour de Noël on peut y voir la Matachines Dance, une adaptation d'un conte moral espagnol.

La poterie de San Juan est traditionnellement noire, marron ou rouge, avec des dessins symboliques (*P.O. Box 1099, San Juan Pueblo, NM 87566 ; tél. 505/852-4400*).

Santa Ana, à 48 km au nord-ouest d'Albuquerque, est un pueblo dont l'accès est fermé aux visiteurs sauf certains jours de fêtes. La plupart de ses habitants vivent en fait dans trois villages plus petits, situés un peu plus bas sur la rive du fleuve, près de Bernalillo, et ne reviennent à leur ancien pueblo que pour ces jours de fête. Les photographies sont interdites. Le Coronado State Monument, proche de Bernalillo, a pour fonction de préserver les ruines d'un ancien pueblo dont les Indiens de Santa Ana prétendent qu'il fut le berceau de leurs ancêtres.

Santa Clara, à 48 km au nord-ouest de Santa Fe, possède plusieurs potiers remarquables. Parmi les plus connus, il faut citer *Lonewolf* (Loup solitaire) et *Medicine Flower* (Fleur bienfaisante) qui appartiennent tous deux à la famille naranjo.

Dans le canyon de Santa Clara se déroule chaque année en juillet, le Puye Cliff Ceremonial. Puye, qui fait partie du Pajarito Plateau, est un lieu majestueux qui convient parfaitement à cette danse des Aigles où l'on voit s'affronter deux danseurs, arborant une coiffe de plumes blanches et des ailes de plumes sanglées autour de leurs bras, qui tournoient et glissent dans un simulacre solennel inspiré par ces oiseaux dont les aires sont perchées au sommet des falaises environnantes.

Santo Domingo, à 50 km au sud-ouest de Santa Fe et à 63 km au nord d'Albu-

Jour de fête à l'église du pueblo de San Juan.

querque, est surtout connu pour sa joaille-rie, et en particulier ses *heishi*, de petits coquillages polis jusqu'à l'obtention du velouté et de la souplesse de la soie. Leur pueblo est vaste, et ils sont très pointilleux en ce qui concerne la défense des intérêts indiens. Les photographies y sont stricte-ment interdites. Santo Domingo donne sa danse des Moissons le 4 août, jour de la Saint-Dominique, lors d'une gigantesque fête en plein air à laquelle participent 500 danseurs, âgés de deux à quatre-vingts ans. Chaque danseuse, pieds nus, porte un *tablita* peint en bleu et symbolisant une montagne sur laquelle tombe la pluie. Elle porte une *manta* sur l'épaule (une écharpe tissée), les plus beaux bijoux de sa famille, et tient dans chaque main une branche de pin. Les hommes, eux, portent des kilts blancs, courts et brodés, avec une ceinture longue et épaisse, des brassards et des mocassins. L'entrée des danseurs sur la plaza, en deux longues files, évoque une cérémonie d'apparat, mais le motif est sacré : il s'agit d'invoquer les esprits de la Pluie et de la Fertilité, de fouler la terre, de battre le tambour en scandant des incan-

La danse de Santa Clara est un événement annuel haut en couleur.

tations rituelles et de ranimer les vibra-tions terrestres pour assurer une bonne récolte. A Noël et à Pâques se déroulent d'autres danses qui durent plusieurs jours.

Taos, à 3 km au nord de la ville de Taos, est le plus photographié et le plus connu de tous les pueblos indiens, avec ses gran-des habitations à plusieurs étages qui se font face, de chaque côté de la plaza. Taos marquait la frontière nord de la province espagnole, et c'est ici que les Comanches et les autres Indiens des Plaines venaient traiter leurs affaires avec les Espagnols et les Indiens pueblos. Tout au long de l'an-née, les raids et les pillages faisaient rage, mais, pendant la foire, c'était la trêve. Aujourd'hui encore, les Indiens taos ont conservé certains attributs de leurs frères des Plaines : de longues nattes, des mocas-sins perlés, un nez aquilin, des pommettes hautes. Les danses guerrières des Indiens de la Plaine, que l'on peut quelquefois voir à Taos, n'ont rien à voir avec les danses traditionnelles des Pueblos, plus calmes. Les 29 et 30 septembre, ils rendent hom-mage à san Geronimo (saint Jerôme).

A l'aube, les mâles de la maison du Nord affrontent à la course ceux de la maison du Sud ; à la fin de la course, les équipes sont accueillies par une pluie de pétards et d'oranges lancés des toits de la maison du Nord. Les Chifonetti (ou koshares) sont des clowns dont le corps est peint de rayures noires et blanches et les cheveux mêlés de paille, qui font des cabrioles parmi les badauds, emportant les enfants sur leurs épaules et taquinant la foule.

Aussitôt après la course, commence une foire intertribale. Des artisans sélectionnés exposent leurs œuvres dans des stands installés sur la vaste plaza en terre battue qui s'étend de la maison du Nord à la rivière qui divise le pueblo. A l'exception de certains jours fériés particuliers, les photographies sont autorisées à Taos. Un bureau touristique, situé à l'entrée de la plaza, collecte les taxes et délivre les permis (*P.O. Box 1846, Taos Pueblo, NM 87571 ; tél. 505/758-8626*).

Tesuque, à 16 km au nord de Santa Fe, est un petit pueblo ; quelques excellents potiers y travaillent, généralement avec de l'argile colorée par des pigments naturels,

et façonnent des figurines animales. Leur fête patronale, le 12 novembre, célèbre san Diego. Au cours de l'hiver, on peut y voir les danses de la Tortue, du Daim et d'autres animaux. (*Route. 5, Box 1, Santa Fe, NM 87501 ; tél. 505/988-5075*).

Zia, à 58 km au nord-ouest d'Albuquerque, est implanté sur une mesa volcanique et ses maisons recouvertes de boue se fondent si parfaitement dans le paysage qu'on les oublie presque. La poterie de Zia, peintes d'oiseaux et de fleurs stylisés, est très recherchée par les collectionneurs. C'est un petit pueblo très traditionnel, et il est impossible d'y prendre des photos. La fête locale a lieu le 15 août avec une danse des Moissons (*General Delivery, San Ysidro, NM 87053 ; tél. 505/867-3304*).

Zuni, à la pointe occidentale du Nouveau-Mexique, à 64 km au sud de Gallup, fut le premier pueblo traversé par les Espagnols. En 1539, les soldats et les prêtres qui conduisaient un groupe avancé de l'expédition de Coronado aperçurent les grappes de maisons en adobe à toit plat et les brins de paille du torchis qui brillaient dans la lumière du soleil de l'après-midi. Ils firent aussitôt demi-tour pour aller raconter qu'ils avaient vu le « *Sept Cités de l'Or* ». Les Indiens de Zuni sont de remarquables potiers et joailliers. Leurs bijoux en argent sont généralement incrustés de petits éclats de turquoise, de jais, de corail, de nacre et d'écaille de tortue, dessinant des motifs complexes.

La plus célèbre danse indienne du Sud-Ouest est le shalako que l'on peut voir à Zuni, début décembre. Elle débute avec le coucher du soleil : des personnages grotesques, de 3 à 4 m de haut, arrivent alors dans le village, où ils dansent et chantent toute la nuit devant des maisons désignées. Zuni étant à plus de 2100 m d'altitude, il y fait alors un froid mordant.

Les costumes extrêmement coûteux sont drapés sur un cadre de bois animé par des poulies, un peu comme des marionnettes. L'ensemble est recouvert de plumes, de peintures, de peaux animales et d'autres matériaux. La tête ressemble à celle d'un oiseau et le corps est conique. Être choisi comme shalako est un honneur, et l'homme qui assume ce rôle doit s'y préparer à la fois physiquement et spirituellement.

A gauche, l'église San Felipe de Neri, dans la Vieille Ville d'Albuquerque fondée en 1706. A droite, les ceintures et bracelets « coucha » (argent et turquoises) sont un élément courant de la parure des Indiens.

ALBUQUERQUE, LA VILLE DES ESTHÈTES

Albuquerque est née en 1706, d'un groupe de huttes en terre s'élevant à côté d'une simple chapelle du même matériau, à l'endroit où le Rio Grande forme une large boucle et vient irriguer les basses terres où les colons purent planter du blé et des arbres fruitiers. Pendant un siècle et demi, ce fut une simple communauté agricole espagnole sur El Camino Real, la route qui conduisait de Santa Fe à Mexico. Lorsque le chemin de fer apparut, en 1880, la nouvelle Albuquerque s'installa 3 km plus à l'est, laissant la vieille ville somnoler, ce qui lui permit de conserver son identité.

Albuquerque est la plus grande ville de l'État du Nouveau-Mexique, avec près d'un demi-million d'habitants dans la zone métropolitaine. C'est le centre commercial de l'État, le siège des agences gouvernementales régionales, un centre médical de renom, le siège de l'université d'État, d'une université privée et, depuis la Seconde Guerre mondiale, d'un centre de recherche et de développement spatial. Située à un peu plus de 1 600 m d'altitude, elle jouit d'un climat sec et tonique et d'un mode de vie détendu.

Toute visite d'Albuquerque se doit de commencer par **Old Town**, la vieille ville. Les galeries qui s'y trouvent présentent les œuvres de certains des artistes les plus prestigieux de l'État. Les bijoux, la poterie, les tapis et les tissages sont généralement de bonne qualité.

La plupart des activités de la vieille ville tournent autour de l'**église San Felipe de Neri**, qui n'a pas oublié une seule messe depuis 278 ans. En mai, elle est le théâtre de la Bénédiction des animaux et, en juin, vous pourrez assister à la Fiesta de la vieille ville. Pendant les neuf jours qui précèdent Noël, les processions de Las Posadas font le tour de la plaza avec leurs cierges allumés rappelant aux fidèles comment Marie et Joseph durent chercher un abri pour la naissance de l'Enfant Jésus. La veille de Noël, la plaza scintille de milliers de *luminarias*, une vieille coutume hispanique, pour illuminer le chemin des pèlerins venant rendre hommage au Divin Enfant. Ce sont des sacs en papier kraft dans lesquels se consume un cierge planté dans un peu de sable.

L'**Albuquerque Museum**, dans la vieille ville, est un bâtiment ultramoderne en adobe, chauffé à l'énergie solaire, qui présente des expositions temporaires d'art, de sciences et d'histoire. La majeure partie des expositions permanentes couvre 400 ans de l'histoire du Nouveau-Mexique. Un nouveau musée d'Histoire naturelle, installé juste en face, a ouvert ses portes en 1985 ; c'est le premier musée du genre construit dans cet État depuis plus d'un siècle. Le Nouveau-Mexique est riche en spécimens paléontologiques qui étaient envoyés depuis des années vers les musées des États de l'Est américain ; dorénavant, ils pourront rester sur place.

Culture des pueblos

L'**Indian Pueblo Cultural Center**, à quelques blocs de la vieille ville, appartient aux dix-neuf pueblos du Nouveau-Mexique qui disposent chacun d'un espace d'exposition leur permettant de montrer au public leurs créations artistiques et artisanales spécifiques. C'est là qu'on peut faire, par exemple, la différence entre une poterie zuni et un vase acoma.

Pages précédentes, le Festival international de vol en ballon, à Albuquerque. À gauche, jeune fille de Laguna en tenue de fête ; à droite, randonnée sur l'un des sentiers qui sillonnent les Sandia Mountains.

Le **Rio Grande Zoo**, au sud de la vieille ville, est l'un des meilleurs de la région. La forêt tropicale, la maison des reptiles et celle des singes sont les attractions favorites des nombreux visiteurs.

Le centre ville d'Albuquerque a connu récemment un certain regain d'activité, après avoir subi un exode inquiétant vers les banlieues. La nouvelle place publique est resplendissante, avec ses parterres de fleurs et sa fontaine. Les vieux immeubles de Central Avenue ont accueilli les galeries d'art et les ateliers, et le **KiMo Theater**, une petite merveille d'art décoratif indien datant des années 1930, a été restauré par la ville pour servir de cadre à diverses manifestations artistiques.

Le bâtiment de l'**University of New Mexico** situé un peu plus à l'est, sur Central Avenue, démontre les possibilités d'adaptation de l'architecture des Pueblos. Les traditionnels murs à arcs-boutants, avec leurs *vigas* (des chevrons saillants) se dressent avec bonheur aux côtés de structures modernes et angulaires, et leur masse fait contrepoids à la transparence des nombreuses baies vitrées. Au centre du campus se trouvent le **Maxwell Museum of Anthropology**, le **Fine Arts Museum** (le musée des Beaux-Arts) et le **Popejoy Hall**, qui propose un programme de musique symphonique, d'opérettes et de comédies musicales.

Les **Sandia Mountains**, qui se dressent à l'extrémité est de la ville, en sont la toile de fond saisissante. Les deux versants, l'un accidenté, l'autre planté d'arbres, offrent de nombreux sentiers de randonnées. Le **Sandia Peak Tram**, le funiculaire le plus long de toute l'Amérique du Nord, atteint le sommet ouest (côté ville) en quinze minutes environ (à ne pas manquer !). En hiver, les skieurs empruntent le funiculaire pour se rendre sur les pistes du Sandia Peak, ou bien montent en voiture par l'autre versant.

Aux environs d'Albuquerque

L'excursion à travers les **Jemez Mountains**, au nord-ouest d'Albuquerque, est d'un intérêt géologique et historique tout particulier. Le paysage est très varié depuis les falaises rouge et safran jus-

Illuminations (« Luminarias »), le soir de Noël, dans la Vieille Ville d'Albuquerque.

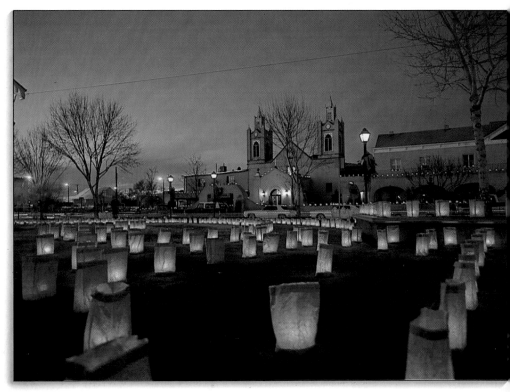

qu'aux cascades en altitude. Vous y verrez même des pueblos préhistoriques et des villages troglodytiques abandonnés. Cette excursion représente un trajet de 320 km et peut être faite en une ou deux journées.

La première étape est le **Coronado State Monument**, à 32 km au nord de la ville, à l'intersection de l'Interstate 25 et de la branche nord-ouest de la State Highway 44. Ce sont les ruines d'un vaste pueblo indien préhistorique où les membres de l'expédition de Coronado auraient établi leur quartier général durant l'hiver 1540-1541. Les Indiens n'ont jamais réoccupé le site. Il faut voir en particulier la chambre cérémoniale souterraine (*kiva*) avec ses fresques murales restaurées, fort rares.

Juste au-delà du village de **Jemez Springs**, se trouvent les ruines d'une mission espagnole construite vers 1617, classée monument historique : le **Jemez State Monument**, avec un office d'accueil et des sentiers de promenade.

A l'endroit où la route bifurque vers l'est, vous pourrez voir **Valle Grande**, une vallée de 19 km de large, encaissée entre deux hautes montagnes et d'une surprenante luxuriance. Il y a quelques millions d'années, cette vallée était le cratère d'un volcan. Les cendres et les poussières volcaniques ont surélevé de quelque 450 m, le plateau de basalte environnant. L'érosion y a taillé de profonds canyons, mettant au jour les couches successives de dépôts volcaniques, et des parois fragilisées dans lesquelles le vent a creusé des cavités naturelles. Les premiers Indiens installèrent leurs maisons dans ces cavités. Le **Bandelier National Monument** préserve ces falaises troglodytiques ainsi qu'un vaste pueblo circulaire niché au creux du canyon.

A quelques kilomètres de Bandelier se trouve **Los Alamos**, une ville construite secrètement lors de la Seconde Guerre mondiale, pour permettre aux savants de travailler sur la bombe atomique. C'est à présent une ville ouverte, avec de séduisants quartiers résidentiels et commerciaux. Dans d'immenses laboratoires, les savants poursuivent leurs recherches, maintenant tournées vers le traitement du cancer, la géothermie et d'autres formes d'énergie. La route descend ensuite à pic sur Santa Fe.

Bandelier National Monument, Nouveau-Mexique.

Salinas National Monument

Cet itinéraire vous mènera jusqu'aux ruines de trois missions espagnoles construites près d'un siècle et demi avant celles de Californie, d'Arizona et du Texas. Quittez la ville par la sortie est, sur l'I-40, et bifurquez vers le sud sur la State 14, qui longe le versant est des **Manzano Mountains**. Au tout début du XVIIe siècle, les Espagnols construisirent ces missions à l'intention des Indiens pueblos. Mais, au bout de cinquante années, les raids des Indiens des Plaines étaient devenus insupportables et les pacifiques Pueblos abandonnèrent leurs habitations dans la montagne pour la vallée du Rio Grande. A elles trois, les missions forment le **Salinas National Monument**, dont le centre se trouve à Mountainair, sur la US Highway 60.

A Quarai et Abo, se dressent de hauts murs de grès rouge, telles des cathédrales primitives ouvertes en plein ciel. Plus au sud, le long de la State 14, **Grand Quivira**, construite en calcaire gris, est perchée, solitaire, au sommet d'une colline balayée par les vents. Il y a là un office de tourisme, et des aires de pique-nique autour de Grand Quivira et de Quarai. Vous pourrez rentrer par l'US 60, direction ouest, puis l'I-20, direction nord jusqu'à Albuquerque, soit environ 320 km au total.

La piste de Turquoise

La route panoramique qui relie Albuquerque à Santa Fe contourne le versant est des Sandia Mountains et traverse des villages fantômes et des villages espagnols. La piste de Turquoise est en fait la State 14 et commence à la sortie de Tijeras-Crest, sur l'I-40, à l'est d'Albuquerque.

Au village de San Antonio, la State 44 bifurque vers les pistes de **Sandia Peak Ski Area** et vers **Sandia Crest**, point culminant de cette chaîne de montagnes avec ses 3 255 m. Tout au long de la route, qui grimpe à travers la **Cibola National Forest**, vous trouverez des aires de pique-nique et des sentiers de randonnée. En hiver, les sentiers deviennent le paradis des skieurs de fond. Quelques kilomètres plus loin, se

L'un des gardiens du Salinas National Monument, Nouveau-Mexique.

trouvent la station de ski et le départ du télésiège.

Pour continuer sur la piste de Turquoise, reprenez la State 14 à San Antonio et repiquez vers le nord jusqu'à **Golden**, une « ville fantôme ». C'est ici que fut exploité le premier filon d'or à l'ouest du Mississippi, en 1826. A l'extrémité nord de Golden, sur une colline surplombant la route, se dresse **Saint Francis**, une église de mission construite dans les années 1930 et restaurée en 1958. C'est l'une des églises de mission les plus photoghraphiées du Nouveau-Mexique et vous comprendrez pourquoi si vous avez la chance de la voir par grand beau temps, un de ces jours où le ciel est bleu cobalt.

A 18 km au-delà de Golden, se trouve **Madrid**, une ancienne ville minière qui comptait autrefois plusieurs milliers d'habitants. Elle fut abandonnée en 1952, lorsque le diesel et le fuel remplacèrent le charbon sur la ligne de chemin de fer de Santa Fe.

Pourtant Madrid compte bien quelques habitants qui dirigent la **Mine Shaft Tavern**, l'**Old Coal Mine Museum**, un théâtre, une boutique de vêtements qui vend des tissus artisanaux, des galeries d'art et plusieurs autres boutiques. Des orchestres de jazz, de country et de folk-music se produisent à la Tavern, du mercredi soir au dimanche soir et, durant l'été, les dimanches après-midi, sur le terrain de base-ball de l'école désaffectée.

Ce sont les mines de turquoise de **Cerrillos**, la dernière ville de cet itinéraire, qui ont donné leur nom à ce tronçon de route jusqu'à Santa Fe. Au début du XVIIe siècle, selon le témoignage des Espagnols, les Indiens exploitaient déjà la mine, mais lorsque les filons s'épuisèrent, les Indiens quittèrent la région. Les turquoises de Cerrillos sont aujourd'hui fort rares. Les mineurs occasionnels trouvent encore assez de plomb, d'or, de zinc ou d'argent dans les collines arides et les ruisseaux des environs pour pouvoir continuer à exister. Un intéressant magasin d'antiquités et de bijoux indiens ainsi que plusieurs autres boutiques plus petites sont rassemblés autour de la plaza. De nombreux films et feuilletons de télévision ont été tournés dans ce petit village pittoresque situé au bout de la piste de Turquoise.

Autour du vieux poêle à bois, à San José.

SANTA FE, LA VILLE ÉTERNELLE

Santa Fe fut fondée en 1610, comme capitale de la province espagnole du Nouveau-Mexique. La résidence du gouverneur et les bâtiments officiels se dressaient sur le côté nord de la plaza. Ils sont aujourd'hui le centre des musées de l'État. Dans les premiers temps, il y eut de nombreuses dissensions internes entre le clergé et les représentants du pouvoir civil, et les Indiens se trouvèrent pris entre deux feux. Dans les années 1680, les Indiens se rebellèrent contre des missionnaires aux pouvoirs abusifs et les lourdes taxes, brûlant allégrement toutes les archives, les livres et les églises, s'attaquant aux cloches, aux vêtements sacerdotaux, torturant et tuant tout Espagnol qui se trouvait sur leur chemin. Le gouverneur Diego de Vargas reconquit la province en 1692, sans tirer un seul coup de feu, mais les Espagnols avaient reçu une leçon. Ils ne se risquèrent plus à interdire aux Indiens la pratique de leurs cérémonies ancestrales, du moment que ceux-ci se rendaient à la messe.

Santa Fe resta la capitale de l'État durant la période mexicaine (1821-1846) et au-delà, sous la domination américaine. Des gens de toutes nationalités, de toutes confessions religieuses ou politiques y ont de tout temps élu domicile. Aujourd'hui, la population de Santa Fe atteint les 50 000 habitants. L'hiver, la ville est peuplée de politiciens et de skieurs ; l'été, elle est envahie de touristes et de vacanciers. Les anciens sentiers muletiers ont été pavés pour devenir de véritables rues et ont beaucoup de mal à contenir le trafic actuel. Vous aurez donc tout intérêt à vous promener à pied dans le centre ville. C'est de toute façon le meilleur moyen de faire connaissance avec Santa Fe.

La ville s'étend à 2 100 m d'altitude, au pied du massif du Sangre de Cristo (Sang du Christ), la pointe méridionale des Rocheuses. Le soleil y est vif et chaud, et l'air sec et frais, voire piquant.

Le **Palace of the Governors** (palais des Gouverneurs), s'étend sur toute la longueur du côté nord de la plaza. Les Indiens déploient leurs bijoux et leurs poteries sur des couvertures, de chaque côté du portail (une allée couverte). Les expositions du musée ont trait aux périodes successives de l'histoire du Nouveau-Mexique : indienne, espagnole, mexicaine et américaine. Dans l'une des salles, les murs d'origine sont exposés à l'abri derrière des vitres : ils sont en adobe et datent de près de quatre siècles.

Sur le trottoir d'en face, côté ouest, se trouve le **Museum of Fine Arts** (musée des Beaux-Arts). Construit en 1917, ce bâtiment annexe du musée d'État est un exemple classique d'architecture pueblo. Les collections permanentes sont constituées par les œuvres d'artistes qui ont fait le renom du Nouveau-Mexique au cours des soixante dernières années.

Museum Hill

A la lisière sud-est de la ville, sur la Museum Hill trop loin pour être accessible à pied, se dressent trois musées remarquables. Le **Museum of International Folk Art** (musée d'Art populaire international), renferme des œuvres d'art religieux et

Pages précédentes, l'église de San José de Gracia : un des meilleurs exemples d'architecture pueblo. A gauche, une porte à caissons ; à droite, Santa Fe dans les années 1880.

d'art populaire traditionnel, dont le point d'orgue est la **collection Girard**. Alexandre Girard, architecte de réputation mondiale, a vécu à Santa Fe pendant une trentaine d'années environ et a légué à l'État sa collection de 120 000 œuvres d'art populaire provenant de tous les pays du globe.

Sur cette même Museum Hill se trouve le **Wheelwright Museum**, un musée privé qui était autrefois exclusivement consacré à l'art cérémoniel navajo, mais qui regroupe à présent des pièces provenant d'autres cultures et d'autres tribus indiennes. Le **Museum of Anthropology**, un musée d'État, est le troisième de ce complexe culturel et il présente une excellente variété de poteries, de *kachinas* et autres objets indiens traditionnels.

Dans le centre ville, la **cathédrale Saint-François-d'Assise**, à un bloc à l'est de la plaza, se dresse dans toute sa sobriété néo-romane. C'est un monument à la mémoire de Jean-Baptiste Lamy, archevêque de Santa Fe. Le roman de Willa Cather, *Death Comes for the Archbishop (La Mort arrive pour l'archevêque)*, immortalisa l'œuvre de Lamy dans le Sud-Ouest américain. A 5 mn de route au nord de la ville, dans Bishop Lodge Road, se trouve **Bishop's Lodge**, l'un des plus jolis endroits de Santa Fe. Ici, la chapelle privée de l'archevêque Lamy est ouverte au public. Mais le pavillon est fermé en hiver. **Our Lady of Light Chapel** (chapelle Notre-Dame-de-Lumière), aujourd'hui propriété de l'auberge de Loretto, l'un des meilleurs hôtels du centre ville, abrite le **Miraculous Staircase** (l'escalier miraculeux) construit sans clous ni support visible par un charpentier itinérant apparu un jour à la porte du couvent des sœurs de Loretto, en 1878. Le chapentier disparut, mais les religieuses furent persuadées qu'il s'agissait de saint Joseph en personne.

La plus vieille église et la plus vieille maison d'Amérique

La **mission San Miguel**, dans Old Santa Fe Trail, à deux blocs à l'est de la plaza, est parfois qualifiée de « plus vieille église d'Amérique ». Elle ne l'est pas, mais elle a

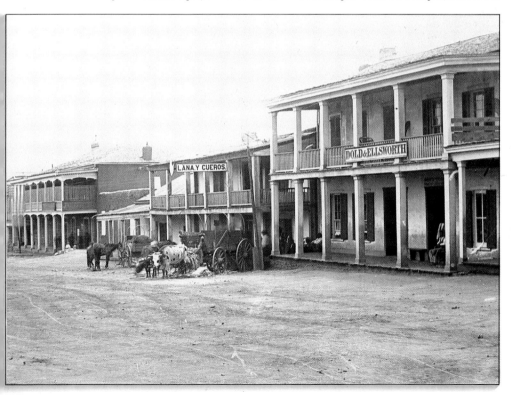

été construite sur les fondations d'une autre église, édifiée autour de 1636 et détruite par un incendie lors de la rébellion de 1680. De l'autre côté de la rue se trouve la « **plus vieille maison d'Amérique** », qui abrite une boutique de souvenirs. Il existe de nombreuses maisons pueblos plus anciennes, mais celle-ci reste néanmoins un bon exemple de construction d'époque.

El Cristo Rey Church (église du Christ-Roi), à l'extrémité est de Canyon Road, fut construite en 1940 et renferme l'une des pièces les plus remarquables de l'art colonial espagnol aux États-Unis : un gigantesque autel de pierre (*reredos*), sur lequel on reconnaît de nombreux saints, au milieu de sculptures complexes. De 12 m de large sur 5 de haut et pesant plusieurs tonnes, cet autel fut initialement conçu en 1760 pour une église plus ancienne située sur la plaza.

Un hôtel d'avant-guerre

Le **La Fonda Hotel**, sur la plaza, est le meilleur « poste d'observation » de la ville. Installez-vous dans le hall un moment et vous verrez défiler vedettes de cinéma, hommes politiques, Indiens, artistes et poètes. Cette hostellerie, qui date de bien avant la Seconde Guerre mondiale, est construite comme un pueblo indien à plusieurs étages, avec des *vigas* en saillie, des courbes douces, des sols en dalles de pierre, des patios, des vitres colorées, des encorbellements et un mobilier sculpté.

Il y a trop de boutiques et de galeries à Santa Fe pour qu'il soit possible de les mentionner toutes, mais il faut signaler deux quartiers intéressants à cet égard : la **plaza** et **Canyon Road**. Dans le secteur est de la plaza, **Sena** et **Prince plazas** s'ouvrent sur Palace Avenue avec certaines des boutiques les plus séduisantes de Santa Fe. L'une d'elles en particulier, Rare Things, située à l'angle du bloc, est une véritable mine pour les amateurs d'art indien et espagnol. Bon nombre des meilleures galeries de Santa Fe sont situées dans Washington Street et San Francisco Street.

Canyon Road abrite des boutiques, des galeries et des restaurants qui comptent parmi les meilleurs de la ville.

A Las Golondrinas, la procession des Moissons rassemble les fidèles d'origine hispanique.

Sports et loisirs

Les loisirs en plein air tiennent une place importante à Santa Fe. **Santa Fe Ski Basin** est l'une des meilleures station de ski de l'État. A 26 km seulement du centre ville, la station bénéficie d'un enneigement de près de 4 m de belle neige et les pistes sont conçues pour les skieurs moyens ou confirmés. Une auberge et une cafétéria sont installées au pied de la station, mais il n'existe aucune capacité d'hébergement. La route qui conduit aux pistes, la State Highway 475, traverse **Hyde Park State Park**, dans la **Santa Fe National Forest**, un lieu tout indiqué pour les promenades et les pique-niques.

La musique fait partie de l'ambiance caractéristique de Santa Fe, au même titre que l'art en général. En vingt-cinq ans, le **Santa Fe Opera**, situé sur les collines au nord de la ville, a acquis une réputation mondiale pour la qualité de ses spectacles. La plupart des opéras se donnent à guichets fermés en juillet et août. Ceux qui n'ont pas pu faire de réservation à l'avance devront tenter leur chance pour des places debout, juste avant le spectacle.

El Rancho de las Golondrinas (ranch des Hirondelles), à 16 km au sud de la ville, est un village colonial espagnol reconstitué, une ancienne étape sur le Camino Real. Il est ouvert le premier dimanche de chaque mois, d'avril à octobre inclus. Le premier week-end de mai et d'octobre, s'y déroule une grande fiesta avec des expositions et des manifestations d'inspiration populaire coloniale. Le village de **La Cienega** s'est developpé autour de l'hacienda.

La grande route de Taos

La grande route de Taos, la State 76, serpente à travers des villages de montagne dont les noms ont une résonance poétique : Chimayo, Truchas, Las Tampas, Penasco. Nous sommes au cœur du Nouveau-Mexique colonial. Au XVIIIᵉ siècle, le Nouveau-Mexique sombra dans l'isolement, l'époque glorieuse des conquistadores étant révolue. Les petits villages éloignés de la capitale vécurent alors en autarcie, avec des coutumes et des croyances si profondément ancrées qu'elles subsistent aujourd'hui

A gauche, la chapelle du Santuario, à Chimayo, Nouveau-Mexique ; à droite, l'autel de l'église San José de Gracia.

encore, telles des reliques du Nouveau-Mexique d'il y a 300 ans.

De Santa Fe, prenez la direction du nord par la US Highway 84/285 jusqu'à **Santa Cruz**, puis poursuivez sur la State 76. La **Holy Cross Church** (église de la Sainte-Croix), à Santa Cruz, fut construite autour de 1740. Ses murs à contreforts ont près de 1 m d'épaisseur et abritaient les villageois lorsque les Indiens des Plaines traversaient la montagne pour voler le bétail, les femmes et les enfants.

El Santuario (le Sanctuaire) à **Chimayo** est surnommé le « Lourdes américain ». Durant la Semaine sainte les pèlerins arrivent de partout, en voiture, à pied et même à genoux. A gauche de l'autel, une petite salle est remplie de béquilles, de prothèses, de photographies, de poèmes et de lettres de fidèles épinglés au mur en ex-voto. Dans la pièces adjacente se trouve le trou dans lequel les pèlerins prélèvent une pincée de la terre sainte de Chimayo.

Plusieurs familles de tisserands de Chimayo ont acquis une certaine notoriété pour leurs couvertures finement tissées et de couleurs vives.

Village avec vue

Le village de **Truchas** est perché au sommet d'un plateau boisé en contrebas des pentes enneigées des Truchas Peaks. Dans la rue principale se trouvent une *morada*, église de la secte des Pénitents, et une église pentecôtiste dont le toit est en plastique.

Quelques kilomètres plus loin, se trouve **Las Trampas**, connu surtout pour son église dont les architectes prétendent qu'elle est le meilleur exemple d'architecture pueblo de tout l'État. Le village fut fondé en 1760 pour servir de tampon à Santa Cruz et Santa Fe contre les raids des Comanches. L'église **San Jose de Gracia** figure dans les registres de l'État et de l'histoire des États-Unis. Vous pourrez en demander la clé à la maison voisine.

A **Peñasco**, le village suivant, la route se divise en deux branches. Sur la droite, pendant 10 km, avant de rejoindre la State 3, vous traverserez les montagnes pour atteindre Taos. Sur la gauche, en empruntant la State 75, vous rejoindrez l'intersection avec la State 68, la route principale de Taos.

Balade à raquettes dans Sandia Peak Ski Area, haut lieu du ski.

Pecos National Monument

Les tout premiers récits des Espagnols mentionnent un grand pueblo indien dans les montagnes à l'est de ce qui est aujourd'hui Santa Fe. Situé dans une haute vallée verdoyante, arrosé par la Pecos River, le pueblo consistait en deux grands groupes de maisons communautaires, de quatre étages chacune, comprenant un millier de pièces. Il y avait cinq plazas distinctes et seize *kivas*. Les Espagnols construisirent ici une grande église de mission, aux alentours de 1617-1620. La tribu des Pecos prit une part active à la révolte de 1680 et incendia l'église. Pecos fut reconstruit après la reconquête espagnole et, au début du XVIII⁰ siècle, une église plus petite en adobe fut érigée à l'intérieur même des fondations de la précédente. Mais Pecos ne recouvra jamais sa prospérité. En 1838, ses habitants quittèrent ce qui restait du grand pueblo d'antan et émigrèrent vers l'ouest pour aller vivre avec les Indiens jemez qui parlaient leur langue. Les ruines des deux églises et le pueblo toujours enseveli sont préservés dans le cadre du **Pecos National Monument**.

Bisons des prairies du Nouveau-Mexique.

La route de Pecos, qui commence à la sortie est de Santa Fe, sur l'Interstate 25, suit le trajet de l'ancien Santa Fe Trail. Puis la State 63 prend le relais vers le nord pendant 32 km, jusqu'à Cowles, une station estivale et l'ultime étape des randonnées à cheval ou pédestres à travers la Santa Fe National Forest et le désert de Pecos.

Vous pourrez continuer vers l'est sur la I-25, au-delà de l'embranchement vers Pecos, pendant 25 km environ, jusqu'à la State 3, qui relie plusieurs villages, aussi pastoraux et tranquilles qu'ils devaient l'être voilà un siècle. A San Miguel, 5 km au sud de la I-25, vous pourrez encore voir l'endroit où le Santa Fe Trail passait à gué la Pecos River. Durant la période mexicaine (1821-1846), San Miguel était le port d'entrée du Nouveau-Mexique ; tous les trains s'y arrêtaient et payaient une taxe sur les marchandises qu'ils transportaient. **Villanueva State Park**, à 14 km au sud de San Miguel, dispose d'aires de pique-nique et de camping sur les rives de la Pecos River. La descente dans cette vallée encaissée vous donnera un aperçu de la vie rurale hispanique au Nouveau-Mexique.

TAOS ET SA MAGIE

Taos irradie d'une présence intense, avec le soleil très blanc qui dessine des ombres lavande, son horizon bleuté et sa terre dorée. En 1912, la qualité de cette lumière attira huit jeunes artistes venus de la côte Est qui formèrent la Taos Society of Artists.

Taos fut fondée par les Espagnols dans les premières années du XVIIᵉ siècle, à proximité du pueblo indien de la tribu des Taos. La plaza de Taos a vu défiler beaucoup de monde : Indiens, conquistadores espagnols, hommes des montagnes et marchands. Le drapeau américain flotte 24 heures sur 24 sur la plaza, un honneur tout particulier commémorant la bravoure de Kit Carson et d'autres frontaliers durant la guerre de Sécession. Lorsque les partisans de la Confédération tentèrent de remplacer le drapeau américain par le drapeau confédéré, Carson et ses amis clouèrent la bannière étoilée au sommet du plus haut pin qu'ils purent trouver et montèrent la garde jour et nuit jusqu'à ce que les confédérés fussent repoussés à la frontière du Texas.

Taos possède plus de 80 galeries d'art, son activité principale, et vous passerez à côté de sa réalité profonde si vous ne prenez pas le temps de les visiter. Remontez Ledoux Street, à deux blocs à l'ouest de la plaza. Des murs en adobe aux couleurs chaudes entrecoupés de portails peints en turquoise vous inviteront à flâner dans cette rue sinueuse.

L'héritage d'un gouverneur assassiné

Le **Governor Bent Museum** est en fait la demeure historique du premier gouverneur américain du Nouveau-Mexique, qui fut assassiné en 1847. Kit Carson, le célèbre éclaireur et soldat, vécut à Taos ses dernières années, avec son épouse espagnole, et leur maison est aujourd'hui le **Kit Carson Home and Museum**. Le cimetière où il est enterré, avec d'autres célébrités de la ville, fait partie du **Kit Carson State Park**, à deux pas de la rue principale de Taos.

Durant les années 1920, l'extravagante Mabel Dodge Luhan amena de nombreux artistes à Taos, dont D.H. Lawrence. Elle épousa un Indien taos et se fit construire une maison étonnante en adobe (qui est devenue depuis un *bed and breakfast*) à la lisière de la réserve indienne, où elle recevait somptueusement des gens célèbres et de talent. Elle offrit aux Lawrence un ranch dans les Sangre de Cristo Mountains, à 24 km environ au nord de la ville. Après sa mort en Europe, l'épouse de Lawrence y ramena ses cendres et fit construire une chapelle sur le ranch qu'elle légua à l'université du Nouveau-Mexique. Les curieux pourront visiter le **D.H. Lawrence Shrine**, voir la maison en adobe où il vécut, et admirer la vue qui l'inspira si souvent.

L'église de Ranchos de Taos (1722), située à la lisière sud de la ville, si elle ne figure pas parmi les plus anciennes du Nouveau-Mexique, est sans doute la plus connue et la plus photographiée à cause de son architecture pueblo de style classique.

Le **Rio Grande** coule à quelques kilomètres à l'ouest de Taos au fond d'une gorge profonde. La gorge est accessible par

Pages précédentes, les couleurs de l'automne à Sangre de Cristos sont une source d'inspiration pour les artistes. A gauche, le Rio Grande, localement surnommé « The Box » (la Caisse) ; à droite, daim sauvage, près de Raton.

les sentiers qui descendent depuis l'abrupt plateau volcanique qui borde le fleuve. En mai et en juin, les rafters viennent ici relever le défi, sur des rapides de force 4 particulièrement dangereux. A 14 km à l'ouest de Taos, sur la US Highway 64, un pont enjambe le ruban vert et blanc du fleuve qui coule entre des parois de basalte noir de près de 200 m de haut. Au sud de la ville, à **Pilar**, une route conduit jusqu'au **Rio Grande State Park**, avec ses terrains de camping, le coin favori des pêcheurs de truites.

Taos Ski Valley, à 32 km au nord-est de la ville, est le plus connu des douze domaines skiables de l'État du Nouveau-Mexique. Les pistes descendent les pentes du Wheeler Peak qui culmine à plus de 4 000 m d'altitude, et sont ponctuées de clairières, de cascades et de crevasses. La saison dure généralement de début novembre jusqu'au mois d'avril, au moins. Ernie Blake, un Suisse surnommé « The Godfather of the Slopes » (le Parrain des pistes), a consacré de nombreuses années au développement du domaine skiable de Taos Valley. Des kilomètres de

sentiers de randonnée conduisent de la vallée aux forêts nationales et aux étendues désertiques des environs de Taos.

Sipapu Ski Area, à 40 km au sud-est de Taos, dispose de pistes en pente douce, très connues des familles et des débutants. A 42 km à l'est de Taos, sur l'autre versant du massif montagneux, se trouve **Angel Fire**, une station fréquentée essentiellement à l'époque du nouvel an. Les pistes sont longues et plutôt destinées aux skieurs expérimentés. La route qui conduit de Taos à **Palo Flechado Pass**, la US 64, offre un panorama de toute beauté, tout spécialement en automne.

Excursions autour de Taos

Red River, une ville située à 55 km au nord de Taos, possède deux domaines skiables. L'un avec des pistes pour skieurs confirmés, l'autre pour débutants. D'autres sports tels le scooter des neiges et le ski de fond sont très populaires à Red River et on peut facilement louer l'équipement nécessaire. En été, vous pourrez pêcher,

L'église de Ranchos à Taos, un des plus parfaits exemples de l'architecture pueblo.

faire des randonnées, camper et visiter les villes fantômes des environs. Il est presque toujours nécessaire de réserver pour votre hébergement et c'est la chambre de commerce locale qui sert d'office central de réservation. Les commerçants gèrent un système de navette quotidienne entre l'aéroport d'Albuquerque et Red River, qui fonctionne toute l'année.

Chama est l'aboutissement au Nouveau-Mexique du **Cumbres & Toltec Scenic Railroad**, qui mène à Antonito, dans le Colorado, et passe à 95 km environ à l'ouest de Taos, sur la US 64. Le petit train brinquebalant est formé des wagons restaurés du train qui, il y a un siècle, transportait le bois et le minerai de fer. La voie zigzague à cheval sur la frontière de l'État, et la ligne est exploitée et gérée conjointement par le Colorado et le Nouveau-Mexique. On peut réserver et prendre le train de n'importe quelle gare sur l'itinéraire. Le voyage dure une journée entière, le retour à la gare de départ se faisant par autocar. En hiver, Cumbres Pass est enfoui sous plusieurs mètres de neige et le train ne fonctionne que de la mi-juin à octobre inclus. La partie du trajet qui traverse le Nouveau-Mexique est très spectaculaire.

Chama est niché dans les Sangre de Cristo Mountains, à environ 2 340 m d'altitude. Vous ferez bonne pêche dans la Chama River ainsi que dans les deux lacs qui s'étendent au sud de la ville, El Vado et Heron Lakes. Chama est le point de départ de nombreuses chasses à l'orignal et au daim et, en hiver, le scooter des neiges est ici très populaire.

Alamosa, dans la San Luis Valley, au Colorado, est une vallée agricole très productive qui s'étend sur 80 km de large, entre les San Juan Mountains, à l'ouest, et les Sangre de Cristo Mountains, à l'est. **Great Sand Dunes National Monument** est situé à 56 km au nord-est d'Alamosa, au pied des Sangre de Cristo, telles des dunes de velours brun clair. Ces dunes font plus de 215 m de haut et 16 km de long. Le centre d'accueil des visiteurs organise des expositions sur la faune et la flore qui se sont adaptées à ce milieu, ainsi que sur l'histoire de la région. Il n'y a pas de pistes sur les dunes et vous pourrez marcher où bon vous semble.

Construction en adobe dans le pueblo indien de Taos.

La piste de Santa Fe

A partir de 1821, le Santa Fe Trail (la piste de Santa Fe) fut l'axe de commerce et de communication entre le Rio Grande espagnol et les États-Unis. Les relations sociales et commerciales, établies à cette époque, facilitèrent la victoire des États-Unis lors de la guerre avec le Mexique (1846-1848), et des forts furent installés pour protéger colons, pionniers et mineurs.

La branche principale du Trail traversait le sud-est du Colorado jusqu'au Nouveau-Mexique en passant par Raton Pass, Cimarron, Las Vegas, et en contournant la pointe sud des Rocheuses jusqu'à Santa Fe.

Le **fort Bent**, à 13 km à l'est de La Junta, dans le Colorado, sur la US 350, fut construit par les quatre frères Bent en 1833 et devint l'un des forts et des centres d'échanges commerciaux les plus célèbres de l'Ouest. Il a été fidèlement reconstruit et c'est aujourd'hui un monument historique national classé, ouvert toute l'année sauf le jour de Noël et de Thanskgiving.

Le fort Bent était le lieu de rendez-vous des trappeurs de toutes les montagnes Rocheuses, dont le plus célèbre fut l'éclaireur Kit Carson. Les groupes d'observateurs militaires et gouvernementaux, les fréteurs de wagons et les diligences y faisaient étape pour s'approvisionner, se restaurer ou se reposer. Les Indiens venaient y troquer leurs peaux de buffles et leurs fourrures contre de la nourriture et du tabac. Charles Bent devint le premier gouverneur américain du territoire du Nouveau-Mexique qui, à cette époque, incluait le sud du Colorado. Il fut assassiné à Taos en 1847.

El Rio de las Animas Perdidas en Purgatorio (la rivière des Ames errantes au purgatoire) – généralement appelée Purgatory tout court – était une autre étape importante sur le Santa Fe Trail, juste avant qu'il traverse les montagnes pour pénétrer au Nouveau-Mexique. Aujourd'hui, la ville de **Trinidad**, un centre minier et commercial dont de nombreux bâtiments de brique datent du siècle dernier, occupe ce site. Une partie du centre historique a été préservée. Elle abrite deux maisons et un musée. La **Baca House**, construite en

Petit déjeuner matinal pour ces conducteurs de bétail du Nouveau-Mexique.

adobe en 1869, était la demeure d'un riche éleveur et marchand d'ascendance espagnole. La **Bloom Mansion**, une demeure victorienne en brique, de trois étages, fut bâtie en 1882 par un pionnier qui était à la fois marchand, vendeur de bétail et banquier. Le **Pioneer Museum** est un édifice de douze pièces en adobe jouxtant la façade arrière de Baca House.

La ville près de la source

Au-delà des montagnes, après Trinidad, une source d'eau potable justifiait l'étape suivante sur le Trail, et c'est là que s'édifia la ville de **Raton**. Un quartier historique dans First Street comprend plusieurs édifices anciens qui abritent aujourd'hui des boutiques spécialisées, un théâtre, un musée et le **Palace Hotel**, qui malgré son nom ne loue pas de chambre mais possède un bon restaurant.

Raton Ski Basin se trouve en fait dans l'État du Colorado, mais le seul moyen d'y accéder est de traverser Raton. C'est une petite station familiale.

Une des figures hautes en couleur du passé de Raton, Uncle Dick Wootton, chassait le castor et jouait les éclaireurs pour la Fermont Expedition, avec son grand ami Kit Carson. Il est surtout connu pour sa route à péage de Raton Pass. C'est lui qui a transporté des rochers et des arbres sur plus de 40 km de terrain extrêmement accidenté, pour construire ce qui était, à l'époque, une piste. Il bâtit une maison et un poste de guet au sommet et peu de gens osèrent affronter son garde-frontière, qui mesurait près de 2 m et montait la garde avec son fusil, quand il réclamait 1,50 $ par wagon ou bien un nickel (cinq cents) ou un *dime* (un dixième de dollar) par tête de bétail. Il ne taxait jamais les Indiens. Il vendit sa route à la compagnie de chemin de fer locale et le site est aujourd'hui classé.

Capulin Mountain National Monument, à 55 km à l'est de Raton, sur la US 64/87, est un cône volcanique parfaitement dessiné qui servait de repère sur l'une des branches du Santa Fe Trail. A son pied se trouve un centre d'accueil pour visiteurs. Plusieurs sentiers permettent de descendre dans le cratère.

Randonneurs à ski sur les pentes enneigées, Nouveau-Mexique.

Cimarron, à 56 km au sud-ouest de Raton, était également l'une des étapes du Santa Fe Trail. Cimarron fut créé par Lucien Maxwell, autre ami de Kit Carson, à la fois trappeur, négociant, éclaireur et transporteur. Par héritage et grâce à plusieurs achats successifs, il devint l'unique propriétaire des quelque 700 000 hectares du Maxwell Land Grant, qui recouvrait la plus grande partie du nord-est du Nouveau-Mexique et un peu du sud du Colorado. Les passagers fatigués de la diligence étaient invités à parier aux cartes ou sur les chevaux quand ils faisaient halte à Cimarron. Maxwell payait ses pertes avec des pièces d'or qu'il prenait dans une cassette. Il vendit sa concession en 1870 et celle-ci fut divisée en plusieurs grands ranchs et terrains communaux.

Le **Mill Museum** est le moulin de quatre étages que Maxwell fit construire à Cimarron en 1865. Le **Saint-James Hotel** (qu'on appelle aussi le Don Diego) fut construit autour de 1872 par un chef cuisinier français qui avait travaillé à la Maison Blanche sous Lincoln, et il a été judicieusement restauré pour devenir un musée.

Le rendez-vous des boy-scouts

A 6 km au sud de Cimarron, sur la State Highway 21, se trouve **Philmont Scout Ranch**, où viennent chaque été pas moins de 17 000 scouts avec leurs chefs. Ce ranch de 50 000 hectares fut offert aux scouts par le magnat du pétrole Waite Phillips. Il s'étend sur de riches vallées, des montagnes boisées, des rivières et comporte une grande maison et un pavillon d'invités de quatorze pièces.

Les visiteurs sont bienvenus à Philmont, surtout s'ils viennent visiter les deux musées locaux. L'un d'eux est la **Kit Carson Home**, la maison reconstruite et agrandie, où il vécut quelque temps dans les années 1850. L'autre abrite une bibliothèque et une collection d'art qui regroupe la plupart des œuvres du célèbre naturaliste Ernest Thompson Seton, l'un des fondateurs du mouvement scout. Ces musées sont ouverts quotidiennement au public tout l'été et gratuits.

Fort Union, à 14 km de la I-25 et à 30 km au nord de Las Vegas, était l'un des forts les plus grands et les plus importants de l'Ouest. Édifié en 1851 (et reconstruit à deux reprises dans les trente années qui suivirent), il servait de dépôt de munitions et de provisions pour les autres forts du Sud-Ouest. Il était pratiquement situé au bout du Santa Fe Trail, et plus d'une diligence vint se réfugier à l'abri de ses murs pour échapper à une attaque comanche. Fort Union fut fermé en 1891 ; il est aujourd'hui monument national.

Las Vegas (qu'il ne faut pas confondre avec la grande métropole du jeu du Nevada) fut la capitale du Mexique pendant deux mois, au cours de la guerre de Sécession, lorsque les confédérés s'emparèrent de Santa Fe, et elle est restée un centre commercial important pour les grands élevages d'ovins et de bovins de la région. La plus grande partie de la vieille ville située autour de la plaza est considérée comme quartier historique. Las Vegas, de simple village de concession au cours de la période mexicaine, devint une étape importante sur le Santa Fe Trail ainsi qu'une gare de triage sur la ligne de chemin de fer. Les maisons, les églises et les édifices publics témoignent encore du riche héritage architectural des périodes successives de Las Vegas.

A gauche, l'intérieur du Saint James Hotel à Cimarron ; à droite, les employés du National Park Service ici au Bent's Fort portent le costume de patrouilleur de montagne.

LE SUD-EST DU NOUVEAU-MEXIQUE

Le sud-est du Nouveau-Mexique, avec la partie du Texas qui jouxte la frontière sud, est une région de contrastes des sommets enneigés au désert, des villes fantômes à l'ère spatiale, des plantations aux étendues désolées des Llano Estacado (les Plaines jalonnées). Les Carlsbad Caverns (les grottes de Carlsbad) se sont creusées sous une strate déposée par une ancienne mer et les Guadalupe Mountains font partie de cette même strate, qui s'est soulevée ultérieurement pour donner au Texas ses quatre plus hauts sommets. Dans la partie centrale s'étend le pays verdoyant et montagneux des Apaches mescaleros. Dans la pointe sud, se trouvent Las Cruces et El Paso.

Les **Carlsbad Caverns** ne sont pas des grottes comme les autres. Au fur et à mesure de la descente dans cet univers souterrain, on cesse d'entendre les bruits des hommes, des animaux, des machines. Nos yeux s'adaptent à l'obscurité, nos oreilles au silence. Et l'on commence à percevoir la beauté imposante de ce paysage fantasmagorique de calcaire, à voir les rideaux tissés dans la pierre translucide, les piliers si puissants qu'ils semblent soutenir la terre entière.

L'excursion complète de près de 5 km débute par une série de paliers et on atteint rapidement 60 m au-dessous de la surface du sol. La lumière naturelle s'estompe graduellement et un éclairage électrique subtil prend le relais, mettant l'accent sur des formations calcaires aériennes. Le chemin descend ensuite progressivement jusqu'au point le plus bas, à 250 m au-dessous du niveau du sol, puis remonte légèrement jusqu'à la Big Room, d'une superficie égale à celle d'un terrain de football et d'une hauteur comparable à celle d'un building de vingt-deux étages.

Le processus qui entraîna la formation des Carlsbad Caverns débuta il y a 250 millions d'années, durant la période permienne. Un récif calcaire se forma autour d'une mer peu profonde. Lorsque la mer s'évapora, le récif fut recouvert par des sédiments mais l'eau s'infiltra et creusa les grottes. Des millions d'années plus tard, la croûte terrestre se déforma et souleva un bord du récif, donnant naissance aux Guadalupe Mountains et révélant les grottes.

Si vous êtes tenté par une incursion encore plus impressionnante dans le monde souterrain, inscrivez-vous pour l'excursion de **New Cave**, située à 37 km au sud du centre d'accueil. Les groupes ne dépassent jamais 25 personnes et la visite commence par l'ascension d'une colline rocheuse avant de vous entraîner à près de 800 m de profondeur. Cette grotte n'est pas éclairée et le chemin est parfois glissant et abrupt. Chacun est équipé d'une torche électrique mais, dans cette immense obscurité, chaque petite lumière n'apparaît pas plus grosse qu'une tête d'épingle. A un certain moment le guide fait asseoir tous les visiteurs en demandant qu'on éteigne les torches pour découvrir la notion de noir total et de silence absolu.

Les parcs nationaux

La route qui conduit aux Carlsbad Caverns (US Highway 62/180) continue

Pages précédentes, cavalier contemplant un coucher de soleil, Nouveau-Mexique ; à gauche, cowgirl d'Artesia et à droite, un mineur de potasse près de Carlsbad.

jusqu'au **Guadalupe Mountains National Park**, au Texas. Ces deux parcs nationaux sont situés dans la même chaîne de montagnes et séparés uniquement par la frontière entre les deux États. Contrastant avec les grottes situées côté Nouveau-Mexique, les formations spectaculaires du récif permien s'élèvent côté Texas. Ici, une énorme arête en forme de V s'est soulevée il y a des millénaires, laissant apparaître des saillies calcaires et formant de profonds canyons. Le Guadalupe Mountains National Park n'est pas aussi aménagé que les Carlsbad Caverns, mais il possède un terrain de camping, un office d'accueil pour les visiteurs et des kilomètres de sentiers permettant l'ascension des sommets ou la descente dans les canyons. En automne, les canyons qui sont alimentés en eau par des sources deviennent des oasis aux couleurs inattendues. Les Guadalupe Mountains furent la dernière place forte des Apaches mescaleros avant qu'ils ne s'installent sur leur réserve, 160 km plus au nord. La première route postale transcontinentale, baptisée Butterfield Trail, longea pendant une brève période la pointe sud du massif, et les ranches se développèrent avec leurs élevages de bovins et de moutons.

La **Mescalero Apache Reservation** (la réserve des Apaches mescaleros) s'étend sur près de 200 000 ha dans les Sacramento Mountains, au nord-est d'Alamogordo. Bien que constituées de calcaire, comme les Guadalupe Mountains, elles ont une physionomie toute différente. Plus hautes, plus froides, plus humides, elles sont couvertes de vastes bosquets et de pâturages. L'élevage du bétail, l'industrie du bois et le tourisme sont les principales activités des Apaches. Les festivités tribales des 3 et 4 juillet comportent des danses et un rodéo sur le champ de foire de la ville de Mescalero. A la lisière nord de la réserve, et à 5 km au sud de la ville de Ruidoso, se trouve le complexe baptisé **Inn of the Mountain Gods** (l'Auberge des dieux de la montagne), une luxueuse station parfaitement équipée.

Ruidoso est situé exactement à la lisière nord de la réserve. C'est une ville de villégiature avec des courses de chevaux tous les week-ends de mai jusqu'au Labor Day.

Le marquage du bétail, Nouveau-Mexique.

Ruidoso Downs est l'un des hippodromes les plus populaires de tout le Sud-Ouest. Les meilleurs chevaux sont achetés et montés ici. La saison se termine par les deux courses les plus richement dotées de toute l'Amérique. Le prix de la finale, la **All-American Futurity**, est de plus de deux millions de dollars. En hiver, les pistes voisines de la **Sierra Blanca Ski Area**, également propriété des Apaches mescaleros, attirent les skieurs du Texas et du Middle West.

Les exploits de Billy the Kid

Stalactites formés par l'écoulement d'eau chargée de calcaire pendant des millions d'années, dans les Carlsbad Caverns.

Au-delà des montagnes, au nord de Ruidoso, se trouve **Old Lincoln Town**. Il y a cent ans, cette ville fut le site de la Lincoln Country War, une bataille circonscrite mais sanglante, dans laquelle s'étaient engagés les éleveurs, les négociants, les cow-boys et les politiciens. Pour une fois, Billy the Kid se retrouva du côté des bons et le palais de justice dans lequel il fut emprisonné est aujourd'hui un musée. Le **Wortley Hotel**, qui fait face au palais de justice, est une auberge bed-and-breakfast. Le premier week-end d'août, les citoyens de Lincoln donnent une représentation en plein air d'une pièce qui relate les exploits de Billy the Kid et la Lincoln Country War.

Le **White Sands National Monument** est situé le long de la US 70/82, entre deux chaînes de montagnes au sud-ouest d'Alamogordo. Le sable auquel son nom fait allusion est en fait une nappe de 80 km de gypse fin provenant de l'érosion des San Andres Mountains. Les dunes, qui font près de 9 m de haut, évoquent les vagues d'une mer géante et sont dominées par un ciel d'un bleu presque irréel. Le centre d'accueil installé à l'entrée du site propose des expositions géologiques et une piste de 12 km conduit jusqu'au cœur des dunes. Le monument est ouvert toute l'année et l'entrée se trouve à deux pas de l'US 70.

Après 32 km de route à l'est d'Alamogordo, sur la US 82, vous atteindrez le village de montagne de **Cloudcroft**. La route grimpe de 1 325 m à Alamogordo jusqu'à près de 2 700 m à Cloudcroft. Différentes haltes vous permettront de contempler

un large panorama sur les White Sands en contrebas. Cloudcroft est une station de ski à vocation familiale et les anciennes pistes forestières constituent d'excellentes pistes de ski de fond. Le parcours de golf de Cloudcroft Lodge à 2 700 m d'altitude, est le plus élevé de la région.

Dunes noires et blanches

La meilleure illustration des contrastes de cette région est justement celui qui oppose les dunes de White Sands à la **Valley of Fires State Park**, située juste au nord et pratiquement en bordure de celles-ci. La vallée a été formée par une coulée de lave descendant d'un petit cratère sis à la pointe nord du *malpais* (les mauvaises terres), sur près de 70 km, et solidifié pour l'éternité en une masse noire et tourmentée.

Las Cruces doit son nom à un sinistre bouquet de croix qui marquait le lieu où des missionnaires franciscains furent assassinés par les Apaches au début du XVIIIᵉ siècle. La ville ne fut fondée que lorsque la région devint territoire américain, mais les toutes premières routes

espagnoles passaient déjà par ici. Avec une population de plus de 45 000 habitants, c'est la troisième ville du Nouveau-Mexique. La vallée de Mesilla, qui s'étend au nord et au sud de l'agglomération, est une riche région agricole bien que le désert ait conquis les collines qui surplombent le Rio Grande.

A 3 km au sud de Las Cruces, se trouve **La Mesilla**. Alors que Las Cruces est devenu une véritable cité moderne, La Mesilla, qui date pratiquement de la même époque, est resté un petit village endormi.

A 19 km au nord de Las Cruces, les ruines de Fort Selden, construit en 1865, sont préservées comme monument d'État. Le fort joua un rôle décisif dans la protection des pionniers et des mineurs qui voyageaient le long du California Trail.

Le champ de courses de **Sunland Park**, à 56 km au sud de Las Cruces, et à cinq minutes seulement du centre ville d'El Paso, fut construit aussi près que possible de la frontière texane pour attirer les passionnés de courses hippiques. C'est le seul hippodrome du Nouveau-Mexique à avoir une saison d'hiver : d'octobre à mai.

Yuccas, dans le White Sands National Park, près d'Alamogordo.

El Paso, au Texas, était à l'origine l'endroit où les routes espagnoles traversaient le Rio Grande. Les voyageurs l'avaient baptisé El Paso del Norte. En 1659, une petite colonie s'établit sur la rive nord. Après la guerre avec le Mexique, lorsque la frontière américaine fut définie, les deux villages coloniaux devinrent El Paso, sur la rive nord, et Juarez (Mexique), sur la rive sud.

Les deux villes constituent une agglomération internationale de plus d'un million d'habitants.

Cow-boys et Indiens

El Paso était l'une de ces villes frontières agitées, où l'on avait la détente facile. Elle a gardé un peu de cette atmosphère et vous pourrez voir traîner dans les rues de nombreux cow-boys en bottes et Stetson. Cinq grosses usines de bottes ont leur siège à El Paso. L'apogée du carnaval annuel de la ville, le **Sun Carnival**, qui a lieu entre Noël et le jour de l'an, est la remise de l'une des plus anciennes coupes universitaires de football.

L'église du pueblo indien de Laguna, à l'ouest d'Albuquerque.

On trouve des traces de trois villages indiens sur 16 km environ, le long du Rio Grande. Durant la rébellion indienne de 1680 au Nouveau-Mexique, les réfugiés espagnols et les Indiens non hostiles trouvèrent asile à El Paso, où ils établirent de nouveaux villages. Après la reconquête, douze ans plus tard, beaucoup choisirent de rester et Ysleta del Sur, Socorro et San Elizario sont une survivance de ces villages. Bien qu'ils aient beaucoup perdu de leur identité indienne, ils possèdent tous une église de mission et d'autres bâtiments en adobe.

Trois ponts au moins assurent la liaison avec Juarez, mais la sortie de Juarez sur l'Interstate 10 est la meilleure. Vous descendrez l'Avenida de las Americas sur 1,5 km environ, jusqu'au **Pronaf Center**, où vous ferez le tour du quartier le plus chic de Juarez, avec tout un choix de boutiques, de restaurants et de motels.

Si la perspective de marchander vous amuse – ce qui n'est pas possible dans les meilleures boutiques – alors demandez le chemin du **Public Market**, un véritable patchwork d'odeurs, d'images et de sons.

LE SUD-OUEST DU NOUVEAU-MEXIQUE

S'il y a un thème commun à tout le sud-ouest du Nouveau-Mexique, c'est sans doute l'immensité des étendues. Montagnes et déserts occupent la plus grande partie de ce territoire, mais là où coule le Rio Grande on retrouve de vieilles colonies espagnoles et de petites fermes. Ici, les centres d'intérêt sont multiples et vont des villes fantômes à la radio-astronomie, en passant par l'art moderne.

Dès 1598, les Espagnols constatèrent la grande serviabilité des Indiens d'une région du Rio Grande, et lorsqu'une ville s'éleva à cet endroit, elle fut baptisée **Socorro** (Secours). La première église y fut construite en 1628, mais le village fut abandonné durant la révolte des Pueblos en 1680 et ne fut réoccupé qu'en 1815. Lorsque le chemin de fer fut installé, en 1880, Socorro devint le quartier général des éleveurs de bétail. La plaza d'origine se trouve à un bloc de la rue principale et plusieurs des édifices qui l'entourent sont classés monuments historiques. Le **New Mexico Institute of Mining and Technology** est situé à quelques blocs à l'ouest de la plaza et le **Rock and Mineral Museum** qui en fait partie mérite une visite.

Des oiseaux de tout plumage

A 32 km au sud de Socorro, sur la vieille US Highway 85 (qui est parallèle à l'Interstate 25), se trouve le **Bosque del Apache Wildlife Refuge** où viennent hiberner des milliers d'oiseaux entre novembre et la mi-février. Les plus beaux sont sans doute les oies des neiges, toutes blanches, aux ailes bordées de plumes noires et les grues cendrées, d'un gris très pâle, et dont l'envergure atteint plus de deux mètres. L'oiseau le plus exotique est la grue blanche, qui fait l'objet, depuis sept ans, de mesures particulières destinées à empêcher sa disparition. Leur plumage est d'un blanc immaculé et elles sont plus grandes que les grues cendrées.

Près de 300 espèces d'oiseaux vivent ici, ainsi que des renards, des lynx, des ratons-laveurs, des aigles, des coyotes, des daims et bien d'autres espèces sauvages. Pour observer le gibier d'eau, rendez-vous à la pointe nord de la réserve, à la tour d'observation, aux environs de 16 h 30. Dans le lointain, vous verrez apparaître une ligne d'horizon sombre et mouvante. Puis vous distinguerez bientôt le glapissement plaintif des grues et les criaillements continus des oies. Elles s'envolent en vagues successives, certaines volant si bas au-dessus de votre tête que vous pourrez même voir leurs yeux. Il fait froid en cette période de l'année, aussi habillez-vous chaudement et emportez un thermos rempli d'une boisson revigorante.

A l'ouest de Socorro, se trouve **Magdalena**, tête de ligne du Magdalena Livestock Driveway. Le bétail y était amené d'Arizona et de l'ouest du Nouveau-Mexique pour être expédié sur les marchés. Quelques vestiges de moulins à vent jalonnent aujourd'hui ce fameux itinéraire.

La US 60 continue vers l'ouest à travers les **San Agustín Plains**, où se situe le roman de Conrad Richter, *Sea of Grass*. Au centre de cette vallée jadis occupée par une mer, et entièrement encerclée par les montagnes, se trouve le **National Radio Astronomy Observatory's Very Large Array** (l'obser-

A gauche, antennes à très longue portée de l'observatoire astronomique de la Radio nationale ; à droite, puits à ciel ouvert dans une mine de cuivre, à Santa Rita.

vatoire astronomique national). Vingt-sept antennes géantes montées sur un rail en forme de Y explorent le ciel et recueillent les secrets des galaxies lointaines.

Le Rio Grande est barré à **Truth or Consequences** (connu sous le diminutif de T or C), à 120 km au sud de Socorro, pour former l'**Elephant Butte Lake**. Vous pourrez y pêcher, y faire du bateau ou d'autres sports nautiques.

Les villes de l'argent

A quelques kilomètres au sud de T or C, la State Highway 90 bifurque vers l'ouest, en direction de Black Range, une partie de la **Gila National Forest** qui s'étend sur la plus grande partie du secteur sud-ouest de l'État. C'est une route spectaculaire mais lente qui mène à Silver City en traversant deux anciennes villes minières. **Hillsboro**, à 27 km à l'ouest de T or C, se développa dans les années 1880 autour d'un riche filon. Un petit musée renferme des souvenirs de l'époque pittoresque de l'exploitation des mines

du Black Range. **Kingston**, 14 km plus loin, s'étend pratiquement à la lisière de la forêt, à l'endroit où la route commence à grimper. Son histoire ressemble beaucoup à celle de Hillsboro, avec la découverte de filons d'argent, les raids des Apaches. Ces deux villes ne possèdent pas de motel.

Si vous êtes amateur de pierres, faites un détour vers le sud, sur la US 180, jusqu'au **Rockhound State Park**, situé à 22 km au sud-est de **Deming**. C'est sans doute le seul endroit du pays où vous pourrez ramasser jusqu'à 7 kg de quartz, de jaspe, d'agate, d'améthyste et d'autres spécimens.

La frontière du Mexique est à 56 km au sud de Deming, avec **Columbus**, du côté américain, et **Las Palomas**, du côté mexicain. L'une comme l'autre sont des petites villes sans grand intérêt en matière de shopping ou de distractions, mais chacune a sa part d'histoire. Le **Pancho Villa State Park**, à Colombus, commémore bien davantage que la figure révolutionnaire dont il porte le nom. En 1916, Pancho Villa prit la tête d'une bande de rebelles et traversa la frontière pour lancer une attaque qui fit huit victimes parmi les soldats et les civils, à

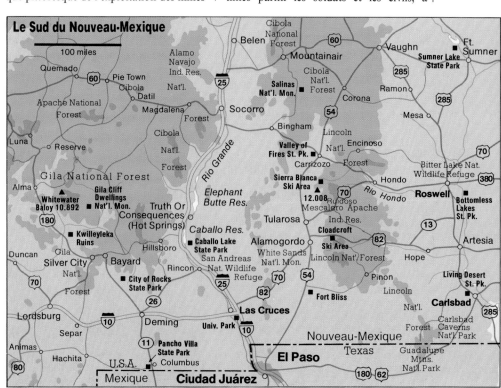

Colombus et dans la ville voisine de Camp Furlong. Ce fut la seule fois, depuis la guerre de 1812, que le territoire des États-Unis fut envahi par des troupes étrangères. Ce fut aussi la première fois dans l'histoire qu'on fit appel à l'aviation dans un conflit militaire. Le général John J. « Black Jack » Pershing lança ses troupes à la poursuite de Pancho Villa. La couverture aérienne fut assurée par huit petits monoplaces venus de Fort Sam à Houston, Texas.

A 45 km au nord de Deming, se trouve le **City of Rocks State Park and Camp-ground**. De grosses pierres se dressent jusqu'à 15, voire 18 m. Les unes ressemblent à des gratte-ciel, les autres forment des angles bizarres. Dans un État où les vestiges préhistoriques sont si courants, on pourrait croire qu'il s'agit là de ruines. Mais ce sont en fait les produits de l'érosion sur un ancien plateau rhyolitique. C'était le poste d'observation favori des Apaches quand ils lançaient leurs embuscades contre les diligences sur le Butterfield Trail. Des aires de camping et de pique-nique sont aménagées, abritées par des genévriers au tronc tourmenté.

Shakespeare : une ville fantôme

A 3 km au sud de **Lordsburg**, à la pointe sud-ouest du Nouveau-Mexique, se trouve la ville fantôme de **Shakespeare**, propriété de Rita Hill et de sa fille Jonaloo, qui vivent dans le *general mercantile store*, sorte de supermarché avant la lettre. Les ruines de Shakespeare sont situées sur le ranch, qu'elles continuent à exploiter.

Le deuxième dimanche de chaque mois, Rita et Janaloo sortent leurs costumes et leurs coiffes et, pour une somme modique, ouvrent Shakespeare au public. Le reste du temps, elles s'occupent de leur bétail. Rita a fait quelques apparitions au cinéma et Janaloo travaillait comme mannequin et musicienne, avant de rejoindre sa mère pour s'occuper avec elle du ranch et de l'animation de la ville fantôme.

Comme elles vous l'apprendront en descendant Avon Avenue, les périodes d'essor et de déclin de la ville ont suivi l'exploi-

Tableau de chasse dans les Black Range Mountains.

tation de plusieurs filons d'argent successifs et d'une importante mine de diamants. Shakespeare a eu sa part de pendaisons et de bordels. C'était autrefois une étape sur le Butterfield Trail mais des promoteurs miniers décidèrent de la baptiser du nom de leur poète favori.

Silver City est née à la suite d'une ruée vers l'argent, en 1870, mais, contrairement à la plupart des villes minières de cette époque, elle n'a jamais été abandonnée. C'est la ville d'accès à la **Gila National Forest** et à la **Gila Wilderness Area**, et la plus grande ville de cette partie du Nouveau-Mexique. L'**Inner Loop**, un circuit panoramique pavé de 160 km de long (States 15, 35 et 90), débute en bordure de la réserve et conduit à Gila Cliff Dwellings National Monument, puis revient sur Silver City en longeant les lacs. Plusieurs ranches et spécialistes locaux organisent des chasses et des randonnées.

A 10 km de Silver City se trouve **Pinos Altos**, la plus ancienne ville minière du district. La première école que vous verrez a

été convertie en un petit musée et sur le trottoir d'en face vous ne pouvez pas manquer le Buckhorn Restaurant and Saloon et l'Opera House. Au Buckhorn, les murs blanchis, les plafonds aux lourdes poutres, les meubles en bois sculpté et les tentures de velours donnent une note d'élégance hispanique. L'Opera House n'est pas le bâtiment original, mais vous pourrez y voir d'excellentes expositions de photographies historiques et de poterie de Mimbres ainsi que des spectacles d'art dramatique ou de vieux films, pendant l'été.

La route continue à travers les montagnes jusqu'au **Gila Cliff Dwellings National Monument**, situé dans un canyon isolé où les Indiens préhistoriques ont vécu pendant un millénaire. Cela fait près de sept siècles que les lieux ont été abandonnés. Un sentier conduit aux ruines depuis le centre d'accueil, d'autres commencent ici pour s'enfoncer dans la Gila Wilderness Area. Il faut un permis forestier pour toute incursion dans la réserve.

Le village de **Gleenwood**, autre point de départ des excursions dans la réserve, est

Images typiques du Nouveau-Mexique ; à gauche, un cow-boy grimpant à une éolienne près de Grants ; à droite, un ranger près de Lovina.

situé à 97 km au nord de Silver City, sur la US 180. Vous y trouverez deux petits motels, des restaurants et un poste de gardes forestiers. Près de Glenwood vous pourrez voir le **Catwalk**, les restes d'un pipeline construit pour acheminer l'eau le long du canyon jusqu'à une mine d'argent. Le canyon était si étroit que le pipeline dut être fixé à même la paroi à pic et les hommes qui travaillaient sur le chantier devaient avoir l'agilité d'un chat pour ne pas se rompre le cou. Aujourd'hui, une barrière de barbelés entoure le Catwalk.

A 5 km au nord de Glenwood, une route dévie en direction de **Mogollon**, situé à 14 km dans les montagnes. C'était le cœur d'une riche région de mines d'or et d'argent, qui rapporta des millions de dollars entre 1875 et la Seconde Guerre mondiale. Les vestiges des puits, des amoncellements de cailloux et de nombreuses fondations sur les collines témoignent de cette gloire passée. Aujourd'hui, une vingtaine de personnes vivent encore à Mogollon, pour la plupart dans Main Street, qui longe Silver Creek. Les maisons sont d'un gris passé et les éléments de métal couleur de rouille. Certaines ont été construites il y a seulement quelques années, lors du tournage d'un film avec Henry Fonda, mais elles ont été reconstituées avec tant de soin que l'on n'arrive pas à les distinguer des maisons d'origine.

Catron County, au centre ouest du Nouveau-Mexique, est la région la moins peuplée de l'État – environ 8 km^2 par habitant. Le siège du comté et sa plus grande ville est **Reserve**, qui compte 400 habitants. La deuxième ville en est **Quemado**, avec 200 habitants.

L'essence même de l'isolement

A 50 km environ au nord de Quemado se trouve le **Lightning Field**, une œuvre d'art d'une ampleur incroyable. En 1970, Walter de la Maria remporta un concours de la Dia Art Foundation à New York pour créer une œuvre d'art paysager qui représenterait l'essence même de l'isolement. Le paysage devait non seulement servir de cadre mais faire partie intégrante de l'œuvre. L'artiste parcourut l'Ouest avant de trouver ce

Gila Cliff Dwellings National Monument, habitations troglodytiques en lisière du Gila Wilderness.

plateau isolé entouré de tous côtés par des montagnes déchiquetées.

Il lui fallut plusieurs années pour construire le Lightning Field. Il est constitué de 400 mâts élancés et pointus en acier inoxydable, disposés en une grille de 1,6 km sur 1 km ; 16 rangées dans un sens et 25 dans l'autre. Dans la lumière écrasante de midi, les mâts disparaissent presque, mais en fin d'après-midi, au début de la matinée et même par les nuits de pleine lune, la lumière s'accroche aux mâts et les fait scintiller telles des pointes d'or ou d'argent, dans une parfaite symétrie, avec une intensité décroissante qui semble se fondre dans l'éternité. Les mâts sont plantés avec une précision méthodique.

Les visiteurs du Lightning Field sont invités à le considérer comme une expérience et non comme un simple spectacle visuel. On ne peut s'y rendre que par groupe de six personnes à la fois et seulement de juin à fin novembre. Le point de rencontre est le bureau de la fondation, à Quemado – à 280 km d'Albuquerque – où vous laisserez votre voiture et votre appareil photo ; vous vous rendrez sur le site en camionnette. Une vieille dépendance de ferme, rustique mais confortablement aménagée, vous servira de résidence pendant les vingt-quatre heures suivantes. Il est impossible de s'y rendre pour moins longtemps.

La State 117 quitte Quemado par le nord, sur 120 km environ, avant de rejoindre l'I-40, près de **Grants**. Il n'y a pas de villes et peu de maisons sur cette route, mais le voyage est superbe et il faut signaler deux phénomènes naturels remarquables. Sur 48 km environ, la route suit une coulée de lave sombre et tourmentée. Ce site, baptisé **El Malpais National Recreation Site**, est composé de quatre coulées de lave distinctes, datant de 3 000 ans environ et dont la dernière et la plus récente n'a guère plus de 500 ans. Quelques anciennes pistes indiennes et espagnoles traversent la pointe sud, où le flot de lave s'élargit, mais elles l'évitent généralement. Le meilleur endroit pour voir et apprécier la formation et l'ampleur de cette coulée de lave est sans doute la pointe nord, à 16 km au sud de la I-40 depuis un point de vue aménagé en aire de pique-nique. Le long

La ville fantôme de Mogollon.

de la State 117, on peut explorer certains endroits en bordure de la coulée, mais il est dangereux de s'aventurer trop loin : vos semelles seraient déchiquetées en un rien de temps.

L'autre pôle d'intérêt géologique est **La Ventana**, la plus grande arche naturelle du Nouveau-Mexique, située dans les falaises escarpées qui bordent la coulée de lave côté est.

L'esprit du Nouveau-Mexique

A la lisière ouest de Grants, la State 53 bifurque vers le sud en longeant la lisière ouest du malpais. Le paysage de ce côté-ci est plus vert et plus boisé. Il y a même une ou deux pistes de terre battue qui mènent à la coulée de lave.

Des pancartes indiquent le **Bandera Crater** et les **Ice Caves**, qui sont des propriétés privées mais font partie intégrante du malpais. Le Bandera, un cône parfait, est l'une des sources de la coulée de lave. Des sentiers conduisent au sommet du cratère et des marches descendent dans les Ice Caves (Grottes de glace). Le magasin, à l'entrée des

grottes, vend des bijoux indiens, des poteries et des poupées kachinas.

La State 53 continue jusqu'au **El Morro National Monument**, situé à 80 km au sud-ouest de Grants. La mesa granitique forme une saillie évoquant la proue d'un bateau. C'était l'une des étapes sur les anciennes pistes, d'autant qu'il y a là, dans un repli du rocher, une retenue d'eau de source jamais à sec.

Tout autour du pied de la falaise, des centaines d'inscriptions ont été gravées, depuis des pétroglyphes indiens jusqu'aux inscriptions en espagnol, dont la plus ancienne date de 1605 ; il s'agit du témoignage d'un homme blanc sur la progression de l'expédition de Juan de Oñate, partie à la recherche du golfe de Californie. Au sommet de la mesa se trouvent les ruines d'un pueblo préhistorique, présumé avoir été la patrie ancestrale des Zunis dont le pueblo actuel se trouve à 48 km à l'ouest. Un office d'accueil des visiteurs, des aires de camping, des soirées autour d'un feu de camp et les sentiers bien entretenus qui parcourent la mesa et les falaises font de ce parc méconnu un but recherché.

El Morro Rock, un repère naturel sur les anciennes pistes des colons, est aujourd'hui site protégé.

TUCSON ET LE COMTÉ LIMITROPHE

Le tiers le plus méridional de l'Arizona s'étend presque entièrement dans le désert de Sonora, un territoire respecté de tous, à l'exception peut-être des promoteurs immobiliers. On y trouve l'image classique d'un désert – vent de sable, soleil brûlant et écrasant, terres arides –, du moins dans une partie de la région. Car ce désert comprend également des décrochements montagneux à la végétation luxuriante, des forêts de sapins et des canyons où coulent des rivières. Les précipitations sont irrégulières. En 1983, des pluies torrentielles inattendues ont fait déborder tous les caniveaux et tous les ravins de la région pendant près de quatre jours, inondant les rues et les routes, affaissant les berges des rivières, submergeant les ponts et provoquant des dégâts sans précédent dans les cultures et les habitations.

Tucson est la plus grande agglomération du sud de l'Arizona. La ville initiale, fondée il y a environ 1 200 ans, comportait des quartiers d'habitation regroupés autour de l'actuelle Church Avenue et de Washington Street, dans le centre ville. Le site est aujourd'hui occupé par un parking. Les tout premiers habitants de Tucson sont appelés *Hohokams*, « Ceux qui ont disparu », dans la langue des Indiens papagos, ils s'installèrent au pied d'une petite montagne à l'ouest de Tucson. Cette agglomération baptisée « Tu-uk-so-on », ce qui signifiait, en gros, « village près d'une montagne au pied noir » devait donner son nom à la ville. De nouveaux venus, de langue espagnole, s'y installèrent dès le XVIᵉ siècle et convertirent le nom papago en « Tuquison », que leurs successeurs de langue anglaise transformèrent en « Tucson ».

Les colons espagnols établirent un *presidio* dont les murs les protégeaient des Apaches et autres Indiens qui n'aimaient guère ces nouveaux venus. Ce secteur constitue la plus ancienne communauté de Tucson et une promenade autour d'**El Presidio** vous révélera le passé de la ville. Le **Tucson Museum of Art**, la vitrine d'El Presidio, présente des pièces datant de l'ère précolombienne mais aussi de l'époque des cow-boys. L'architecture d'El Pre-

sidio varie du style mexicain, avec des plafonds à nervures et des patios intérieurs, à un style carrément Midwestern, avec de larges porches et des intérieurs spacieux. Comme dans d'autres quartiers du centre ville, les avocats et autres jeunes yuppies ont remplacé les anciens résidents. L'atmosphère y est désormais un peu huppée mais fort séduisante. A deux pas du musée, se trouve **Old Town Artisans**, qui propose des articles bien choisis créés par des artisans du Sud-Ouest américain et latino-américains.

L'enceinte de l'ancien presidio sert aujourd'hui d'arrière-cour aux bâtiments officiels implantés dans le centre ville. Tous les ans au mois d'octobre, pendant tout un week-end, elle résonne des échos du **Tucson Meet Yourself**, un pot-pourri de musique, de danse et de réjouissances de toutes les cultures et de tous les groupes ethniques qui vivent dans le sud de l'Arizona. Les danseurs des Highlands écossais suivent les violoneux du bon vieux temps ; les danseurs birmans se produisent entre un orchestre de mariachis et des chanteurs polonais.

Pages précédentes, ce cactus épineux, l'Opuntia bilegovii, a élu domicile dans les déserts du Sud-Ouest américain. A gauche, un beau « triplé » ; à droite, Tucson est le pays des cactus.

Controverse dans Congress St.

L'axe principal est-ouest, au sud du quartier officiel, est **Congress Street**. Au milieu d'une transversale partant des immeubles de bureaux du Pima County, Pancho Villa se dresse sur son cheval. Cette statue le représente se dirigeant vers le sud, confiant et sûr de lui ; depuis qu'elle fut offerte à l'État, en 1981, par un groupe de Mexicains, elle a été la source d'une controverse bruyamment exprimée. Villa, héros de la révolution mexicaine de 1910, fut un chef de guérilla de grand talent qui sut redonner l'espoir à des dizaines de milliers de *campesinos* miséreux et illettrés dont bon nombre des descendants vivent aujourd'hui dans le Sud-Ouest américain. La sauvagerie de Villa prit cependant parfois le pas sur ses qualités et les survivants de ses attaques sanglantes contre des innocents témoignèrent de sa brutalité. Leurs descendants sont eux aussi installés dans le Sud-Ouest américain et ils tentèrent d'empêcher l'érection de cette statue équestre. Mais le héros mexicain est là et bien là, arrogant et fougueux.

Le **Ronstadt's Hardware Store** est un autre repère important du centre ville. Il fut fondé par Federico Ronstadt qui, en 1882, à l'âge de 14 ans, émigra du Mexique pour venir s'installer à Tucson et apprendre le métier de maréchal-ferrant et de charron. Deux de ses fils reprirent son commerce et, depuis 1983, la génération suivante assume la succession. Bien que davantage connus dans le monde pour Linda, la chanteuse de la famille, les Ronstadt sont célèbres localement pour leur rôle au sein de la communauté – l'un d'eux dirige les parcs de la ville et un autre est chef de la police. Les éleveurs et les fermiers d'Arizona et du Mexique viennent faire leurs achats dans leur boutique où l'on trouve aussi bien des fers à cheval que des éoliennes, ou toute autre chose encore.

Deux institutions, qui n'ont pas grand-chose en commun, confèrent à la ville un caractère particulier : l'**University of Arizona** et la **Davis-Monthan Air Force Base**. Pratiquement tous les jours, l'University of Arizona (UA) propose aux touristes une manifestation, que ce soit une soirée de poésie, une séance d'entraînement de

La mission San Xavier, établie ici depuis le XVIIIᵉ siècle.

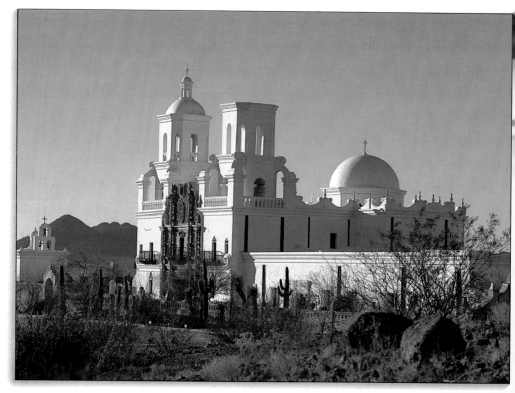

football, un débat politique ou un film. Le **New Loft Theater**, au sud du campus, programme les derniers films de Woody Allen aussi bien que les œuvres intimistes de cinéastes étrangers. A un bloc à l'ouest de l'UA, se trouvent l'**Arizona Heritage Center** où sont exposés les souvenirs historiques de l'État et le **Center for Creative Photography**, conservatoire de renommée mondiale qui abrite les collections des photographes les plus réputés de la presse et du monde artistique.

Le cimetière de l'armée de l'air

Si vous possédiez quelques milliers d'aéroplanes hors service, qu'en feriez-vous ? L'armée de l'air américaine a décidé d'installer son cimetière d'avions sur la base aérienne de Davis-Monthan, où le climat désertique limite la corrosion à son minimum. Des visites y sont organisées deux fois par semaine. L'entraînement des équipes de soutien pour le système des missiles de croisière s'effectue également ici.

Hi Corbett Field, où les Indiens de Cleveland viennent jouer chaque printemps contre d'autres équipes de première division, est également le terrain d'entraînement de l'équipe de division B des Tucson Toros. Et les matchs des Toros contre une équipe adverse de la côte pacifique attirent toujours les foules, les chaudes soirées d'été.

Un panneau annonçant l'Arizona Motel (South 6th Av, entre la 28e et la 29e Rue) a remporté le concours du « meilleur néon » de Tucson.

Une dernière attraction locale : le plus gros arbre de Tucson, un eucalyptus dans West Congress Street, devant un supermarché et près de la Santa Cruz River, dont le lit est généralement à sec. Il mesure plus de 6 m de circonférence.

En quittant Tucson par le sud, sur l'Interstate 19 – la seule route interétatique du pays, dont les distances sont affichées uniquement en kilomètres – vous verrez apparaître sur votre droite une colombe blanche. C'est la **San Xavier Mission**, une magnifique bâtisse du XVIIIe siècle qui répond aux attentes spirituelles de nombreux Papagos vivant dans la réserve environnante. L'église est remarquablement

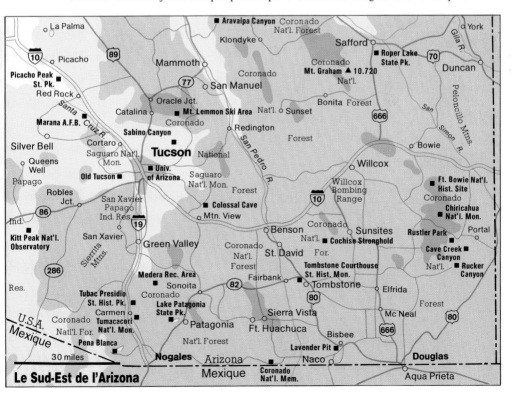

Le Sud-Est de l'Arizona

entretenue, comme si elle était blanchie à la chaux tous les jours à l'aube.

La plupart des 8 000 Papagos vivent un peu plus loin à l'ouest de la ville, sur une réserve qui couvre près d'un demi-million d'hectares de cactus, de prosopis et de broussailles. Si le gouvernement américain considère que cette réserve s'arrête à la frontière sud de l'Arizona, la **Papaguería**, ou terre des Papagos, s'étend en fait jusque sur le territoire mexicain, et les membres de la tribu franchissent librement la frontière, dans un sens comme dans l'autre, grâce à des brèches judicieuses.

Le bingo des Yaquis

Le **Kitt Peak Observatory**, situé à 2 095 m d'altitude dans les Quinlan Mountains, à 83 km à l'ouest de Tucson, sur un terrain concédé par les Papagos, poursuit des recherches sur l'énergie solaire et stellaire. Il possède un centre d'accueil pour les visiteurs où l'on peut acheter le meilleur de la production artisanale des Papagos à des prix raisonnables.

Les Indiens yaquis ont également leur quartier général au sud-ouest de Tucson, la **Pascua Yaqui Reservation**. Les Yaquis, dont beaucoup ont abandonné leur sol ancestral du Mexique au tout début du siècle, à la suite des mauvais traitements infligés par le gouvernement mexicain, possèdent également diverses communautés dans Tucson même et à travers l'État. Privée de solides ressources économiques, la tribu des Pascuas yaquis fut l'une des premières du pays à tirer profit de dispositions juridiques gouvernementales autorisant les paris au sein des réserves indiennes. Et les mises au bingo atteignent des plafonds records tous les soirs dans une immense salle de jeu, de la taille d'un terrain de football, qu'ils ont fait récemment construire.

Les étrangers sont autorisés à assister aux mimes, aux danses rituelles et autres activités qui précèdent traditionnellement le dimanche de Pâques, mais les appareils photo, les magnétophones sont strictement interdits. La Tucson Festival Society communique aux visiteurs intéressés toutes les informations nécessaires.

Quand la nuit tombe sur Tucson (à gauche), la vie nocturne commence (à droite).

Nogales, au Mexique, connaît le même essor et la même effervescence. Le pire de la production mexicaine fait souvent le bonheur des touristes. Mais, comme à Agua Prieta, recherchez la qualité et le dépaysement. Achetez par exemple du fromage frais ou l'un de ces fruits que vous n'aviez jamais vus auparavant, à la **Frutería Chihuahua**, le *mercado* en plein air situé sur le côté droit de la Calle Obregon. Allez dîner à **La Caverna** ou à **La Roca**, ou bien essayez le **Restaurante El Mar**, spécialisé dans les fruits de mer, avec un requin accroché au-dessus de la porte d'entrée, et situé sur le trottoir de gauche de la Calle Obregon, à dix blocs environ au sud de la frontière.

Grimpez en haut des marches à l'est de la ville et contemplez la vue qui s'étale à vos pieds.

Promenez-vous dans Canal Street et imaginez ce quartier chaud lorsque les groupes d'étudiants de l'université d'Arizona se déversent sur les trottoirs. Prenez le bus pour découvrir les faubourgs de la ville, promenez-vous un peu à pied et regagnez en taxi les États-Unis.

A la découverte des cactus

Ce qui distingue le sud de l'Arizona des autres régions du Sud-Ouest américain, c'est l'abondance et la variété des cactées et des usages domestiques qu'on peut en faire. A première vue, un cactus est essentiellement une plante verte, épaisse, épineuse, qui tend les bras vers le ciel. Observez-le de plus près : ses racines vous expliqueront comment il stocke des réserves d'eau ; la direction de ses branches pourra vous guider comme une boussole ; ses fleurs (s'il en a) vous indiqueront le mois ; ses blessures, qui ressemblent à des brûlures de cigarettes, servent sans doute de nid à certaines espèces d'oiseaux. Les insectes qui sillonnent ses nervures constituent un maillon important dans la chaîne alimentaire, et les broussailles qui entourent son pied cachent sans doute l'entrée d'un terrier de lapin ou d'iguane.

Vous trouverez ces informations élémentaires dans toute une série de fascicules sur le désert ou encore à l'**Arizona-Sonora Desert Museum** (ASDM) dans le **Tucson Mountain Park**, à l'ouest de la

ville. Le terme de « musée » est dans le cas présent quelque peu inadéquat, car les expositions changent en permanence. L'ASDM nous fait découvrir presque toutes les espèces animales et végétales du désert, des plantes à peine visibles à l'œil nu, telles les algues microscopiques, jusqu'aux peupliers géants ; des minuscules puces volantes à l'ours noir. Toute expédition dans le désert, aussi courte soit-elle, devrait commencer par une visite de ce musée. Vous n'aurez peut-être pas l'occasion de rencontrer un lynx, un serpent à sonnettes ou une des loutres du lac de Cortez mais vous serez probablement ravis de connaître leurs habitudes et leurs habitats.

Le programme d'animation de l'ASDM coïncide avec les cycles naturels : floraison, saison des neiges, chaleur diurne et clarté nocturne. A la mi-mars, à l'époque de la floraison, les guides de l'ASDM organisent des excursions d'une journée dans le désert et expliquent l'histoire naturelle de la région. L'évolution de la flore et de la faune devient particulièrement évidente lorsqu'on entreprend, après la traversée du pays des cactus au nord-est de

Tucson, l'ascension des 2 800 m du **Mount Lemmon**, au sommet duquel poussent des sapins et des trembles. Enfin, l'ASDM nous apprend quelle est l'origine du nom du Boojum – un curieux arbre qui pousse dans le Nord-Ouest mexicain. On raconte qu'au cours d'une expédition près de Puerto Libertad, au Mexique, en 1922, Godfrey Sykes, observant au télescope la nature environnante, a remarqué un arbre qu'il n'avait jamais vu auparavant. « *Il le fixa intensément pendant quelques minutes*, écrivit son fils plus tard, *puis déclara : Ho ! ho ! un Boojum, je suis formel c'est un Boojum.* » Bien que connu par les botanistes sous le nom de *Fougeria columnaris*, l'arbre conserva pour le commun des mortels ce nom de Boojum, créature imaginaire de Lewis Carroll dans *La Chasse au snark*, un conte qui date de 1876.

Cochise County, un monde à part

L'Arizona a plus d'une loi, pour ceux qui choisissent de s'y conformer. En sortant de Tucson par l'est, on pénètre dans ce

Une Chevrolet de 1946.

que certains ont baptisé **The Free State of Cochise**, un territoire protégé des conventions par de splendides montagnes, de vieilles villes minières et la frontière mexicaine. Au fil des ans, le Cochise county (comté de Cochise) s'est forgé son propre code moral et juridique. Prenez la I-10 et sortez à Benson, à 80 km à l'est de Tucson. Votre point de repère sera l'énorme pancarte semi-circulaire sur votre droite qui indique « Marie's truck stop » (mais le café en question n'existe plus, il a été rasé). Un arrêt à la **Singing Wind Bookshop** s'impose. Située dans un vieux ranch, juste au nord de Benson, cette librairie propose la collection la plus complète d'œuvres du Sud-Ouest américain jamais rassemblée.

Ce sont les mormons qui ont fondé **Saint David**, au sud de Benson, sur la US Highway 80, au bord de la San Pedro River. Les visiteurs sont les bienvenus dans leur église, The Church of Jesus-Christ of Latter-Day Saints, ainsi qu'au monastère de la Sainte Trinité, fondé par les bénédictins et situé à l'est de la ville.

Tombstone, un peu plus loin sur cette même route, autrefois une ville minière d'une certaine importance, fut le théâtre infortuné d'un duel au pistolet à la fin des années 1800. Aujourd'hui les habitants passent la majeure partie de leurs weekends à recréer une histoire qui n'a jamais existé. Traînez dans Allen Street, passez devant le Bird Cage Theatre, OK Corral et vous buterez sans doute sur l'un de ces bandits armés qui semblent toujours prêts à dégainer. Et quand vous aurez fait un tour au Boot Hill Cemetery, vous aurez bouclé cette incursion au cœur du mythe de l'Ouest américain. Les Helldorado Days, des festivités qui se déroulent en octobre, attirent ici des foules énormes.

Poursuivez vers l'est, toujours sur la US 80, au-delà de l'embranchement vers Sierra Vista et Fort Huachuca, et vous verrez apparaître, au sommet d'une colline, le Mule Pass Tunnel. Quand vous en ressortirez, vous aurez compris pourquoi on l'a surnommé Time Tunnel (le « tunnel du Temps »). Au pied de la colline, sur votre gauche, vous verrez surgir, telle une carte postale du début du siècle, une ville étonnamment préservée, à l'architecture de style Ginger bread (pain d'épice), aux

La forêt nationale de Saguaro, près de Tucson.

maisons grimpant aux flancs du canyon, et avec une rue principale qui serpente entre des vitrines accueillantes. Vous êtes arrivé à **Old Bisbee**, une ville où se retrouvent les gens en quête de pittoresque. Les anciennes maisons des mineurs furent vendues pour une bouchée de pain à des jeunes énergiques, fuyant l'agitation citadine. Aujourd'hui, la ville est connue pour sa communauté artistique. **Cochise Fine Arts**, qui finance le Festival annuel de poésie de Bisbee, et **Psyche's Eye** sont les deux principales galeries d'art de la ville.

Bisbee Deportation

La plus grosse attraction du coin est sans doute **Lavender Pit**, une cavité dans le sol de 110 m de profondeur et de 2,2 km de long sur 1,2 km de large. Des visites guidées de ce site, d'où les mineurs ont extrait du minerai de cuivre pendant plus de 75 ans, et de la mine souterraine de Queen Mine donnent une idée de l'âpreté de la vie quotidienne de ces travailleurs et des motifs qui ont justifié leur adhésion,

au cours de la Première Guerre mondiale, à la cause des wobblies (Industrial Workers of the World). Une grève déclenchée en 1917 parut un comble d'ingratitude aux yeux de Phelps Dodge, qui fit cerner un soir tous les wobblies et leurs sympathisants, les conduisit sous la menace des armes jusqu'à un terrain de base-ball, les entassa dans des wagons de marchandises et les abandonna dans le désert à proximité de Colombus, au Nouveau-Mexique. Ce regrettable événement de l'histoire américaine est connu sous le nom de « Bisbee Deportation », et c'est encore aujourd'hui un sujet local de controverse.

Le **Copper Queen Hotel**, qui recevait autrefois les grands noms de l'industrie minière, se porte toujours bien. Son bar est accueillant et ses chambres sont confortables. **Brewery Gulch**, à deux pas de là, a également connu son heure de gloire, avec ses restaurants huppés, ses maisons closes, ses théâtres et ses salles de jeu. C'était au tout début de ce siècle, lors du boom du cuivre. La rue est à présent beaucoup plus calme. Vous pourrez l'emprunter pour jeter un coup d'œil au **Saint**

L'église de Tumacacori, Arizona.

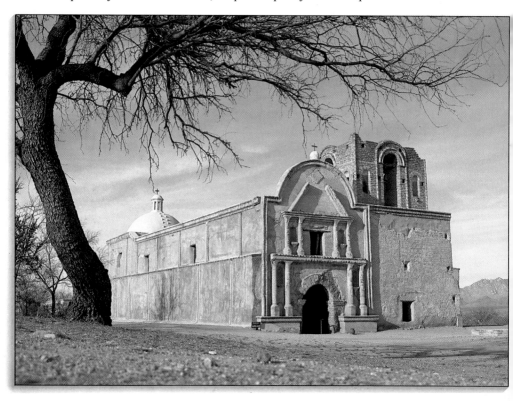

Elmo – le plus ancien des bars locaux, où les esprits continuent à s'échauffer et où éclate encore de temps à autre une bagarre – et pour rejoindre le quartier résidentiel.

Les 720 000 ha de la **Coronado National Forest**, une douzaine d'îlots montagneux émergeant du désert, pour certains à plus de 3 000 m d'altitude, sont la dominante du paysage du sud de l'Arizona. Ils incluent des zones désertiques primitives (comme le désert de Galiuro, pratiquement inaccessible sauf par une piste en terre battue praticable par beau temps seulement), des réserves de pêche (perches dans Peña Blanca Lake, truites dans les torrents de montagne de la chaîne du Pinaleno, à l'ouest de Safford), et des circuits d'excursion à pied, à cheval, en *mountain bike*, autoneige et véhicules 4x4 tout-terrain, selon les itinéraires signalés dans toute la forêt. Une grande variété d'oiseaux facilement identifiables a fait de cette forêt, en particulier dans les Chiricahua et les Huachuca Mountains, un véritable paradis pour les ornithologues amateurs. Enfin, pour atteindre le site d'une des redditions du chef apache Géronimo devant les troupes américaines, il faut rouler sur 16 km environ vers le sud-est, en quittant la ville d'Apache par la US 80, dépasser le ranch qui se trouve à cet endroit, franchir un portail et se garer à l'emplacement marqué par un panneau de bienvenue dans les Peloncillo Mountains. Le site exact, déterminé grâce à des témoignages photographiques de l'époque, se trouve à environ 400 m à l'ouest.

A 10 km au sud-ouest de Bisbee, **Naco** (Mexique) est une petite ville frontière. Quand vous entrerez en territoire mexicain, les douaniers vous demanderont quelle est votre destination. Répondez : « *Aqui no mas* » (« Juste là ») et poursuivez votre route. Le quartier commercial de Naco se limite aux rues transversales que vous croiserez à trois blocs de la frontière. Dans les magasins où l'on vend des tortillas, des vêtements, des produits alimentaires, des meubles et diverses babioles, il n'est pas indispensable d'avoir des pesos car les commerçants frontaliers connaissent parfaitement le taux de change du dollar. Après 800 m environ, tournez à

Patrouilleur de la frontière américaine, côté Arizona.

gauche et traversez le quartier résidentiel, très tranquille. Vous tomberez sur les ruines de l'ancien quartier chaud de la ville : quelques anciennes maisons closes dans une décrépitude magnifique, avec leurs murs en céramique de style japonais, leurs fenêtres gothiques et les cabines – ces minuscules pièces où les prostituées entraînaient leurs clients – toujours intactes derrière la façade. L'un des deux établissements toujours en activité possède un bar décent ouvert toute la nuit, le seul endroit où les habitants de Bisbee et ceux qui viennent de l'autre côté de la frontière peuvent prendre un repas après dix heures du soir. Ce sont en fait des bars inoffensifs, fréquentés essentiellement par des hommes, même si les femmes (du moins les femmes américaines) y vont à l'occasion, mais sans la moindre arrière-pensée.

Deux imposants tas de minerai marquent l'emplacement de **Douglas**, la ville frontière américaine qui fait face à **Agua Prieta**, au Mexique. Pancho Villa s'est battu à Agua Prieta et ses hommes y ont vaincu les troupes gouvernementales mexicaines. Les habitants surveillaient les

combats depuis le **Gadsden Hotel** (jetez-y un coup d'œil, ne serait-ce que pour les colonnes de marbre du hall d'accueil). Une tranchée du côté américain de la frontière, utilisée pour camoufler les soldats qui la gardaient, existe encore aujourd'hui.

Point de rencontre entre culture américaine et culture mexicaine

Accordez-vous quelque temps pour vous promener dans Agua Prieta. Comme dans la plupart des villes frontières, les cultures se superposent. Observez les visages de ces *campesinos* de l'intérieur du pays qui descendent de l'autocar, en route vers le nord. Bavardez avec ces vendeurs et ces soldats qui campent tout autour de la plaza. Feuilletez les livres et les magazines dans les petites librairies des rues adjacentes. Faites une partie de billard et trinquez avec les chômeurs qui traînent dans les bars. Commandez un de ces plats au nom imprononçable au Café Central. Regardez le flot des ouvrières qui sortent des *maquiladoras* – ces usines qui appartiennent à des grosses compagnies américaines – à l'heure du changement d'équipe. Dansez sous les néons qui inondent de leur lumière la piste du Santa Fe Club.

Si d'aventure vous vous trouviez à **Yuma**, une ville sans intérêt aucun, prenez la direction du sud et de **San Luis Río Colorado** (Mexique), connu pour ses formidables restaurants chinois et, en saison, allez voir jouer les Algodoneros (les « ramasseurs de coton »), une équipe de base-ball de la Liga Norte de Sonora. Poursuivez vers l'est jusqu'à Sonoyta au Mexique, par le **Camino del Diablo** (la route du Diable), une route qui coupe à travers 200 km de forêts de cactus géants, de rochers volcaniques et de désert sinistre. Repassez du côté américain à Sonoyta et vous vous trouverez en plein milieu de l'**Organ Pipe Cactus National Monument**, une réserve de 1 295 km^2 consacrée à cette curieuse plante. Ce cactus pousse en « tuyaux d'orgue » à partir d'une même racine et peut atteindre 6 m de haut. Ses fleurs blanc-rose s'épanouissent début mai et durent huit semaines.

A gauche, une enseigne évocatrice dans Stone Avenue, à Tucson ; à droite, simulacre d'attaque à main armée dans les rues d'Old Tucson, Arizona.

PHŒNIX ET SES ENVIRONS

Lorsque Frank Lloyd Wright vit pour la première fois la Salt River Valley, à la fin des années 1920, il fut frappé par « *ce vaste champ de bataille où s'exercent des forces naturelles titanesques* ». Ces « *montagnes tachetées tels des léopards... ces grandes masses striées, à la fois altières et tranquilles* », ces courbes imitant le « *serpent à sonnettes* », cette « *maçonnerie naturelle émergeant directement du désert* » furent pour lui une véritable révélation. Ici, pensa Wright avec le zèle d'un immigrant de fraîche date, si les habitants de l'Arizona pouvaient éviter les « *trafiquants de drogue et les chasseurs de cactus* », on pourrait créer une civilisation qui « *permettrait à l'homme de faire partie intégrante de l'Arizona, un peu à l'image de Dieu* ».

Aujourd'hui encore, même si les trafiquants de drogue et les chasseurs de cactus l'ont emporté sur les visions de F.L. Wright, sous la forme de promoteurs immobiliers, le site de Phoenix est resté impressionnant. A l'est s'élèvent les Four Peaks et les pentes raides des Superstition Mountains, tandis que la sierra Estrella étale ses crêtes bleues à l'horizon, vers le sud-est. Au nord et au sud, en bordure de la ville, se détachent des reliefs moins élevés de gneiss et de schiste précambriens, encadrant le symbole de Phoenix, Camelback Mountain – une masse rose, aux allures de dromadaire couché. Les montagnes situées à proximité immédiate de la ville sont, pour la plupart, constellées de résidences privées luxueuses et d'autres, plus petites, délimitant des zones distinctes – quartiers d'affaires, cités-dortoirs et sites touristiques –, font office de cloisons urbaines. C'est cette réalité géologique qui confère à Phoenix son caractère propre. Et, en acquérant les deux grandes zones montagneuses limitrophes, la municipalité dispose d'une superficie de parking unique au monde.

Dès 500 av. J.-C., les Indiens hohokams développèrent un système complexe de canalisations pour irriguer leurs champs de blé, de haricots, de courges et de coton. Des vestiges de ce réseau furent récupérés et ramifiés en 1868 par la Swilling Irrigation Canal Co., les premiers colons anglais à relever le défi de cette vallée désertée depuis si longtemps. L'année suivante, leur colonie fut baptisée Phoenix par un de leurs compatriotes qui voyait là l'essor d'une nouvelle civilisation émergeant, tel l'oiseau mythique de ses cendres, des vestiges de l'antique Hohokam.

Une rivière « tarie »

Ce qui émergea des cendres fut une communauté d'éleveurs dynamiques qui approvisionnait aussi bien les mineurs que les avant-postes militaires. Les canalisations furent étendues à travers la vallée alluviale, irriguant les champs de coton et d'alfalfa, les pâturages pour le bétail et les rangées de citronniers qui fermaient l'horizon. Le stockage de l'eau débuta à une grande échelle avec la construction, en 1911, du **Roosevelt Dam**, qui est aujourd'hui encore le plus grand barrage du monde, sur la Salt River, à quelque 145 km en amont de Phoenix. Trois autres barrages sur la Salt River et deux sur son affluent principal, le Verde, permirent aux agriculteurs d'envoyer l'eau où ils voulaient. Le lit du fleuve devint l'endroit le plus sec de Phoenix, tandis que toute l'eau disponible était détournée pour les besoins de l'agriculture, de l'élevage et de l'approvisionnement domestique.

Attirés par la sécheresse de l'air et la douceur du climat hivernal, les asthmatiques et les tuberculeux affluèrent à Phoenix dès que la ville fut suffisamment aménagée. Des sanatoriums furent créés au tout début du siècle pour traiter ceux que les locaux avaient baptisés les « ténors de l'Arizona ». La ligne de chemin de fer qui prit le nom de Santa Fe Railroad desservait déjà Phoenix dans les années 1880, et les liaisons aériennes s'ouvrirent à la fin des années 1920. On découvrit alors que les nantis de la côte est, arrivant généralement par le train, étaient prêts à dépenser de coquettes sommes pour avoir la chance de grimper sur un cheval, de manger des T-bones grillés au charbon de bois, de danser le quadrille au son de la guitare et de l'accordéon et de porter ces pantalons exotiques dénommés blue-jeans. Les ranches résidentiels, du plus rustique au plus luxueux, se multiplièrent par centaines et ce n'est que très récemment qu'ils ont fini par succomber à l'urbanisation et à la

Pages précédentes, « Mansion Club » à Wrigley House ; à gauche, vue aérienne des maisons et des cultures de Sun City.

mode des parcs de loisirs. Les derniers défenseurs de ce style de vie ont malgré tout réussi à préserver leur retraite dans quelques obscurs recoins. **The Wigwam**, dans Litchfield Park à l'ouest de Phoenix, fut créé à la fin des années 1920 par la Goodyear Corporation. C'est aujourd'hui un complexe résidentiel contemporain qui a conservé ce cachet particulier de l'adobe et des intérieurs richement décorés (cuir et cuivre). Perpétuant ce style de vie authentique, **Sagaro Lake Ranch**, juste au sud du Stewart Mountain Dam, est l'un des plus anciens ranches résidentiels d'Arizona toujours en activité.

L'âge d'or de Phoenix

Avec son économie au ralenti, Phoenix accusa à peine la grande crise, vivant de son agriculture et de son élevage et du tourisme de grand luxe. Le grand monument témoignage de cette période est l'**Arizona Biltmore**, construit juste avant le krach boursier et inauguré avec faste dans le plus sombre des contextes. C'est au Biltmore que Phoenix doit l'arrivée de Frank Lloyd Wright dans la vallée. L'hôtel avait été initialement dessiné par un ancien élève de Wright qui, empêtré dans son projet, appela le maître à la rescousse. Wright s'impliqua probablement au-delà de ce qu'on attendait de lui, car le résultat est l'un des chefs-d'œuvre de ces constructions en béton travaillé (*textile block*) caractéristiques de sa période de maturité. Détruit par le feu en 1973, l'intérieur a été entièrement redécoré avec des éléments de mobilier et des textiles de toutes les périodes de la carrière prolifique de Wright et s'il est un immeuble dans Phoenix qui mérite une visite, c'est celui-là (à l'angle de la 24e Rue et de Missouri). C'est en travaillant pour cet hôtel que Wright fut amené à construire **Taliesin West**, les quartiers d'hiver de son école d'architecture, dans le désert à l'ouest de Phoenix.

Les vieux résidents de la vallée se souviennent des années 1930 comme de l'âge d'or de Phoenix. En été, lorsque la température grimpait parfois au-dessus de 50 °C et que les maximales se maintenaient au-dessus de 37 °C pendant des mois, les

Big Surf.

locaux se plaignaient moins de la chaleur qu'ils ne dépensaient d'énergie pour trouver le moyen le plus ingénieux de se rafraîchir. Le sport le plus répandu était de se faire traîner en aquaplane sur les canaux, à une corde fixée à une voiture.

Si Phoenix sortit intacte de la crise, elle connut cependant une véritable métamorphose lors de la Seconde Guerre mondiale. Le désert était un terrain d'entraînement idéal pour l'aviation, et la ville tout entière devint une sorte d'annexe de Luke Air Force Base. Les compagnies d'équipement aéronautique vinrent s'implanter dans la vallée et les champs de coton furent convertis pour produire la soie nécessaire à la fabrication des parachutes.

L'arrivée de l'air conditionné

L'armée révolutionna la vie de Phoenix en introduisant l'air conditionné. Et brusquement Phoenix devint une tentation permanente pour ceux qui ne supportaient pas la chaleur. Avec la fin de la guerre et les débuts de l'air conditionné, une grande migration se déclencha.

Les chroniques de cette expansion urbaine sont aussi abasourdissantes qu'elles furent, en leur temps, grisantes pour la chambre de commerce et perturbantes pour ceux qui se trouvèrent pris dans cette bourrasque. Camelback Mountain, le site privilégié des ranches résidentiels, fut gagné par de nouveaux faubourgs. A l'est, l'agglomération engloba les communautés jadis isolées de Scottsdale, Tempe, Mesa et finalement Apache Junction, au pied des Superstition Mountains, à près de 40 km des anciennes limites de Phoenix. Cette expansion bascula vert l'ouest lorsque **Sun City**, le premier projet américain de communauté de retraités, fut implanté en 1960 par la Del Webb Corporation. Plus récemment, une forêt de cactus a été rasée au bulldozer, au nord de la ville, pour faire place nette à une opération immobilière. L'expansion a pris des formes aussi diverses que la création de parkings de caravanes à l'est, de lotissements à l'ouest, et d'un véritable labyrinthe de mini-ranches en simili-adobe dans les quartiers nouvellement conquis au nord-est.

Avec la création de centres commer-

Washington Street, à Phoenix : une époque révolue.

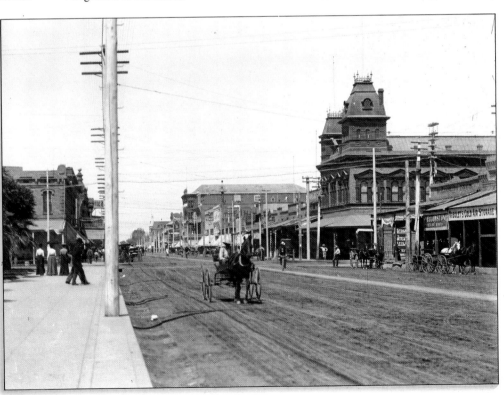

ciaux periphériques, les affaires du centre ville périclitèrent, la prospérité déclina et le taux de criminalité grimpa en flèche. Avec cette expansion incontrôlée, le réseau de trolleys fit faillite et l'automobile prit le dessus. Les montagnes de la ville ont certes beaucoup de charme, mais elles sont un véritable piège pour les pollutions hivernales chroniques et, en plein cœur de la saison touristique, l'horizon est voilé par un rideau de particules. Phoenix est aujourd'hui la neuvième ville des États-Unis, mais sans ses montagnes, on la classerait d'emblée parmi les plus laides.

La vallée du soleil

De nombreux habitants de Phoenix, en particulier ceux qui ont connu la ville avant la fin de la Seconde Guerre mondiale, se plaignent de l'urbanisation de la Salt River Valley. Mais il est important de rappeler que les forces qui provoquèrent cette mutation étaient, comme pour l'oiseau mythique, des forces internes. Quel que soit le sens accordé aux mots liberté et individualisme dans la Constitu-

tion américaine, ils ont été interprétés localement comme le droit pour un individu de faire ce que bon lui semble de tout ce qui lui appartient. Et la résidence de Barry Goldwater, perchée sur une colline, d'où l'apôtre de la libre entreprise peut observer la prospérité environnante, est un symbole de ce point de vue. La migration de retraités cherchant à échapper à des climats plus rigoureux n'a fait que renforcer un conservatisme déjà très ancré. L'afflux plus récent de jeunes carriéristes de la micro-industrie a sensiblement modifié le paysage démographique, au point que la moyenne d'âge dans la zone urbaine de Phoenix est inférieure à la moyenne nationale. Et les tendances idéologiques pourraient bien un jour basculer.

La Salt River Valley est désormais connue par le surnom donné à sa chambre de commerce, Valley of the Sun.

Phoenix continue à attirer des millions de visiteurs chaque année, et pourtant le passé est le dernier souci de ses habitants. Ils ignorent jusqu'aux vestiges historiques les plus intéressants – ces canaux qui

Rawhide, un ancien relais de diligences dans les années 1880.

furent conçus il y a près de 2 500 ans par les Hohokams et qui sont aujourd'hui encadrés par des remblais de 3 m de large. Traversant la ville aux endroits les plus inattendus, ces canaux sont un refuge bienvenu pour tous les promeneurs, les joggers et les cyclistes qui cherchent à échapper au trafic urbain. Si les champs d'alfalfa et des orangeraies ont cédé la place aux banlieues résidentielles, l'irrigation est toujours assurée à proximité des canaux : une fois par mois, on ouvre les vannes et l'eau se déverse, la nuit, sur les pelouses environnantes.

Ceux qui s'intéressent de plus près à ce système d'irrigation peuvent visiter plusieurs chantiers de fouilles proches de la Salt River ainsi que d'autres, situés dans l'alignement du Papago Freeway, un vieux projet d'axe transversal express dont la réalisation est, en partie, retardée par les archéologues. Le vestige précolombien le plus impressionnant de la région est le pueblo sur quatre niveaux de **Casa Grande National Monument**, à 80 km au sud de Phoenix, près de Coolidge. Une collection permanente d'art indien traditionnel et des expositions tournantes d'art contemporain sont présentées au **Heard Museum**, un bâtiment de style missionnaire, juste à l'est de Central Avenue sur Monte Vista.

Les pistes du désert

Les visiteurs, traditionnellement, sont attirés ici par l'environnement. Des pistes qui sillonnent le désert autour de Phoenix, la plus spectaculaire est, de loin l'**Apache Trail**. Pour sortir de Phoenix, il faut malheureusement parcourir une quarantaine de kilomètres, à travers les parkings pour caravanes et les petits commerces implantés en bord de route, jusqu'à **Apache Junction**, où s'élève le versant occidental des Superstition Mountains. A partir de là, et jusqu'au Roosevelt Dam, la route serpente à travers 80 km de cendres volcaniques déposées il y a des dizaines de millions d'années et incrustées dans la rhyolite et le tuf. Ici et là, les lacs formés par les eaux retenues de la Salt River ponctuent le paysage, hérissé de cactus et parsemé de pierres d'oasis bleues. Les Superstition Mountains sont aujourd'hui

All Arabian Horse Show, une présentation de pur-sang, à Scottsdale.

un site protégé et offrent tout un réseau de sentiers de randonnée pédestre ou équestre. Ces montagnes sont également le site de la légendaire Lost Dutchman Mine (la mine du Hollandais perdu) avec son cortège d'histoires de trafiquants et de disparitions étranges.

Une autre promenade agréable, avec moins de virages et une approche plus directe, par Shea Boulevard (direction ouest) jusqu'à la State Highway 87 en direction de **Payson**, vous conduira à travers la forêt de Saguaro, puis le long des flancs de granit des **Four Peaks**, pour s'achever au cœur des hautes terres de chaparral. Ceux qui préfèrent goûter au désert à l'abri d'une voiture pourront emprunter les sentiers de **Camelback Mountain** et du **Squaw Peak**, au départ des parcs aménagés à leur base, ou encore le réseau plus accessible de **South Mountain Park**.

Et, pour ceux que le désert ne passionne pas, il y a les somptueux complexes de loisirs implantés au nord de Scottsdale et les trois stations d'altitude de **Pointe**, au nord et au sud de Phoenix. Avec leurs golfs, leurs tennis, leurs piscines agrémentés d'un bar aquatique, leurs restaurants français, leurs night-clubs et leurs discothèques, leurs suites climatisées, ce ne sont pas de simples retraites dans le désert, mais de véritables paradis sur terre. Il faut admirer leurs concepteurs qui ont pensé au moindre détail, mais regretter leur impersonnalité. Ceux qui ont les moyens, et le désir, de se souvenir qu'ils sont à Phoenix et non pas à Cancun s'en tiendront aux bons vieux hôtels de la ville qui ont survécu – **Camelback Inn, The Royal Palms, The Arizona Biltmore, The Wigwam** dans Litchfield Park – ou se contenteront d'un gîte modeste et garderont leur argent pour d'autres plaisirs plus typiquement locaux.

Le premier d'entre eux étant le shopping, une spécialité de Phoenix depuis que **Scottsdale**, cet ancien croisement de pistes de troupeaux, est devenu dans les années 1950 un maelström de boutiques de cadeaux. Vous y trouverez également le réseau le plus dense de galeries d'art entre Santa Fe et Carmel. Certaines ne proposent que des peintures représentant des

Les links de Paradise Valley : la région de Phoenix est un paradis pour la détente.

couchers de soleil ou des clowns tristes, mais d'autres sont à signaler pour la qualité de leur sélection : **O'Brien's Art Emporium** pour de belles toiles réalistes sur le thème du désert, **Period Gallery West** pour ses tableaux dans la tradition de Russel et Remington, **Gallery 10** pour ses œuvres anciennes et contemporaines d'art américain, les galeries d'**Elaine Horwich** et de **Marilyn Butler** pour tout ce qui est art moderne et la **Suzanne Brown Gallery** pour l'avant-garde. Faisant concurrence à ces boutiques, le **Borgata**, un centre commercial situé dans Scottsdale Road au sud de Lincoln Drive, a été conçu comme une ville fortifiée italienne.

Le paysage culturel

Phoenix n'a pas encore atteint sa maturité culturelle. Il existe bien un spectaculaire **Symphony Hall** dans le nouveau centre ville, sur Convention Plaza, et Scottsdale possède un **Center for the Arts** dans un parc aménagé de façon impressionnante. Le Phoenix Symphony Orchestra s'améliore en qualité. Le théâtre local est vivant,

Les environs de Phoenix sont encore peuplés d'animaux sauvages, tel le Citellus teveticaudus, un petit écureuil des montagnes.

en dépit de sa qualité inégale, et Phoenix semble être le terminus de nombreuses tournées des compagnies nationales. Le **Phoenix Art Museum**, à l'angle de Central Avenue et de McDowell Road, supplée à la médiocrité de ses collections permanentes en accueillant de somptueuses expositions itinérantes et il possède une sélection intéressante d'œuvres mexicaines récentes.

Les passionnés de sport ont plus de chance, car on peut pratiquer toute l'année le golf, le tennis ou la natation ; ils peuvent applaudir l'équipe de football de l'Arizona State University, les Sun Devils, ou celle de basket-ball, les Phoenix Suns, et assister à des manifestations sportives nationales, comme le **Phoenix Open**, un tournoi de golf très prisé.

Il semble vain de chercher dans Phoenix ce que d'autres villes offrent plus généreusement, mais il y a un domaine dans lequel elle reste sans rivale. Les mordus d'architecture seront à la fête, car les œuvres de Frank Lloyd Wright, cet architecte américain prolifique, sont dispersées à travers la vallée. En dehors d'une demi-douzaine de maisons privées, non répertoriées pour préserver la tranquillité de leurs habitants, il ne faut pas manquer l'Arizona Biltmore, déjà mentionné, la **First Christian Church** dans North Seven Avenue, le **Grady Gammage Auditorium** sur Tempe et surtout **Taliesin West**, l'école d'architecture de Wright, dans Shea Boulevard, où les étudiants assurent des visites guidées toutes les heures pendant les jours ouvrables.

En contrepoint, on peut aller visiter l'atelier de **Paolo Soleri**, dans Double-tree Road à Paradise Valley. Élève de Wright, Soleri s'en éloigna pour créer des cités futuristes dont les habitants étaient entassés dans des sortes de ruches gigantesques tandis que le paysage était préservé. Les modèles réduits de ses projets vous inspireront des sentiments de grandeur ou de terreur.

Située au cœur d'une région volcanique, Phoenix a tendance à s'étendre comme une coulée de lave. Toujours aussi spectaculaire dans un tel environnement, c'est un exemple classique du contraste typiquement américain entre le vulgaire triomphant et la merveille cachée. De toute façon Phoenix possède depuis toujours un atout irremplaçable : le soleil, et un temps chaud et sec toute l'année.

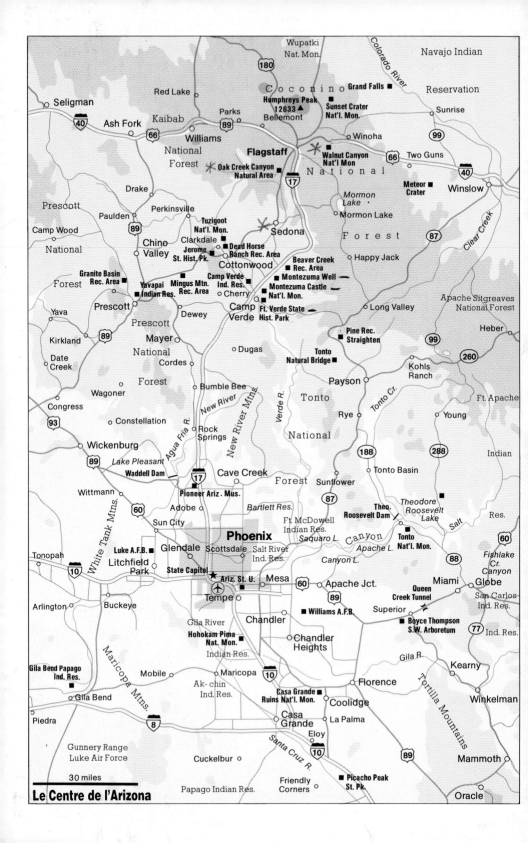

LE CENTRE DE L'ARIZONA

Pour comprendre la richesse des paysages qui fait l'attrait de l'Arizona central, il faut s'intéresser un peu à sa géologie. Au nord, on est sur le rebord méridional du Colorado Plateau, à 1 500 m environ, dans un environnement de pins et de sapins ou de landes formées sur les anciens fonds marins. La plateau s'arrête abruptement au sud, à l'endroit où le Mogollon Rim forme un rebord de 600 m de haut, en un escarpement qui traverse pratiquement toute la largeur de l'État et qui est entrecoupé de canyons spectaculaires. A partir de la base de ce rebord s'élèvent les hautes terres centrales, une bande de pics serrés sur 130 km de large, entourant d'étroites vallées consacrées à l'élevage et recouvertes de petits chênes et de broussailles. Au sud, le relief s'apaise, les montagnes restent à distance et l'on pénètre dans une riche forêt de cactus, celle du Sonoran Desert. Les sommets restent élevés dans l'est de l'État, mais lorsque l'altitude décroît, vers le sud-ouest et le delta du Colorado, les précipitations se font rares et la végétation s'en ressent.

Habitat troglodytique passé et futuriste

La traversée la plus directe de ce labyrinthe est l'Interstate 17, qui relie Flagstaff à Tucson. La route sinue à travers les hautes forêts et suit les coulées de lave jusqu'au **Mogollon Rim**. Lorsqu'on arrive de Flagstaff, les premières sorties intéressantes sont celles de **Montezuma Well**, un grand bassin calcaire, et de **Montezuma Castle National Monument**, avec ses habitations troglodytiques datant de la période anasazi et fort bien conservées. Après avoir traversé l'idyllique **Verde Valley**, la route grimpe vers un ensemble de stations-service baptisé Cordes Junction. Si vous sortez vers l'est et suivez une route en terre battue, parallèle à l'I-17, sur 1,5 km en direction du nord, vous arriverez à **Arcosanti**, où l'architecte futuriste Paol

Pages précédentes : premières lueurs de l'aube sur le Painted Desert. Ci-dessous, habitations troglodytiques, National Monument de Montezuma Castle.

Soleri a construit une cité expérimentale dont les habitats sont regroupés sous des dômes en forme de ruches, tandis que l'environnement naturel est totalement préservé. Au-delà de Cordes Junction, l'I-17 franchit un plateau volcanique planté de yuccas, où vous pourrez faire halte au **Sunset Rest Point Area**, avec ses tables de pique-nique ombragées, et son panorama superbe sur les Bradshaw Mountains.

La route descend ensuite vers le **Sonoran Desert** et vous verrez surgir de la pierre noire les premiers cactus saguaros. L'horizon s'adoucit ensuite, jusqu'à disparaître lorsque l'I-17 bifurque pour traverser Phoenix et devient l'I-10. Des champs de coton et d'alfalfa bordent la route sur les 80 km suivants. Après Eloy, elle vous offrira une dernière sensation forte au moment où elle passe entre Newman Peak et la flèche du **Picacho Peak**. Le Picacho Peak semble inabordable mais un sentier conduit depuis sa base jusqu'à une plate-forme de l'autre côté de la montagne, le long de rails de sécurité et de passerelles métalliques, jusqu'au sommet d'où la vue est stupéfiante. Par temps clair, elle s'étend jusqu'au Mexique et vous pourrez contempler à vos pieds les 64 km qui vous séparent de Tucson.

Une autre alternative consiste à partir du **Petrified Forest National Park** (parc national de la Forêt pétrifiée), à 185 km à l'est de Flagstaff. Le **Painted Desert** (désert Peint), une étrange étendue de cendres volcaniques datant du trias, s'étend en vagues plissées de mauve, de brun et de rouille. Ces mêmes cendres volcaniques ont préservé des pins millénaires en infiltrant dans le bois des particules de silice, qui donnent à leurs sections des iridescences bleues et rouges. Cette forêt pétrifiée est l'une des rares merveilles naturelles qu'il vaut mieux visiter par temps de pluie, car ses couleurs prennent alors toute leur intensité.

La State Highway 77, au sud de Holbrook, conduit à Show Low, à la lisière de la réserve indienne de Fort Apache. L'altitude est toujours élevée et l'activité principale de cette région est l'industrie du bois, mais les habitants de Phoenix et de Tucson y ont de plus en plus des maisons de vacances.

Acrosanti, la cité modèle de Paolo Soleri.

Une décision difficile à Show Low

A partir de Show Low, on est confronté à un choix difficile car les deux routes du sud sont aussi spectaculaires l'une que l'autre. La State 260 longe le Mogollon Rim par l'ouest, offrant de vastes panoramas du sud de l'État avant de plonger sur la plaine. Près de Kohl's Ranch, un petit panneau indique une piste de terre battue de 1,5 km environ qui mène à la maison de bois dans laquelle Zane Grey écrivit bon nombre de ses romans et qui est ouverte au public. La State 260 rejoint la State 87 à Payson, où vous pourrez bifurquer vers le sud et regagner Phoenix par un itinéraire des plus pittoresques. A l'ouest s'étend la chaîne des **Mazatzal Mountains**, qui sont classées réserve naturelle et qui possèdent un réseau très dense de sentiers de randonnée. La route plonge dans des canyons bordés de sycomores, puis grimpe à travers des étendues de roches granitiques gigantesques, redescend vers une forêt de cactus saguaros, traverse la Verde River sur la réserve indienne de Fort Mac-Dowell et conduit à Phoenix.

L'autre choix possible à partir de Show Low est de prendre l'US Highway 60, qui franchit le Mogollon Rim puis se faufile jusqu'au bord du **Salt River Canyon**. Par sa largeur, c'est sans doute le site le plus impressionnant de l'Arizona, après le Grand Canyon, une gorge profonde en V, avec une succession d'éperons rocheux de chaque côté, à travers les pins et au-delà d'une plate-forme de calcaire. La **Salt River** elle-même, grossie en amont de divers affluents secondaires, vient mourir en aval après quatre barrages successifs, laissant son lit à sec dans la traversée de Phoenix.

Au-delà du Salt River Canyon, la route rejoint **Globe** et **Miami**, deux villes minières contiguës environnées de puits à ciel ouvert si profonds, et de terrils si carrés et si hauts que l'on en reste impressionné. L'industrie du cuivre en Arizona connaît depuis plusieurs années un certain déclin, et ces villes en sont le reflet. Mais d'autres mines sont toujours en activité et l'on peut les visiter.

Un tronc pétrifié de la Petrified Forest National Park.

Après une descente toute en virages et en tunnels de ces montagnes riches en minerai, juste à l'est de Superior, l'US 60 longe le **Boyce Thompson Southwestern Arboretum**, avec ses 1500 espèces d'arbres et de plantes provenant du monde entier. L'Arboretum présente une sélection saisonnière et est ouvert au public tous les jours. L'US 60 continue ensuite le long du versant sud des Superstition Mountains, hérissé de tourelles, et entre dans Phoenix. Une bretelle vers le sud, à Florence Junction, vous permettra de prolonger votre exploration jusqu'à Tucson. L'US 89, agréable et peu fréquentée, vous mènera rapidement à **Florence**, connue pour abriter en ses murs le pénitentiaire de l'État de l'Arizona, mais également remarquable par un certains nombre de beaux édifices, dont un palais de justice flamboyant, construit en 1891.

Le Pinal Pioneer Parkway

Au sud de Florence, l'US 89 devient le Pinal Pioneer Parkway. La route, dont l'état n'a guère été amélioré par ailleurs,

est dotée d'aires de pique-nique ombragées et bon nombre des plantes qui peuplent cette forêt dense de cactus sont identifiées par un affichage discret. Sur l'une de ces aires de repos, la silhouette en fonte d'un cheval sellé mais sans cavalier est dédiée à la star des westerns des années 1940, Tom Mix, qui mourut dans les environs, lors d'une inondation surprise survenue au cours d'un tournage. A Oracle Junction, vous pourrez poursuivre jusqu'à Tucson. Mais, si vous souhaitez éviter les agglomérations, bifurquez vers l'est, sur la State 77, jusqu'à la ville d'**Oracle**, nichée dans l'ombre de la pointe septentrionale des Catalina Mountains. 32 km plus loin, se trouve la sortie vers **Aravaipa Canyon**, avec l'un des rares ruisseaux coulant en permanence dans cette région désertique. La réserve naturelle d'Aravaipa n'est accessible qu'à pied.

En empruntant l'I-10 jusqu'à la sortie de Coolidge et en rejoignant Florence par l'est, vous longerez la **Casa Grande Ruins National Monument**, une construction en adobe sur quatre niveaux, qui est pratiquement le seul vestige de la civilisation préhistorique Salado.

Meteo Crater, un cratère météorique dont le rebord s'élève à près de 60 m, près de Winslow, Arizona.

Si l'on préfère explorer l'Arizona central par la branche ouest de l'I-17, les paysages sont au moins aussi impressionnants, et certainement plus connus. En quittant Flagstaff par le sud et l'Alternate 89, la route serpente innocemment à travers une forêt de pins avant de vous plonger dans **Oak Creek Canyon**, un canyon taillé dans les mêmes grès, les mêmes calcaires et les mêmes schistes que ceux qui constituent les strates supérieures du Grand Canyon.

Au débouché du canyon, on émerge à **Sedona**, une ancienne petite ville typique de l'Ouest. Malheureusement, ce site a été gâché par la présence de la ligne-frontière du comté qui passe en plein milieu de la vallée. Pour rattraper un peu cette aberration, on a créé **Tlaquepaque**, une zone commerciale intra-muros dans le plus pur style mexicain, implantée au milieu des sycomores et regroupant les boutiques les plus raffinées de Sedona.

En poursuivant vers le sud sur l'Alternate 89, gardez les yeux fixés vers le nord où de nouvelles variations de rouge rythment le Mogollon Rim. Sur la **Verde River** se trouvent les petites villes de Cottonwood et de Clarkdale, entre lesquelles s'étend le **Tuzigoot National Monument**, avec ses vestiges de la civilisation sinagua. La Verde Valley est un véritable paradis pour la vie sauvage et une promenade au bord de la rivière vous donnera peut-être l'occasion d'observer les colonies de hérons et les nids des grands ducs.

La ville qui faillit mourir

Au-delà de la Verde River, la route grimpe en direction de **Jerome**, probablement la rare ville américaine située au sommet d'une colline, à la manière de certaines villes italiennes ou espagnoles. Mais les maisons sont en bois, pour la plupart, et perchées sur pilotis au bord du vide. De la rue, certaines ne semblent avoir qu'un étage, mais lorsqu'on y entre, on découvre qu'elles en ont en fait deux ou trois sur la façade extérieure. Jerome fut fondée en 1876, par la compagnie des mines de cuivre Phelps Dodge. Lorsque les puits furent fermés, en 1953, la ville faillit mourir mais elle connaît, depuis quelques années, un

Casa Grande (la Grande Maison) construite en terre glaise non renforcée au début du XIVᵉ siècle.

regain d'activité en tant que centre culturel et commercial. Trois gros incendies en ont dévasté les structures en bois, mais le style architectural est resté homogène – en partie grâce à des règlements d'urbanisme très stricts favorisant la restauration des bâtiments anciens plutôt que la construction d'immeubles modernes.

Après Jerome, la route finit de franchir **Mingus Mountain**, traverse les pâturages de Chino Valley et entre dans **Prescott** par un goulot granitique. Prescott fut proclamée première capitale territoriale de l'Arizona en 1864 et la ville compte de splendides maisons victoriennes et des édifices publics historiques. Les passionnés d'histoire visiteront **Sharlott Hall**, un musée qui a su recréer l'atmosphère de l'Arizona de cette époque à travers une série de bâtiments restaurés ; et qui aime bien boire ira rendre hommage au **Whiskey Row**, une de ces vieilles tavernes typiques du Sud-Ouest. L'US 89 traverse une autre de ces villes si caractéristiques de la région, **Wickenburg**. Datant elle aussi de la période territoriale, elle est moins bien préservée que Prescott, mais elle est entou-

rée de ranchs qui sont restés en activité notammant grâce aux nombreux courts de tennis dont ils sont équipés. De Wickenburg, on peut continuer sur l'US 89 jusqu'à Phoenix ou filer vers l'ouest, en contrebas des **Harquahala Mountains**, tout à fait méconnues des visiteurs, et rejoindre le Colorado River.

Des berges très fréquentées

On peut envisager deux autres traversées nord-sud de l'Arizona central, le long des frontières de l'État. A l'est, l'US 666 traverse une région peu peuplée et relativement élevée, où l'exploitation du bois est l'industrie dominante. A l'ouest, la State 95 longe le Colorado River de **Davis Dam** à **Parker**, puis fonce directement vers le sud jusqu'à Yuma. Le mot « River » semble aujourd'hui une désignation tout à fait impropre étant donné la succession de réservoirs d'eau et d'écluses qu'est devenue cette portion du Colorado. En cet endroit, le fleuve est bordé de stations touristiques, de villes-champignons et de parkings pour caravanes, il est le point de convergence de milliers d'estivants qui viennent de Phoenix et de Los Angeles durant les week-ends à la belle saison. L'attraction la plus célèbre est le **London Bridge** édifié là par le promoteur de **Havasu City** pour attirer l'attention sur son complexe immobilier. Cette copie peut paraître niaise et absurde, mais les arches gracieuses et solides de cet ouvrage sont en parfaite harmonie avec les reliefs volcaniques qui délimitent l'horizon. En abandonnant le tracé du Colorado à Park, la State 95 longe le **Kofa National Wildlife Refuge**. Dans les Kofa Mountains, parmi les plus isolées de l'Arizona, vit l'un des derniers troupeaux de moutons non domestiqués du désert et vous trouverez les sites de randonnée et les campings les plus sauvages de l'État.

Si l'histoire anglaise de l'Arizona est brève, son histoire américaine remonte à la mythologie et sa géologie visible au précambrien. Une exploration sérieuse suppose du temps, pour pouvoir suivre les caprices et les arabesques de la carte routière plutôt que les itinéraires nord-sud proposés ici par souci pratique. L'Arizona central est un véritable labyrinthe géologique, historique et écologique, mais vous pouvez être sûr d'en ressortir comblé.

A gauche, le barrage de Davis sur le Colorado ; à droite, coucher du soleil sur les Mazatzal Mountains.

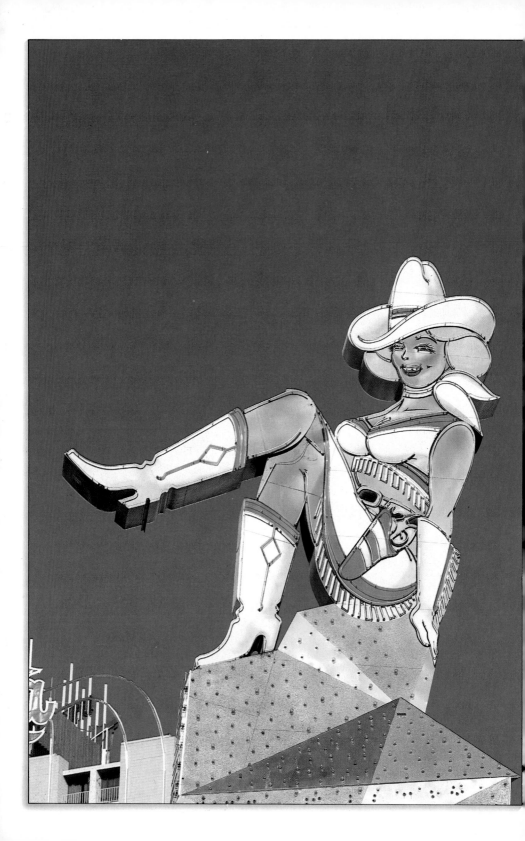

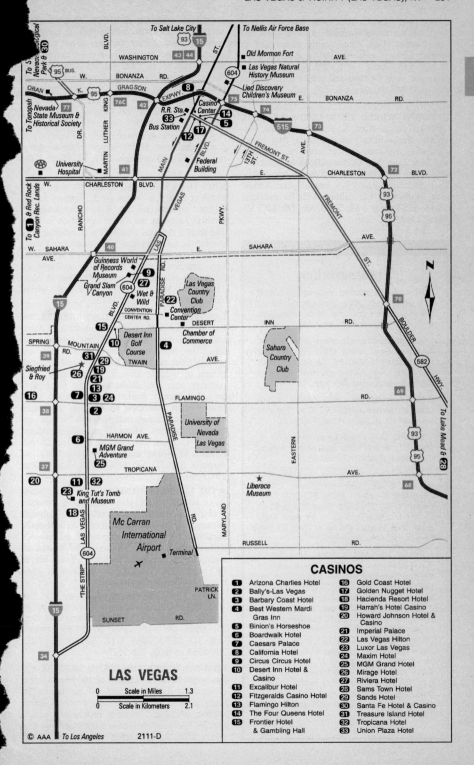

LAS VEGAS

| 0 | Scale in Miles | 1.3 |
| 0 | Scale in Kilometers | 2.1 |

© AAA   To Los Angeles   2111-D

CASINOS

1	Arizona Charlies Hotel	**16**	Gold Coast Hotel
2	Bally's-Las Vegas	**17**	Golden Nugget Hotel
3	Barbary Coast Hotel	**18**	Hacienda Resort Hotel
4	Best Western Mardi	**19**	Harrah's Hotel Casino
	Gras Inn	**20**	Howard Johnson Hotel &
5	Binion's Horseshoe		Casino
6	Boardwalk Hotel	**21**	Imperial Palace
7	Caesars Palace	**22**	Las Vegas Hilton
8	California Hotel	**23**	Luxor Las Vegas
9	Circus Circus Hotel	**24**	Maxim Hotel
10	Desert Inn Hotel &	**25**	MGM Grand Hotel
	Casino	**26**	Mirage Hotel
11	Excalibur Hotel	**27**	Riviera Hotel
12	Fitzgeralds Casino Hotel	**28**	Sams Town Hotel
13	Flamingo Hilton	**29**	Sands Hotel
14	The Four Queens Hotel	**30**	Santa Fe Hotel & Casino
15	Frontier Hotel	**31**	Treasure Island Hotel
	& Gambling Hall	**32**	Tropicana Hotel
		33	Union Plaza Hotel

coaster that whips past life-size animated dinosaurs and cascading waterfalls, a white-water raft ride, tubular slide, virtual-reality games and an arcade. Food is available. Allow 2 hours minimum. Sun.-Thurs. 11-6, Fri.-Sat. 11 a.m.-midnight. Fees for rides and games vary. All-day ride pass $13.95. AE, CB, DS, MC, VI. Phone (702) 794-3745.

GUINNESS WORLD OF RECORDS MUSEUM, 2780 Las Vegas Blvd. S., features exhibits, videotape presentations, computerized data banks and interactive computers of world records, feats and facts from the "Guinness Book of Records." A display highlights the history of Las Vegas. Daily 9-8, June-Aug.; 9-6, rest of year. Admission $4.95; over 62, military with ID and ages 13-18, $3.95; ages 5-12, $2.95. AE, DS, MC, VI. Phone (702) 792-3766.

Transportation

Air travel: McCarran International Airport is 5 miles south of the business district via Paradise Road and the Strip. Limousine, taxi and bus service are available.

Rental cars: Hertz offers discounts to AAA members; phone (702) 736-4900 for the airport, 735-4597 for the Strip or (800) 654-3080. For listings of other agencies check the telephone directory.

Rail service: Daily train service is provided by Amtrak, (800) 872-7245; the station is at Union Plaza Hotel, 1 Main St.

Buses: Greyhound Lines Inc., 200 S. Main St., is the major bus carrier serving Las Vegas; phone (800) 231-2222.

Taxis: Cab companies include ABC Union, (702) 736-8444; Ace, (702) 736-8383; Checker, (702) 873-2227; and Desert, (702) 376-2688. Base fare is $3.70 for the first mile and $1.50 for each additional mile. Usually the tip is 15 to 20 percent of the meter reading.

Public transport: Citizens Area Transit (CAT) provides bus service to most parts of the city. Buses serving the Strip, or Las Vegas Boulevard, run every 15-20 minutes until 1 a.m., after which they run every 30 minutes until 4:15 a.m., then every hour until 7 a.m. The fare is $1.50 (senior citizens, physically impaired and ages 5-17, 50c); transfers are free. Exact fare is required. A monthly unlimited ride pass costs $20 (senior citizens and ages 5-17, $10). Buses serve other Las Vegas routes from 5:30 a.m.-1:30 a.m. Fare is $1; senior citizens, physically impaired and ages 5-17, 50c. For schedule and route information phone (702) 228-7433.

IMPERIAL PALACE ANTIQUE AND CLASS AUTO COLLECTION, on the parking terrace Imperial Palace Hotel, includes more than antique, classic and special-interest automo dating back to an 1897 Haynes-Apperson, displayed in a gallery setting. Rotating exhibits include the King of Siam's 1928 Delage limousine, President Eisenhower's parade car, a 1947 Tucker and one of the largest collections of Model J Duesenbergs.

Allow 1 hour minimum. Daily 9:30 a.m.-11:30 p.m. Admission $6.95; senior citizens, active military with ID and ages 5-11, $3. Phone (702) 731-3311.

KING TUT'S TOMB AND MUSEUM, in the Luxor Hotel at 3900 Las Vegas Blvd., features an authentic reproduction of King Tutankhamen's tomb as found by the Carter expedition in 1922. The replica contains chambers with original measurements, treasures that were reproduced using the same materials and methods used 3,300 years ago, guardian statues, furnishings and artwork. Allow 30 minutes minimum. Fri.-Sat. 9 a.m.-11:30 p.m., Sun.-Thurs. 9 a.m.-11 p.m. Admission $4. Phone (702) 262-4822.

LAS VEGAS NATURAL HISTORY MUSEUM, 900 Las Vegas Blvd. N., features walk-through dioramas representing animals in their natural habitats. The museum displays marine life and species from around the world as well as a collection of wildlife artwork. A prehistoric room contains animated dinosaurs. Also highlighted are 21 mounted sharks, a 3,000-gallon shark tank, a shark videotape presentation, an exhibit of plants and animals indigenous to Nevada, and hands-on exhibits. Allow 30 minutes minimum. Daily 9-4; closed Thanksgiving and Dec. 25. Admission $5; senior citizens, active military and students with ID $4; ages 4-12, $2.50. Phone (702) 384-3466.

★ **THE LIBERACE MUSEUM,** 1775 E. Tropicana Ave., houses a rare piano collection, antiques, jewelry, customized automobiles and elaborate costumes from the entertainer's million-dollar wardrobe. Of particular interest are a Louis XV desk owned by Czar Nicholas II of Russia, an authentic Czar Nicholas uniform, a piano played by Frédéric François Chopin and a concert grand owned by George Gershwin.

Allow 1 hour, 30 minutes minimum. Mon.-Sat 10-5, Sun. 1-5. Last admission 45 minutes before closing. Closed Jan. 1, Thanksgiving and Dec 25. Admission $6.50; over 60, $4.50; students with ID $3.50; ages 6-12, $2. Phone (702) 798-5595 or (800) 626-2625.

LIED DISCOVERY CHILDREN'S MUSEUM, 833 Las Vegas Blvd. N., consists of 100 hands-on exhibits about science, the arts and humanities that teach as well as entertain. An everyday living section, where children can pick a job, earn a paycheck, deposit savings in a bank and buy groceries, offers an opportunity to sample adult life.

LAS VEGAS, UNE VILLE DE NÉONS

Las Vegas, résidence favorite de lady Luck (Mme la Chance) est une sorte de vallée de néons où règnent 24 heures sur 24 le risque et les extravagances. Cette mecque des joueurs et des affamés de plaisir, cette ville de conte de fées pour adultes qui refusent de grandir, attire annuellement plus de 12 millions de visiteurs.

Temple de l'extraversion, Las Vegas fait tout son possible pour vous divertir et vous inciter à dépenser votre argent. Les casinos et les hôtels vont du plus tapageur au plus distingué, la nourriture et les spectacles du plus abordable au plus fastueux. Le visiteur le plus blasé trouvera ici son plaisir, et le plus novice une initiation exceptionnelle. Le slogan de la ville est « No one does it better » (« Il n'y a rien de mieux »), et c'est vrai.

Las Vegas est curieusement située au cœur d'une vallée désertique cernée de montagnes chauves. Le ciel semble s'étendre à l'infini, au grand étonnement des citadins peu habitués à tant d'espace. Et toutes ces paillettes et ces jeux, comme jaillis de nulle part, créent une atmosphère de pays de cocagne.

L'histoire de La Vegas est aussi pittoresque que l'un de ses casinos. Les premiers habitants du site furent les marchands anglais qui voyageaient entre Santa Fe et la Californie sur l'ancienne piste espagnole. Ils découvrirent en Las Vegas une oasis naturelle de sources rafraîchissantes et de champs verdoyants.

Des explorateurs comme Jedediah Smith et le capitaine John C. Fremont signalent cette oasis dans leurs carnets de voyage, mais la région resta pratiquement inhabitée jusqu'en 1855, date à laquelle Brigham Young, chef religieux des mormons, envoya trente de ses disciples à Las Vegas pour extraire le minerai de plomb et convertir les Indiens. Ils ne restèrent pas longtemps, découragés par leur manque de succès dans leur mission évangélique comme dans le traitement du minerai. Ce plomb qui leur donnait tant de fil à retordre était en fait de l'argent.

Lorsque le Comstock Lode, un riche filon d'or et d'argent, fut découvert en 1849, le Nevada connut son heure de gloire. Des villes-champignons surgirent tout autour de Las Vegas. Le Nevada devint territoire des États-Unis en 1861 et prit le statut d'État en 1864, car l'Union avait grand besoin de la richesse du Comstock Lode pour gagner la guerre de Sécession.

Petit à petit, la zone entourant l'ancienne colonie mormone abandonnée fut occupée par une série de propriétés et de ranches. L'un de ces propriétaires de ranch, Helen Stewart, est l'exemple même de ces pionnières de l'Ouest, décidées et indépendantes. Elle continua à exploiter le ranch, seule avec plusieurs enfants en bas âge, après que son mari y eut été mystérieusement abattu. Elle géra les 738 ha de la propriété, préparant des repas pour les voyageurs et hébergeant des pensionnaires, jusqu'à l'arrivée du chemin de fer.

En 1902, Helen Stewart vendit sa propriété au San Pedro, Salt Lake et Los Angeles Railroad, qui devait donner naissance à l'Union Pacific et assurer la liaison ferroviaire entre l'Est et l'Ouest. C'est ainsi que Las Vegas devint un centre de

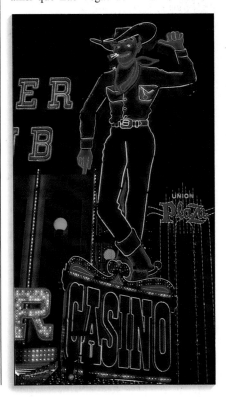

Les enseignes lumineuses des rues du centre ville de Las Vegas ; à gauche, Vicky balance nonchalamment sa jambe bottée ; à droite, Vic salue les passants du haut de son perchoir, au-dessus du Pioneer Club.

triage. La ville naquit officiellement le 15 mai 1905, lorsque la compagnie des chemins de fer vendit aux enchères quelque 1 200 lots à des spéculateurs acharnés.

Las Vegas resta une ville-étape ferroviaire, petite et tranquille, du moins jusqu'à la construction, dans les années 1930, du Boulder (Hoover) Dam, qui attira des travailleurs de tout le pays. En 1931, les paris furent légalisés dans le Nevada afin de permettre un afflux monétaire dont l'État avait le plus grand besoin. Une réglementation libérale du mariage et du divorce fut également instaurée en 1931 et Las Vegas devint la capitale de ceux qui, pour obtenir le divorce, devaient simplement justifier d'une résidence de six semaines dans l'État.

Un pays de cocagne

Las Vegas est une ville où il est facile de se repérer. La plupart des jeux sont concentrés dans deux secteurs principaux : le Las Vegas Strip et Fremont Street, en plein centre ville. Le Strip (officiellement

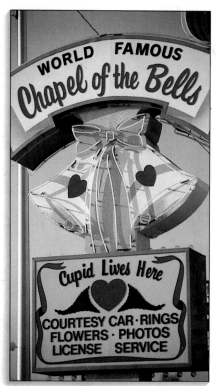

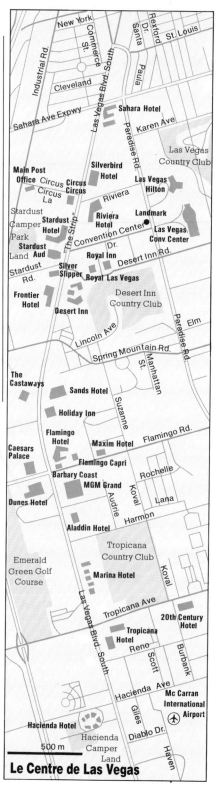

La cloche sonne à toute heure, dans cette Wedding Chapel (chapelle des Mariages) sur le Strip.

Le Centre de Las Vegas

500 m

le Las Vegas Boulevard South) commence à Sahara Avenue, avec le Sahara Hotel et s'étend au sud jusqu'à l'Hacienda Hotel, à deux pas de l'aéroport.

Le secteur du centre ville est à 5 km environ de celui du Strip. Une troisième zone est en train de se constituer, tout près du Strip, le long de Convention Center Drive. Elle inclut les 25 ha du Las Vegas Hilton, une sorte de ville dans la ville, et la tour hexagonale du Landman Hotel.

Le **Strip** est un véritable décor de cinéma. Nulle part ailleurs vous ne verrez, pratiquement côte à côte, un palais à colonnades (le Caesar's Palace), un chapiteau géant de cirque (le Circus-Circus), une pagode bleue (l'Imperial Palace) et un bateau à aubes du Mississippi (le Holiday Inn Center Strip). Sans parler de tous les autres hôtels, motels, casinos, coffee shops, stations-service, chapelles, kiosques de souvenirs et centres commerciaux.

La ville qui ne dort jamais est aussi l'endroit où rien ne dure. Les façades sont ravalées, les immeubles rénovés, les tours surélevées et les structures modifiées en permanence. Il existe ici une loi tacite

Le casino de l'hôtel Flamingo, l'un de ces endroits où les fortunes se font et se défont en une nuit.

selon laquelle le mieux n'est jamais assez. Même McDonald's, ce bastion de l'Amérique profonde, a été saisi de la fièvre locale et a ajouté des tubes de néon aux arches jaunes de sa façade.

Le Caesar's Palace et les grands hôtels

Certains des hôtels du Strip sont en eux-mêmes des curiosités. Il y a d'abord le **Caesar's Palace**, un complexe grandiose dont la façade s'étale sur plusieurs blocs. Des fontaines généreuses, des reproductions de statues classiques et d'impressionnants cyprès de 15 m de haut constituent le décor extérieur de ce gigantesque hôtel. La nuit, le Caesar's Palace baigne dans une lumière théâtrale bleu turquoise.

Un autre hôtel célèbre dans le monde entier mérite aussi le détour : c'est le **MGM Grand**. Le casino à lui tout seul est plus grand qu'un terrain de football. Le MGM est situé dans ce que l'on a surnommé le Golden Corner of the Strip (le Triangle d'or du Strip) – Las Vegas Boule-

vard South, à Flamingo. Ce Triangle d'or est également occupé par le Dunes Hotel, le Flamingo Hilton et le Barbary Coast.

L'histoire du **Flamingo Hilton** est encore plus intéressante que celles du MGM et du Caesar's réunies. Le bâtiment initial fut construit en 1946 par un certain Benjamin « Bugsy » Siegel, décrit dans les journaux de l'époque comme un « joueur de l'Est ». Bugsy fit édifier le Flamingo pour impressionner sa maîtresse californienne, Virginia Hill. Il ne regarda pas à la dépense et créa un repaire luxueux, avec un élégant casino bordé de palmiers et une grande piscine en plein air. L'inauguration du Flamingo se déroula avec le cérémonial d'une grande première hollywoodienne. Malheureusement, Bugsy avait été négligent et avait « oublié » de rembourser un prêt qu'il avait obtenu de ses investisseurs, un joyeux gang new-yorkais connu sous le nom de Murder Inc. Siegel fut abattu dans la villa de sa maîtresse à Beverly Hills, un an après l'ouverture de son Flamingo.

La fin sinistre de Siegel ajouta un peu de piquant à la notoriété naissante de Las Vegas. Les touristes voulurent venir jouer dans ce casino qui avait été construit par un gangster. Et cette touche de clandestinité devint un des éléments de la mystique de Las Vegas.

Un boom immobilier suivit ce succès du Flamingo. Las Vegas lança une campagne publicitaire nationale vantant cette oasis du désert comme la « capitale mondiale du jeu ». Et les images diffusées dans le monde entier faisaient une large place aux danseuses aux longues jambes.

Parmi les autres personnages pittoresques des débuts de Las Vegas, il faut citer le joueur connu sous le nom de Nick the Greek (le Grec), les propriétaires d'hôtels Del Webb, Benny Binion et Kirk Kerkorian et, bien sûr, le célèbre Howard Hughes, qui y vivait en reclus. Ce dernier arriva à Las Vegas en 1967, s'installant dans une suite au Desert Inn. Lorsqu'il quitta la ville, en 1970, il avait acheté plusieurs hôtels : le Sands Desert Inn, le Castaways, le Silver Slipper, le Frontier et le Landmark, ainsi qu'un country club, une station de télévision, un aéroport, un ranch, des concessions minières et des

Les casinos, comme l'Oasis (à gauche) et le Westward Ho (à droite) sont un véritable paradis pour les joueurs.

terrains à bâtir. Ces propriétés, de même que le Harolds Club de Reno, sont aujourd'hui propriété de la Summa Corporation. Beaucoup considèrent cette mainmise de H. Hugues sur Las Vegas comme un tournant décisif dans l'histoire de la ville.

Mariages à l'essai

Tout le long du Strip, on trouve des *wedding chapels*, ces établissements où se scellent des mariages en un temps record. Cette véritable industrie du mariage attire chaque année de plus en plus de gens. Ce bureau, situé en plein centre ville, est judicieusement ouvert de 8 h du matin à minuit, du lundi au jeudi, et sans interruption du vendredi 8 h jusqu'au dimanche à minuit, y compris les jours fériés. Il n'y a ni contrôle sanguin ni période d'attente. Les chapelles de Las Vegas sont de toute sorte, depuis la plus banale jusqu'à la plus tapageuse. **The Little Church of the West**, qui date de 1942, peut être considérée, selon les critères de la ville, comme un monument historique.

Downtown ou les établissements de jeu

Downtown Las Vegas, le centre ville, a son propre charme. Contrairement au Strip, qui s'est développé sur des kilomètres de désert quasiment vierge, ce quartier se limite aux cinq blocs de Fremont Street, dans le centre commercial de la ville. Vous y trouverez douze grands casinos, des douzaines de salles de machines à sous et des boutiques de souvenirs jouxtant chaque établissement. Si le Strip resplendit de couleurs, Downtown, lui, résonne d'une multitude de sons. Où que vous alliez, vous entendrez les sirènes annonçant les jackpots des machines à sous et les racoleurs vantant les restaurants.

En matière d'enseignes lumineuses, le plus éculé et le plus nouveau se côtoient dans Fremont Street. **Vegas Vic** est une gigantesque silhouette de cow-boy au néon, perchée au-dessus du **Pioneer Club**, qui salue les passants depuis le début des années 1950. (Il fut même un temps où Vegas Vic avait une voix qui clamait

« Salut, mon pote ! » 24 heures sur 24. Mais « Dieu merci ! », nous a dit l'un des vieux résidents de l'endroit, « ils ont fait taire ce truc ».) Sur le trottoir d'en face, vous pourrez voir une autre enseigne, celle de **Vegas Vicky**, qui passe son temps à lever la jambe en direction de Vic. L'entrée du **Sassy Sally's**, une salle de machines à sous, est encadrée par un trio d'animaux automates doués de la parole.

La dernière technologie dans Fremont Street, est le **Golden Nugget**, et son surprenant auvent électronique, qui diffuse les messages et prend des photos.

Downtown est également le site des **Fabulous Four Corners**, l'intersection de Fremont Street et de Casino Center Boulevard. Les lumières du Golden Nugget, du Horseshoe, du Four Queens et du Fremont Hotel se conjuguent pour faire de ce carrefour le plus richement illuminé du monde. La Nevada Power Company estime que la facture mensuelle d'électricité des hôtels du centre ville excède les 350 000 dollars. Sur le Strip, la moyenne journalière se situe aux environs de 5 000 dollars, en chauffage et en air conditionné.

Il y a quelques années, ce secteur du centre ville était connu sous le nom de **Glitter Gulch** (le Filon scintillant). Les commerçants organisèrent un concours pour trouver un nom plus sophistiqué à leur quartier et ce fut « Casino Center » qui remporta la palme. Mais les anciens noms sont toujours utilisés : Downtown, Glitter Gulch ou Fremont Street.

Downtown a beaucoup changé au cours des dernières années. Dans Fremont Street, où l'on joue depuis toujours, il n'y avait pas d'hôtels jusqu'à une période récente. Aujourd'hui, les principaux casinos, le Golden Nugget, le Four Queens, l'Union Plaza et le Mint se sont adjoint des hôtels et des restaurants chics qui rivalisent avec ceux du Strip. Enfin, le quartier dispose à présent de son propre mini centre de congrès, le **Cashman Field Center**, à quelques minutes de Glitter Gulch.

En règle générale, les jeux sont moins chers à Downtown que sur le Strip. Les mises sont moins élevées, et il est toujours possible de trouver des machines à 5 cents ou des tables de craps à 25 cents. Certains trouvent même que les croupiers de

Les jets d'eau de l'entrée du Caesar's Palace, sur le Strip.

Downtown sont plus amicaux et plus tolérants. On prétend que dans certains casinos de Downtown les machines à sous on été truquées de manière à reverser en gains environ 90 % de l'argent qu'elles ingurgitent. Et le nombre des fanatiques de ces appareils est si élevé que ces gains fréquents constituent une excellente promotion pour les casinos. Comme c'est un jeu qui ne requiert aucun talent particulier, c'est souvent la première tentation du néophyte et sa première incursion dans le monde des casinos. L'espoir de décrocher le jackpot fait résonner en permanence le bruit des machines dans les salles. La version la plus récente est une sorte de carrousel qui fonctionne avec des dollars. Son succès grandissant annonce peut-être le déclin de la machine à sous traditionnelle.

Tout cela ne signifie pas pour autant que les gros joueurs et les flambeurs ne fréquentent pas Downtown. **Binion's Horseshoe**, par exemple, est réputé pour ses joueurs (un *player*, dans le jargon de Las Vegas, est quelqu'un qui mise très gros, contrairement aux *grinds*, qui se contentent de petits paris).

Les néons aguicheurs de Sassy Sally's.

La part du hasard

Chercher à limiter les risques du jeu par quelques connaissances théoriques est plus dangereux qu'autre chose. Ce n'est pas sans raison que les casinos sont ici désignés sous le nom de *lost wages* (« salaires perdus »). Consultez cependant un des nombreux livres disponibles pour apprendre les règles et les stratégies des différents jeux de hasard. Plusieurs casinos offrent même des séminaires de blackjack (ou « 21 »), de craps et de baccarat. Vous auriez tort de présumer de l'aide des croupiers. Si certains sont parfois complaisants, n'oubliez pas qu'ils sont des employés du casino et que, dans la plupart des cas, ils n'ont pas le droit de s'intéresser à ce qui se passe autour de la table de jeu.

Il est généralement admis que c'est le baccarat, le blackjack et le craps qui rapportent le moins à la banque. On considère en effet que les bénéfices pour le casino sont de l'ordre de 19 % des mises au craps et de 21 % au baccarat. Les béné-

fices les plus bas sont ceux du bingo (7 %). Ceux de la roulette sont de 27 %, du keno de 28 % et la roue de la fortune ou « Big Six » rapporte 51 % à la banque.

Peut-on en tirer des conclusions ? Certainement. Les jeux dans lesquels vous pouvez exercer un certain contrôle sont généralement ceux qui présentent les meilleurs opportunités de gains. « *Un joueur de craps intelligent peut faire de jolis gains,* affirme un directeur de casino. *Le problème est que peu de gens connaissent réellement les règles complexes de ce jeu.* »

Les croupiers, qui perçoivent des salaires très bas et qui dépendent donc beaucoup des pourboires des clients, apprécieront un geste de votre part (ici on ne dit pas *tip* mais *toke*). La coutume est de miser une fois en faveur du croupier (en général la moitié de votre propre mise). Si vous voyez un croupier frapper la table de jeu avec une plaque, c'est pour indiquer au banquier qu'il est en train d'encaisser son pourboire.

Cette activité permanente des casinos du Nevada a rapporté à l'État en 1982 un revenu brut de plus de 2,6 milliards de dollars. Cette véritable industrie est étroitement surveillée par le Nevada Gaming Commission (la Commission des jeux), qui se montre très efficace. Toute tricherie peut entraîner la perte d'une licence qui vaut des millions de dollars.

Le Strip offre tous les soirs un déploiement fastueux de spectacles. On peut y voir de grandes vedettes des principaux théâtres et des productions internationales, comme le Lido de Paris au **Stardust** et les Folies-Bergère au **Tropicana**. La dernière mode est aux comédies musicales de Broadway, que vous pourrez voir au **Desert Inn** et au **Sands**.

Si vous souhaitez assister à un spectacle en particulier, vous avez tout intérêt à réserver une chambre dans l'hôtel où il est représenté (vous bénéficierez ainsi de la priorité sur les spectateurs extérieurs). Vous devrez réserver le jour même du spectacle auprès du concierge ou du bureau chargé de la coordination. L'admission aux spectacles se fait sur réservation et non sur présentation d'un ticket. Vous aurez le choix entre un dîner-spectacle (pour un prix minimal) et un

Las Vegas est une ville aussi lumineuse de jour (à gauche), que de nuit (à droite).

cocktail-spectacle (qui vous donnera le droit à deux ou quatre boissons). Autant savoir que la soirée risque de vous coûter cher. Votre facture sera augmentée d'une taxe de 10 % (*entertainment tax*), d'une taxe locale de 5,75 % et de divers pourboires. Dans la bonne tradition de Las Vegas, le maître d'hôtel sera d'autant plus enclin à vous trouver une table bien placée que vous lui aurez glissé quelques billets.

Si vous n'avez pas de réservation pour un spectacle, vous serez autorisé à patienter dans la file *no reservations*.

Les beautés aux seins nus ne sont plus l'attraction qu'elles étaient au début des années 1950, quand elles firent leurs premières apparitions sur le Strip. Le public est aujourd'hui plus blasé et plus exigeant. Les effets spéciaux ont à présent la vedette dans ce genre de spectacle. Le *Jubilee* de la MGM présente une reconstitution du naufrage du *Titanic* et de la chute du temple dans la légende de Samson et Dalila.

Beyond Belief, au **Frontier**, est l'un des spectacles les plus courus. C'est un somptueux cadre pour les tours de magie où sont passés maîtres Siegfried et Roy.

Depuis les années 1950, les casinos de Las Vegas ont attiré les clients par des buffets abondants et relativement bon marché. Les prix ont bien sûr tendance à devenir plus réalistes, mais la nourriture reste très abordable. On peut encore trouver des *steak-and-egg brekfasts*, des *all-you-can-eat-lunches* (déjeuners) et des dîners-buffets à 99 cents, quelquefois même avec du champagne en prime. Les brunches du dimanche, au MGM et au Caesar's Palace, sont à eux seuls un véritable événement.

Chaque hôtel possède un *coffee shop* ouvert 24 heures sur 24. De surcroît, tous les grands hôtels possèdent plusieurs restaurants, dont l'un est généralement classé *gourmet room*. Ces restaurants sont décorés avec le plus grand soin et vous pourrez dîner sous une tente inspirée des splendeurs des *Mille et Une Nuits* (le **Sultan's Table** au Dunes), dans un ravissant décor japonais avec de petits ruisseaux (le **Benihana Village** au Las Vegas Hilton) ou dans un cadre fastueux digne de César (le **Bacchanal** au Caesar's Palace).

LES TRIBUS INDIENNES

On dénombre plus de 50 réserves indiennes dans le Sud-Ouest, chacune représentant un groupe plus ou moins distinct. Les Apaches sont répartis dans quatre réserves différentes, à Fort Apache et à San Carlos Apache, au centre de l'Arizona, à Mescalero Apache, dans le sud du Nouveau-Mexique, et à Jicarilla, dans le nord-ouest du Nouveau-Mexique. Les Navajos bénéficient sans conteste de la plus grande réserve : elle occupe le nord-est de l'Arizona et empiète sur le sud du Colorado et sur le Nouveau-Mexique. La réserve des Hopis est située en plein cœur des territoires navajos. Les Papagos et les Pimas sont établis respectivement au sud de Phoenix et de Tucson, et les 21 groupes pueblos sont éparpillés au Nouveau-Mexique dans les villages hispaniques et les villes au nord du Rio Grande. Ces tribus forment le plus important groupe d'Indiens du Sud-Ouest américain, et leur culture est celle qui a été la mieux préservée.

Plus modestes sont les tribus des Havasupis, qui vivent dans le Grand Canyon, des Utes du sud de l'Utah, des Paiutes du nord de l'Arizona, sans oublier les Walapais, les Hualapais, les Mohaves, les Yavapais, les Chemehuevis, les Yumas, les Cocopas, les Maricopas et les Yaquis, tous disséminés dans l'ouest de l'Arizona. Ces tribus ont très souvent des amis et des parents au Mexique – la frontière établie entre les États-Unis et le Mexique n'étant pas leur fait.

Bien que ces tribus soient aussi diverses que peuvent l'être les cultures européennes, elles descendent toutes d'une civilisation précolombienne du Sud-Ouest et partagent le même combat pour préserver leurs valeurs traditionnelles de la domination écrasante de la culture anglo-américaine. Les Indiens du Sud-Ouest élevés dans les réserves ont une façon de s'exprimer, un rythme d'élocution, une manière d'utiliser les mots et les concepts anglais qui leur sont propres. A l'exception de la partie consacrée aux Navajos, toutes les sections qui suivent ont été écrites par des Indiens. L'originalité de ces textes donnera au lecteur un aperçu de leur culture respective.

LES PUEBLOS

Même si certains détails varient d'un pueblo à un autre, l'histoire de la création de l'univers commence avec un Entendement unique qui « pensa » l'univers entier afin de lui donner vie. Lorsque la création fut achevée, hommes et bêtes se retrouvèrent dans une obscurité emplie par le bruit des cours d'eau : c'était le Premier Monde, ou « Monde bleu ». Ils pénétrèrent ensuite dans un monde supérieur, le « Monde rouge », puis dans le « Monde jaune », le Troisième Monde, où ils séjournèrent avant d'accéder au « Monde blanc ». Ce Quatrième Monde regorgeait de fleurs, de plantes et de cours d'eau magnifiques. Beaucoup voulaient rester dans ce paradis, mais ils savaient qu'ils appartenaient au Cinquième Monde, où un mode de vie précis leur était destiné.

Les animaux, les insectes et les plantes décidèrent d'accompagner leurs frères, les

humains, dans le Cinquième Monde. Mais, en arrivant sur son seuil, ils constatèrent qu'il était obstrué par une grosse pierre. Malgré leurs efforts, ils ne purent la déplacer. Les blaireaux commencèrent à creuser autour avec leurs longues griffes et finirent par élargir quelque peu l'ouverture. C'est alors qu'une antilope décida de donner des coups de corne dans l'obstacle. A la première tentative, la pierre bougea légèrement et, au deuxième coup, un peu plus. La quatrième fois fut la bonne, la pierre roula, libérant l'ouverture. C'est ainsi que l'antilope conduisit les humains et toutes les créatures à leur suite dans le « Monde actuel ».

Le Monde actuel des Indiens pueblos comprend 19 tribus au Nouveau-Mexique, plus les tribus hopis du nord-est de l'Arizona. Bien qu'elles partagent les mêmes croyances religieuses et par conséquent une vision commune du monde, d'importantes différences linguistiques les séparent.

Dès le commencement, ce Cinquième Monde fut pour les êtres humains une source de grands défis et de nombreuses difficultés. Mais, au travers de ces luttes, le peuple allait pouvoir forger sa spiritualité et, ce qui est le plus important, trouver sa place parmi les êtres vivants de l'univers. Ainsi, les Indiens pueblos ont une vision du monde qui met l'accent sur l'interdépendance des êtres humains, des plantes et des animaux, fût-ce l'insecte le plus humble. Du reste, les clans pueblos soulignent leurs liens familiaux en s'appelant, par exemple, « Clan du blaireau » ou « Clan du maïs ». Les Pueblos ne manquent jamais d'adresser une prière à tout animal ou plante nécessaires à leur survie, en leur demandant de se sacrifier pour eux.

Sacrifices volontaires

Lorsqu'un chasseur pueblo tue un daim, il le rapporte au village. Traité en invité d'honneur, l'animal est placé au centre de la demeure. Ses bois sont garnis de turquoises, et la famille et les invités s'approchent de la bête pour, selon le rite, la « nourrir », en lui mettant du maïs sur le museau. Aucun morceau ne sera gaspillé, et l'animal est constamment traité avec respect. Le chasseur doit participer à la danse rituelle du Daim, interprétant le retour de l'âme de sa victime dans les montagnes, où elle est censée se réincarner dans un autre daim qui se souviendra de l'amour et du respect des humains, et choisira par conséquent de faire de nouveau don de sa vie au chasseur.

La terre du Sud-Ouest que les Pueblos appellent « Mère » est une terre aussi magnifique qu'imprévisible. Sécheresses et hivers rigoureux ont fait de l'existence en ces lieux une véritable gageure. Pourtant, si les Pueblos qui y vivent depuis des millénaires ont pu relever ce défi, c'est grâce aux esprits de tous les êtres vivants et à l'amour de la Terre-Mère. Par nécessité, les Pueblos sont devenus l'un des peuples les plus attentifs aux signes du ciel. Le Sud-Ouest est parsemé de pétroglyphes tracés jadis par leurs ancêtres sur le grès. Des ouvertures spécialement aménagées permettent d'illuminer uniquement le jour du solstice d'hiver les représentations symboliques du soleil d'hiver. Dans une contrée où le ciel est un facteur déterminant pour la culture, la piété poussa les Pueblos à observer les formations nuageuses, les vents, la position du soleil et de la lune, et à reconnaître la trajectoire de Vénus, Jupiter et Mars. Ils en retirèrent un enseignement complexe mais indispensable pour le succès de leurs cultures.

Lorsque les envahisseurs espagnols arrivèrent à Zuni Pueblo en 1540, ils trouvèrent des champs de maïs, de haricots, de courges, de melons et de coton. A la vue de cette agriculture florissante, les Espagnols imposèrent un impôt sur les récoltes, ce qui découragea peu à peu les Indiens. Les moissons devinrent à peine suffisantes pour faire vivre les habitants des pueblos. En 1680, les Indiens des pueblos se révoltèrent massivement (ce qui n'a pas cessé d'étonner car les pueblos étaient très éloignés les uns des autres). Prêtres, soldats et colons espagnols furent massacrés, et les survivants chassés des territoires pueblos jusqu'à Paso del Norte. Les Espagnols revinrent en 1692 et remportèrent une victoire militaire, victoire sans doute favorisée par des dissensions existant entre les Pueblos. Mais les Espagnols furent cette fois-ci plus avisés dans leurs rapports avec les Indiens. Le roi d'Espagne reconnut aux chefs pueblos un pouvoir souverain sur leur peuple, pouvoir que devait symboliser une canne à pommeau d'argent. Il accorda également des terrains à chaque pueblo.

Des rituels destinés à apaiser les esprits

Aujourd'hui comme autrefois, ce que l'étranger découvre dans un pueblo est presque moins important que ce qui reste caché, et qu'il n'aura jamais l'autorisation de voir. Tout au plus pourra-t-il assister à une danse pueblo, laquelle s'intègre dans une cérémonie religieuse plus importante. Certaines danses rituelles sont à présent interdites aux touristes, les Pueblos ayant fini par se lasser des comportements indiscrets des ethnologues et des touristes. En dépit des apparences, les danses auxquelles on peut encore assister constituent des actes religieux importants. Les magnétophones et appareils-photo sont, bien sûr, à proscrire.

Les 29 et 30 septembre, vous pourrez assister au San Geronimo Festival dans le pueblo de Taos. Depuis des années, cette manifestation s'accompagne d'une foire commerciale intertribale. On y trouve des tambours, des poteries et des mocassins incrustés de perles. Les Indiens de différentes tribus viennent s'y livrer au troc.

Le Puye Cliff Ceremonial se déroule au sommet du mesa de Santa Clara Canyon pendant un week-end de juillet. Une modeste exposition artisanale accompagne une danses traditionnelles, avec pour toile de fond des ruines d'adobe. Puye, qui fait partie du Pajarito Plateau, est un lieu tout désigné par sa majesté pour la danse de l'Aigle, à laquelle participent des Indiens portant des coiffures de plumes blanches.

Les danses indiennes sont des rites propitiatoires destinés aux esprits ; elles coïncident souvent avec le calendrier des fêtes chrétiennes.

Ainsi, dans l'église catholique de San Felipe Pueblo, à la veille de Noël, les esprits du monde animal rendent hommage à l'Enfant Jésus : des danseurs et des danseuses pénètrent dans l'église après la messe de minuit. Serrés les uns contre les autres, les fidèles attendent l'arrivée de la procession. Nul n'est censé voir les danseurs sortir du *kiva*. Affublés d'une peau de bison, coiffés de leurs cornes et la peau noircie, les danseurs avancent à pas lourds et bruyants. D'autres, déguisés en daim, une ramure sur la tête, se déplacent avec plus de grâce.

La danse du Maïs se déroule à des dates diverses selon les pueblos. A Santo Domingo, c'est le 8 août, jour de la Saint-Dominique.

il s'agit avant tout d'obtenir des esprits de la Pluie et de la Fertilité l'assurance d'une bonne récolte. Les participants frappent sur leurs tambours tout en psalmodiant des incantations afin de provoquer les vibrations de la terre.

Au Zuni Pueblo, le Shalako Ceremonial a lieu vers la fin novembre ou le début décembre ; c'est l'une des plus spectaculaires manifestations rituelles indiennes. La cérémonie, qui dure toute la nuit, est consacrée aux *Shalakos* (êtres surnaturels mesurant plus de 3 m) et à leur suite, venus bénir les nouvelles demeures ou celles qui sont rénovées. Des trous sont creusés dans les habitations inachevées pour que le *Shalako* puisse entrer et se joindre à la

500 danseurs de 2 à 80 ans participent à cette grandiose manifestation en plein air. Les danseuses aux pieds nus portent sur leur brillante chevelure noire une coiffure bleue symbolisant la montagne sous la pluie. Une sorte de mante – en fait un châle tissé – leur laisse une épaule dégagée ; elles sont parées de leurs plus précieux bijoux et tiennent une branche de pin dans chaque main. Les hommes portent une jupe courte, blanche et brodée, une longue écharpe, des bracelets et des mocassins ; ils tiennent eux aussi des branches de pin. L'arrivée sur la place de ces deux longues files de danseurs est un spectacle magnifique. Mais

danse. Des costumes d'un très grand prix habillent des marionnettes en bois actionnées grâce à des poulies.

Les rapports sociaux complexes qui se sont établis entre les Pueblos découlent de leur vision d'un monde dans lequel le bien-être de tous est lié à celui de chacun, homme ou animal. C'est pourquoi, même de simples allées et venues quotidiennes entre voisins et parents font en réalité partie d'un tout indissociable, d'essence spirituelle et religieuse. Bien que ce soit surtout par leurs activités artisanales, telles l'orfèvrerie d'argent, la poterie, la vannerie ou les poupées kachinas, que les Pueblos se distinguent aux yeux des touristes, c'est d'abord par cette vision du Tout qu'ils s'affirment en tant que peuple.

La danse de l'Aigle.

LES NAVAJOS

Les Blancs les appellent Navajos, mais leur véritable nom est *Dinneh* (« le Peuple »). Ils ont traversé d'immenses contrées avant de venir s'installer dans le Sud-Ouest américain. Issus de la souche athapasque, ils peuplaient jadis les forêts du nord-ouest du Canada. Ils descendirent vers la région des Four Corners par petits groupes de chasseurs. En 1400 de notre ère, ils étaient parfaitement adaptés à leur nouveau territoire, un pays aux couleurs changeantes, aux déserts dorés, aux mesas et aux canyons rouge sang, aux sapins et aux trembles verts des régions montagneuses et aux étendues d'armoises argentées sous un ciel turquoise. C'était une terre sacrée qui avait été créée pour que « le Peuple » y vive. Selon leur mythologie, les Indiens traversèrent quatre mondes différents avant d'arriver dans celui-ci, surnommé le « Monde blanc ».

Ils vivaient au début presque uniquement de la chasse. Les hommes portaient un pagne en peau et les femmes une jupe de même matière ou tressée avec des fibres de plantes. Par temps froid, ils s'enveloppaient dans des couvertures faites avec la fourrure et la peau des bêtes. En venant du Canada, ils apportèrent avec eux des lances, des arcs et des boucliers en peau.

Nomades et belliqueux, ils s'attaquaient aux villages de leurs paisibles voisins pueblos, implantés en cette région bien avant eux. Ils leur volaient non seulement de nombreuses choses utiles et nouvelles pour eux, mais aussi leurs femmes, qui leur enseignèrent à planter le maïs et la courge, à tisser et à fabriquer des poteries. Les Navajos apprenant facilement, ils finirent même par devenir des tisseurs plus habiles que les Pueblos. Par la suite, ils apprirent des Espagnols à monter à cheval et à élever des moutons, puis à travailler l'argent.

La Longue Marche

L'agriculture et l'élevage de moutons transformèrent les nomades en pasteurs sédentaires ; ils s'établirent au cœur du magnifique Canyon de Chelly. En 1851, l'armée américaine construisit Fort Defiance, ce qui constituait effectivement un « défi » pour les Navajos. En 1863, Kit Carson fut chargé de les soumettre. Il leur livra une guerre sans merci. Au lieu de traquer les Navajos cachés par petits groupes dans les profon-

deurs des canyons, il s'en prit à leurs cultures et à leurs troupeaux. Les bêtes furent tuées, les réserves de maïs brûlées. Lorsque vint l'hiver, les Indiens, cloîtrés dans des grottes où ils mouraient de faim et de froid, durent se rendre.

Ils connurent leur « Longue Marche » qui les mena à Bosque Redondo, à 600 km de leur territoire. Ce qui les attendait à leur arrivée fut pire que la marche elle-même : ils durent se contenter d'une terre inhospitalière et plate. Ils n'avaient rien pour construire des abris et vivaient comme des marmottes dans leurs terriers. Ils manquaient de nourriture, car les récoltes pâtissaient d'une terre peu fertile, et n'avaient pour boire que de l'eau alcaline qui les rendait malades. Sur 8 000 Navajos, 1 500 moururent. Le gouvernement se laissa fléchir au bout de quatre années et autorisa les survivants à repartir vers leurs terres natales. Cette fois-ci, ils ne craignirent nullement les cinq semaines de marche éprouvante et s'empressèrent de se remettre en route.

Leur nouvelle existence commença sous les pires auspices. Et pourtant, les Navajos représentent aujourd'hui la population indienne la plus importante, ce qui prouve la résistance et la vigueur de ce peuple. Mais après plus d'un siècle, la « Longue Marche » n'a pas fini de hanter les mémoires.

La vie quotidienne s'organise autour du *hogan* – l'habitation des Navajos. Les plus anciens étaient faits de trois perches entrecroisées en leur sommet et recouvertes de branchages et de terre. Un foyer pour le feu était aménagé au milieu de l'habitation, et la fumée s'échappait par une ouverture dans le toit. Frais en été, chaud en hiver, le *hogan* convenait au climat de la région. A l'intérieur, les Indiens dormaient en cercle, comme les rayons d'une roue, les pieds tournés vers le feu. De nos jours, les *hogans* sont des cabanes en rondins de forme octogonale. Beaucoup sont équipés de l'éclairage électrique, d'un réfrigérateur et d'une télévision en couleur. Bien plus spacieux que les *hogans* traditionnels, ils conservent néanmoins leur forme initiale.

Quand un Navajo mourait dans son *hogan*, on pratiquait une ouverture à l'arrière pour faire sortir le corps. Le *hogan* et tout ce qu'il contenait étaient alors brûlés, et nul ne passait plus à cet endroit par crainte des *achindee*, les esprits des morts censés errer dans les parages. Les Indiens craignent en effet les pouvoirs surnaturels. Enfreindre certains tabous, c'est s'exposer à la colère des êtres surnaturels. Mais les tabous sont si nombreux qu'il est en réalité impossible à un Navajo de ne pas en transgresser certains. Il tient compte des plus importants et, si le malheur le frappe, il s'efforce de comprendre ce qu'il a fait pour déplaire aux êtres surnaturels, et il corrige son erreur.

Dans ce cas, il fait appel au *Hatàli*, l'« homme médecine », sorte de chaman de la tribu, qui peut triompher du mal grâce à un rituel particulièrement éprouvant. Il commence par jeûner durant plusieurs jours avant la cérémonie, recherchant le contact avec les esprits pour connaître la cause du mal. Il se met alors à trembler de tout son corps, ses mains s'animent, hésitent, jusqu'à ce que finalement ses doigts tracent dans un plat de maïs des signes

de l'autel sacré. Quand le rituel est terminé, malade et tableau sont symboliquement unis : le sorcier trempe ses doigts dans un liquide puis dans la peinture de sable, pour transmettre une partie du pouvoir du tableau au corps du patient. Le dessin est ensuite détruit, et le sable éparpillé dans toutes les directions sacrées. Les dessins représentés sur les tableaux de sable vendus aux touristes s'inspirent du symbolisme religieux des Navajos.

L'arbre généalogique du Peuple saint

La religion navajo est complexe ; son enseignement, ses légendes, ses chants et ses rites sont

anciens indiquant la cause de la maladie et le rituel qui exorcisera le mal.

Le *sand painting* (le tracé de signes anciens avec du sable de couleur) peut durer plusieurs jours. Si la cérémonie est réussie, les paroles incantatoires chantées à la perfection et la peinture de sable exécutée dans les règles de l'art, tout ira pour le mieux. Si le tableau est de petites dimensions, le *Hatàli* l'achève en une heure ou deux. D'autres, qui peuvent avoir 6 m de long, nécessitent l'aide de plusieurs assistants. L'Indien qui a fait appel au *Hatàli* est assis au centre du dessin, son corps devenant une partie

Indien navajo examinant la denture et les gencives de son cheval.

d'une beauté et d'une poésie obsédantes. Les Navajos croient en un « Peuple saint », puissant et mystérieux, capable de voyager avec le vent, les rayons de soleil ou les éclairs. Commandant ces êtres surnaturels, la « Femme changeante », la Terre-Mère, éternellement jeune et belle, dispensatrice de dons, veille au bien-être de son peuple. La Femme changeante fut découverte par le Premier Homme et la Première Femme, alors qu'elle avait l'apparence d'un nouveau-né. Elle était couchée sur un petit lit indien au sommet d'une montagne sacrée. En l'espace de quatre jours, la Femme changeante parvint à la maturité. C'est elle qui enseigna aux humains les rites propitiatoires et à vivre en harmonie avec les forces de la nature.

C'est également elle qui construisit le premier *hogan* à l'aide d'une turquoise et d'une coquille. Après avoir été fécondée par les rayons du soleil, elle engendra les « Héros Jumeaux » qui tuèrent une foule de monstres, ennemis du genre humain, mais elle permit à la Vieillesse et à la Mort d'exister, car elles sont inhérentes à l'existence humaine.

La religion faisait intégralement partie de la vie quotidienne des Navajos, ce qui est encore le cas pour nombre d'entre eux. Les hommes vont dans les champs en entonnant des chants rituels censés être propices à la culture du maïs, et les tisseurs incorporent dans leurs ouvrages des fils sacrés. Quand une femme accouche

s'agit d'une jeune Indienne. Les « Premiers Saignements » font éprouver à la jeune fille une grande fierté. Elle s'empresse de le dire à ses parents, et ceux-ci répandent la nouvelle. La cérémonie qui célèbre l'événement est le *Kinaalda*.

On lui lave les cheveux avec du savon à base de yucca. Pendant trois jours, portant ses plus jolis bijoux, elle va écraser du maïs dans le mortier ancestral. Elle s'allonge tous les jours sur une couverture afin qu'une parente ou une amie proche puisse la masser et la « modeler » pour la rendre aussi belle que la Femme changeante. A l'aube, elle court en direction de l'est, chaque jour un peu plus vite. Le quatrième jour, les femmes plus âgées préparent un

avec peine, ses parentes et amies dénouent leurs cheveux pour « libérer » le bébé. Un Indien chantera éventuellement pour cajoler le nourrisson, tout en l'éventant avec un éventail en plumes d'aigle. Les jumeaux sont la source d'une grande joie, car ils sont le signe de la bénédiction du Peuple saint. Le père fabrique lui-même le berceau du bébé. Lorsque celui-ci y est placé, on lui chante une chanson rituelle :

« *J'ai fait un petit lit pour toi, mon enfant.*
Puisses-tu vivre très vieux.
J'ai fait le fond avec les rayons du soleil.
J'ai fait la couverture avec les nuages.
Et sous ta tête j'ai mis un arc-en-ciel. »

De nombreuses cérémonies ponctuent la vie d'un Navajo. Le rituel est plus complexe quand il

énorme gâteau, qui peut avoir 2 m de diamètre, avec le maïs qu'elle a broyé. Lorsque le gâteau est prêt, la jeune Navajo court une dernière fois avant de distribuer des parts à tous les invités. Elle est à présent une femme, en âge de se marier et de fonder sa propre famille.

Le symbolisme religieux exerce une grande influence sur l'art navajo, qui représente pour la tribu une source importante de revenus. A l'origine, les femmes navajos tissaient uniquement des couvertures dont ils se servaient comme vêtements. Mais après l'arrivée du chemin de fer et des touristes, les commerçants

A gauche, hogan traditionnel dans Monument Valley ; à droite, « peinture de sable ».

blancs ne furent pas longs à découvrir que les voyageurs manifestaient peu d'intérêt pour ces couvertures portées comme des ponchos. Aussi inventèrent-ils des usages différents (décorations murales, couvre-lits, tapis), donnant ainsi naissance à une nouvelle industrie.

Chaque région développa son propre style. Ces « tapis » navajos d'une grande qualité artistique n'ont rien à voir avec les imitations mexicaines bon marché. Les femmes tressent également de belles corbeilles, et les hommes réalisent des bijoux en argent et en turquoises qui figurent parmi les plus beaux qu'on puisse trouver dans le Sud-Ouest. On peut visiter le Navajo Arts and Crafts Center à Window

enseignent au Navajo Community College dont l'architecture moderne en verre et acier respecte néanmoins la forme traditionnelle du *hogan*. Les Navajos de cette fin du XXᵉ siècle partagent certains des avantages de leurs concitoyens blancs mais aussi leurs frustrations, leurs problèmes et leurs anxiétés.

Les Navajos, qui sont près de 150 000, constituent la tribu indienne la plus importante. Leur réserve est plus grande que les États du New Hampshire, du Connecticut, du Vermont et de Rhode Island réunis. Elle possède du pétrole, du charbon, de l'uranium et du bois d'œuvre, ce qui est une source de revenus. Mais cette industrialisation du paysage entraîne des

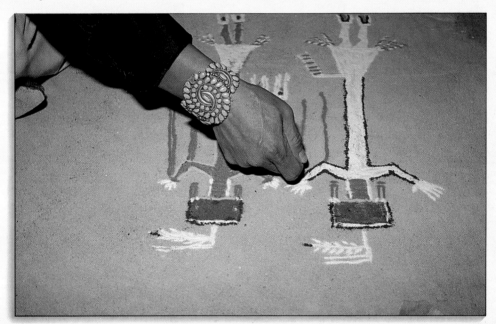

Rock, le centre administratif de la tribu ; mais les couvertures, tapis, paniers et bijoux se vendent dans tous les magasins de la région.

Le « progrès », ce bulldozer géant

Les Navajos qui se détournent de la tradition deviennent avocats, électriciens, policiers (souvent des femmes), ou travaillent dans une agence de voyages. Ils conduisent les grues géantes de la mine voisine exploitée à ciel ouvert ou travaillent sur l'une de ces machines japonaises perfectionnées que possède l'immense scierie appartenant à la tribu. Ils collaborent comme rédacteurs au *Navajo Times*, ou

changements néfastes – pollution, dépendance à l'égard de l'extérieur, expropriations et relogements...

En dépit de toutes ces ressources naturelles, la pauvreté se fait encore sentir un peu partout, et les logements et la protection sociale sont au-dessous des normes communément admises. L'école ne prépare pas les étudiants aux problèmes auxquels ils auront à faire face dans un monde technologique dominé par les Blancs. Les Navajos se battent pour la survie de leur religion et de leur langue devant l'envahissement d'une culture étrangère qui n'est pas supérieure mais plus puissante. Mais les jeunes ne se découragent pas. Ils sont fiers d'être indiens, fiers d'être navajos.

LES HOPIS

Les abords de la réserve ne laissent guère présager un séjour particulièrement attrayant, et pourtant, quiconque aura eu l'occasion, une fois sur place, de rencontrer et de côtoyer des Indiens hopis gardera un souvenir inoubliable de son séjour parmi eux. Si les Hopis aimaient se vanter de leurs qualités, ils se diraient volontiers travailleurs, hospitaliers et serviables. Leurs coutumes et leurs traditions favorisent une telle prédisposition. Aujourd'hui, ces qualités sont surtout manifestes chez les anciennes générations, élevées dans un milieu culturel plus simple. Les influences du monde moderne tendent à neutraliser cet élan naturel chez les jeunes, qui développent une attitude prudente et plus complexe.

Les territoires hopis offrent au regard des terres arides qui semblent décourager toute forme d'existence, ou presque, et pourtant les Hopis s'obstinent à y vivre. Ils arrivent à tirer un rendement maximal de leurs champs, surtout du maïs qu'ils cultivent en variétés infinies. La réserve comprend 11 villages disséminés le long d'une ligne nord-est/nord-ouest qui s'étire sur une cinquantaine de kilomètres autour de Black Mesa, dans le nord-ouest de l'Arizona. Certains d'entre eux existent depuis des siècles et d'autres seulement depuis 1910. Ils abritent 10 000 Indiens étroitement liés par leurs traditions, leurs coutumes et les liens du sang, mais qui se différencient par leur parler et leur système de gouvernement.

La phraséologie et le vocabulaire diffèrent d'un village à un autre, même si la structure de la langue est globalement identique. Ces différences constituent des frontières naturelles et renforcent les particularismes de chaque village. La tradition encourage par ailleurs une certaine autonomie administrative entre les villages, mais ces diversités n'apparaissent qu'à celui qui est familiarisé avec la société hopi.

Hors des réserves et séparées de leurs familles, les jeunes générations hopis sont menacées d'acculturation.

Les parentés

Le système des parentés, encore intact, resserre les liens entre les villages, dans le cadre de la vie collective, qu'il s'agisse de relations familiales, de rites ou de cérémonies. La plupart des Hopis qui ont grandi et vivent dans la réserve savent qui ils sont et d'où ils viennent. Un Hopi vous dira d'abord le nom de son village natal et, si vous l'interrogez plus longuement, il vous révélera certainement son nom hopi et à quel clan il appartient.

Le système des parentés est toute une philosophie, fondée sur l'unité familiale spirituelle. Le lignage est déterminé par la femme. Les enfants des sœurs de la mère et des frères du père sont considérés comme étant frères et sœurs. Les frères de la mère et les sœurs du père sont des oncles et des tantes mais, à la seconde génération, seuls les enfants de l'oncle sont appelés neveux et nièces. Les enfants de la tante ont un statut dicté par les rapports entre clans.

Au-dessus de la structure parentale biologique, la structure du clan admet un univers relationnel unique, composé de frères et de sœurs. Le lignage du clan est également matrilinéaire.

Des légendes, fidèlement transmises dans chaque clan, relatent les migrations importantes intervenues durant la période de la préhistoire dans une vaste région comprenant le sud-ouest des États-Unis, le sud de la Californie et le Mexique. Les récits mythologiques de la Création fournissent la base d'un système de croyances et de pratiques si élaboré et si complet qu'il a fasciné des générations d'érudits à travers le monde.

Rituels et cérémonies

Les Hopis sont un peuple naturellement ouvert et amical dans l'intimité du foyer et plutôt distant en public. Mais il n'est pas rare qu'un *Pahaana* (« homme blanc ») participe aux fêtes de mariage, de naissance ou à une cérémonie kachina.

Les Hopis sont particulièrement sensibles aux goûts des touristes, qu'il s'agisse d'art, de la qualité des services ou des manifestations rituelles, telles les danses kachina qui attirent tant les étrangers. De nos jours, rituels et cérémonies sont sans doute ce qui représente le mieux la culture hopi. La question essentielle pour les Hopis est de savoir comment ils pourront préserver leurs coutumes qui sont en train d'évoluer rapidement sous la pression à la fois intérieure et extérieure de la technologie et du monde modernes.

Ils n'ont aucune envie de renoncer à leurs traditions. Elles leur ont permis de surmonter les nombreuses difficultés et les drames qui sont inhérents à la terre à laquelle ils appartiennent ; une terre qui fait autant partie de leur identité que leurs villages et leurs clans. Le spectre de la perte de leurs traditions et de leurs coutumes plane constamment au-dessus d'activités dont le but est précisément de les perpétuer.

A propos du mariage moderne, un Indien

Les jeunes gens assis autour de la table, qui l'écoutaient, étaient à la fois surpris et fascinés par de tels propos ; personne ne leur avait réellement expliqué ces choses.

Le mariage hopi moderne est un mélange de coutumes hopis et occidentales. La cérémonie dure deux jours, la nourriture à profusion est puisée dans le garde-manger traditionnel et le supermarché, les cadeaux enveloppés sont accompagnés d'aliments typiques de la région, offerts selon la coutume aux familles respectives des mariés, et la table décorée contraste avec les feux de fortune installés en plein air pour préparer le repas. Ainsi vont les choses.

Il en de même d'autres manifestations rituel-

évoquait l'aspect spectaculaire d'une longue caravane de voitures escortant une jeune mariée chez elle, au beau milieu de la cérémonie. Il avait dénombré 20 véhicules, tous chargés de cadeaux pour les parents de la mariée. Il s'était affligé devant l'ignorance patente des deux familles au sujet de la signification véritable de ce retour au foyer parental.

« La jeune mariée retourne seule chez sa mère pour attendre le bon plaisir de son nouveau mari. S'il décide de l'accepter pour femme, il la suit, avec un cadeau de circonstance », dit-il.

Même les Hopis de la seconde génération, nés en ce siècle, auraient du mal à savoir que ledit cadeau se doit d'être une provision de bois, symbole de la terre et du foyer.

les toujours vivaces, telle celle qui célèbre une naissance. C'est ce mélange de l'ancien et du nouveau qui sépare les générations mais, en vérité, ces cérémonies hybrides ont leur propre ambiance, une vitalité et un attrait que nul ne peut nier.

A gauche, tableau représentant la danse des Béliers, vers 1930. A droite, jeunes Hopis portant une coiffure à macarons, au XIXᵉ siècle.

On peut également retrouver ce mariage réussi de l'ancien et du nouveau lors des danses, kachina ou non, organisées durant l'un des nombreux week-ends de l'été.

Les poupées Kachina

Il y a moins d'une génération, les poupées kachina offertes aux enfants hopis incarnaient les esprits qui pénètrent dans le monde des vivants par une ouverture pratiquée dans le sol du kiva ou en empruntant un passage secret dans les montagnes sacrées des San Francisco Peaks, près de Flagstaff.

enthousiastes, c'est l'occasion pour eux de venir se ressourcer dans la réserve.

L'organisation d'une danse kachina met à contribution tout le village. Les Hopis n'hésitent pas à venir de Los Angeles, San Francisco, Denver ou Oklahoma City pour cet événement ; certaines familles habitant Tucson, Phoenix et même Salt Lake City se déplacent tous les mois, voire toutes les semaines. Lorsque la famille se trouve réunie, on peut compter jusqu'à dix véhicules, surtout des camions, devant chaque maison du village. Malgré les provisions achetées dans les supermarchés des centres urbains, la nourriture traditionnelle reste à l'honneur en période de festivités.

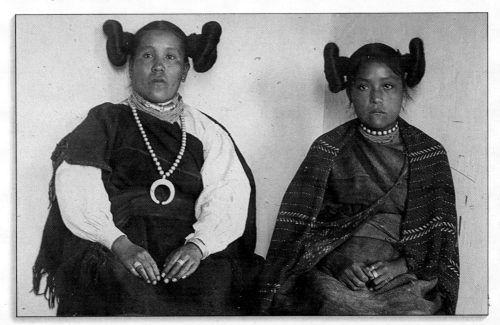

Les danses kachina

Selon l'époque de l'année, les danses kachina ont lieu dans le *kiva* ou sur la place du village. Les danseurs aux masques superbes incarnent les éléments, les qualités et les habitants de l'univers ; les Hopis leur attribuent parfois un rôle spécifique, estimant qu'ils sont une source d'enseignement ou d'inspiration.

Les danses kachina ne constituent pas un événement exceptionnel : chaque village en organise au minimum une par an. Ces manifestations rituelles agissent comme un aimant auprès des Hopis habitant les villes depuis une génération ou deux. Spectateurs et participants

Les jours de danse, le présent et le passé se fondent en une ambiance extraordinaire. Le maïs, mère symbolique des Hopis, est omniprésent à cette occasion, comme dans la plupart des célébrations rituelles.

La cérémonie s'organise autour d'une série de danses, habituellement sept ou huit, avec des interruptions de 30 minutes. Elle commence vers le milieu de la matinée et s'achève au coucher du soleil. Ces manifestations rituelles traduisent un sens de la mise en scène raffiné, tout à fait caractéristique des Indiens pueblos du Sud-Ouest. Indépendamment de leur originalité évidente, ces danses kachina témoignent du talent créateur des Hopis dans les arts de la scène.

LES APACHES

Comme la plupart des Amérindiens du Sud-Ouest, les Apaches contestent la théorie anthropologique selon laquelle ils auraient émigré en Amérique du Nord par le détroit de Béring. Un vieil Apache de San Carlos nous a raconté la version que des générations se sont transmise au cours des siècles :

« Nos ancêtres nous ont dit que nous avons été créés dans cette région où nous vivons aujourd'hui. Au commencement, il n'y avait aucun être vivant sur la Terre-Mère, seulement des esprits. Quand notre peuple fut créé, il fut attaqué par des créatures malfaisantes. En ce temps-là, la "Dame peinte en blanc" accoucha de jumeaux. L'un de ses fils alla chez son père, le Soleil, et revint vers la Terre-Mère sous l'apparence d'un Apache, portant un arc et des flèches et menant plusieurs chevaux. Après avoir enseigné à notre peuple comment utiliser ces choses, il l'aida à se débarrasser des créatures mauvaises. La Terre-Mère devint alors un endroit où notre peuple pouvait vivre en paix. »

Avant leurs premiers contacts avec les Espagnols au début du XVIᵉ siècle, les Apaches et les Navajos se mélangeaient volontiers entre eux. Les deux peuples sont issus de la souche linguistique athapasque et ne possèdent ni histoire ni langage écrits. Les Apaches s'appelaient entre eux « le Peuple », mais pour les autres, c'étaient « les Ennemis ».

Les territoires à travers lesquels les Apaches nomadisaient, chassaient et pratiquaient la cueillette pour se nourrir comprenaient l'Arizona actuel, le Nouveau-Mexique et le nord du Mexique. Tout en étant un peuple homogène, chaque tribu avait son propre territoire de chasse et respectait celui des autres. Leur vie nomade relativement paisible fut brusquement interrompue par l'intrusion d'étrangers sur leurs terres : d'abord les Espagnols, puis les Mexicains et enfin les Anglos.

Les Espagnols et les Anglos

Lorsque Coronado pénétra dans le Sud-Ouest, il introduisit sans le vouloir un nouveau mode de déplacement : le cheval, que les Apaches adoptèrent et utilisèrent plus que toute autre tribu indienne de la région. Le cheval leur servit de bête de somme, de nourriture et de moyen de déplacement, ce qui leur permit d'étendre leurs territoires bien au-delà de leurs limites initiales.

Les Apaches réagirent à la colonisation espagnole et américaine par des raids et des combats qui aboutirent par deux fois au retrait des envahisseurs et à la paix durant une décennie. Le sud de l'Arizona fut l'une des dernières régions du Sud-Ouest à être colonisées par les Espagnols et les Anglos. Contrairement à la croyance populaire, les Apaches menaient des raids non pour saccager mais pour voler le bétail.

En 1853, l'Arizona passa entièrement sous le contrôle des États-Unis. Cet événement ainsi que la découverte de gisements d'or dans

l'ouest des territoires apaches, dix ans plus tard, provoquèrent une arrivée massive de colons et de prospecteurs anglo-américains. L'Arizona Territory Legislature décréta que le seul moyen de contrôler les Apaches était de les exterminer. A Washington, le ministère de l'Intérieur s'opposa à cette politique, et celle-ci fut abandonnée faute de moyens. Le meurtre de 75 femmes et enfants apaches non armés, près de Tucson, par une foule de citoyens en colère et un groupe d'Indiens papagos décida finale-

A gauche et à droite, lors du rituel de la puberté, les danseurs apaches portent des masques saugrenus pour la danse de l'Esprit de la montagne.

ment les autorités américaines à engager une politique de paix – ou prétendue telle.

Cette politique visait à rassembler tous les Apaches dans des réserves où ils devaient vivre de la culture et de l'élevage. Certaines tribus allaient donc être contraintes de quitter leurs terres natales. Contre toute attente, les Apaches accueillirent cette décision avec des sentiments partagés. Certains, lassés de la guerre, souhaitaient s'installer quelque part pour vivre en paix ; mais d'autres, tels Géronimo et Victorio, refusèrent de se soumettre. Quoi qu'il en soit, en 1890, la guerre contre les Apaches était terminée.

Aujourd'hui, les tribus apaches de l'Arizona des Apaches mescaleros se déroulent toutes à la même période de l'année.

On peut encore voir dans les tribus de San Carlos, White Mountain et Mescalero d'impressionnants danseurs masqués – les *gans* – interpréter la danse des Esprits de la Montagne, lors des cérémonies rituelles marquant la puberté. Depuis l'introduction d'un programme de vaccination sur leur réserve, les cérémonies des Apaches jicarillas se font sans danseurs. Les chefs jicarillas ayant en effet décrété que tout Indien vacciné ne pourrait interpréter la danse des Esprits de la Montagne, la plupart des jeunes de la tribu se sont vu écarter.

et du Nouveau-Mexique sont dans une large mesure anglicisées. Nombre de vieilles coutumes sont mortes. Les Apaches luttent à présent pour leur indépendance économique en recourant à la technologie moderne. Dans les dix dernières années, d'éleveurs ils sont devenus salariés. Cependant, dans ces domaines importants que sont la religion, la mythologie et l'artisanat, la culture apache reste intacte.

Cérémonies et activités artisanales

L'Apache Puberty Ceremony a lieu plusieurs fois par an dans les réserves de San Carlos, White Mountain et Jicarilla. Les cérémonies

Lorsqu'une fille a eu sa première menstruation, sa famille peut, si elle le veut et si elle en a les moyens, organiser une cérémonie d'initiation. La jeune fille, qui deviendra femme à l'issue de la cérémonie, devra faire preuve de trois qualités : la force, la patience et la sagesse, et disposer d'un atout – la chance – qui l'aidera toute sa vie durant. La « Dame peinte en blanc » qui les possède les transmet à la jeune Apache en demeurant dans son corps pendant les quatre jours que dure la cérémonie.

Certains objets artisanaux sont encore fabriqués dans les réserves. Les plus intéressants sont les paniers tressés et les jolis ouvrages de perles utilisés lors des cérémonies.

LES PAPAGOS ET LES PIMAS

Chez les Papagos, le nom de famille est important, mais plus encore le lieu d'où l'on vient. Le nom associé à un lieu, une ancienne implantation papago, riche en histoire et culture, inscrit tout indien papago dans une histoire connue de tous les membres de la tribu.

La réserve des Papagos, qui s'étend sur un million d'hectares pour une population de moins de 18 000 Indiens, comprend un certain nombre de petits villages disséminés dans le Sonoran Desert. Un village papago peut très bien avoir l'eau courante mais pas l'électricité. Parfois la grand-mère remplit encore de larges baquets d'eau afin que la famille ne soit pas prise au dépourvu si la pompe tombe subitement en panne. Il n'est pas rare que le voisinage soit composé des membres d'une même famille, quand ce n'est pas le village tout entier. Ces villages ont des noms sans prétention tels : *Si :l Naggia* (« Selle suspendue »), *Hawan Naggia* (« Corneille perchée »), *Hodai Son Wo'o* (« Bassin rocheux »), ou *Gogs Mek* (« Chien brûlé ») et *Kaij Mek* (« Graine brûlée »).

La ville Sells (du nom d'un commissaire indien au Bureau des affaires indiennes), est devenue dans la dernière décennie un véritable melting-pot. La plupart des Indiens s'y sont installés pour une raison précise ; dans l'espoir de trouver du travail auprès du BAI.

L'agglomération urbaine de Sells s'est nichée sous la montagne sacrée *Waw Giwulk* ou *Baboquivari*, où réside le Protecteur des Papagos. Malgré le modernisme des logements, de nombreux Papagos se sentent aussi chez eux dans cette ville. Mais c'est la réserve entière qui est leur foyer, puisqu'elle est située sur leurs anciennes terres. Des noms papagos servent encore à désigner des lieux situés hors de la réserve et préservent ainsi un lien spécial avec eux.

Indien papago de la tribu d'Elmer Campus, à San Xavier (Arizona).

Tucson, dont le nom vient de *Cuk Son* (« Montagne dont la base est noire »), se trouve à l'est de la réserve ; à l'ouest, la ville minière d'Ajo (l'abondance d'aïl sauvage qui pousse dans la région justifie ce nom espagnol). Les Papagos appellent cette région creusée de puits *Moik Wahia* (« Puits d'eau douce »). Sonoyta est au sud (sur la frontière américano-mexicaine), et Pose Verde, ou *Ce:dagi Wahia* (« Puits vert »), au Mexique, pays qui absorba à son profit la majeure partie de leur territoire.

Les maisons en brique rouge de Sells sont entourées de broussailles, où les soirs d'été sont imprégnés des murmures de voix tranquilles, de rires d'enfants et de la musique criarde des postes de radio et de télévision. Tandis que, dans les villages, parviennent jusqu'aux maisons en adobe les cris des bêtes du désert. Qu'ils habitent Sells ou l'un de ces villages, les Papagos se sentent chez eux.

Le point de vue des Pimas

La réserve des Indiens pimas est située à environ 80 km au nord du territoire des Indiens papagos. Ici, les souvenirs sont différents. Un vieil Indien pima raconte : « *Jadis, les gens aimaient travailler ensemble. Quand le blé arrivait à maturité, tout le village participait à la moisson. On le coupait à la main, et on le laissait par terre. Dès que le vent se levait, qu'il fasse jour ou nuit, on se rendait de nouveau dans les champs, pour jeter le blé en l'air afin que la paille et les poussières se détachent. La meilleure époque, c'était quand le vent soufflait par une nuit de pleine lune. On travaillait toute la nuit.* »

Moins de 10 000 Indiens vivent aujourd'hui sur un peu plus de 1 200 ha. Quelques centaines d'Indiens maricopas habitent également dans la Gila River Indian Reservation. Ils sont apparentés par la langue aux Yumas et non aux Pimas.

Les recherches archéologiques et anthropologiques permettent d'établir avec certitude que les Indiens pimas et papagos ne formaient à une lointaine époque qu'un seul et même peuple. On pense qu'ils descendent des Hohokams, ou Hukukams, comme les Indiens les appellent, *« Ceux qui s'en sont allés »*. Linguistiquement, les deux groupes sont très proches ; ils ont une structure sociale assez semblable, et leurs rituels, leurs légendes et leurs chants le sont également. Là encore, ce sont leurs origines géographiques qui les différencient.

Le désert et la rivière

Les Pimas et les Papagos se distinguent les uns des autres en faisant précéder leur nom tribal de références géographiques indiquant l'endroit d'où ils viennent. Les Papagos, qui vivent dans le désert, sont les *Tohono O'odham* (« le peuple du Désert ») et les Pimas, qui vivaient traditionnellement le long des cours d'eau dans une vallée du centre-sud de l'Arizona, s'appellent *Akimel O'odham* (« le peuple de la Rivière »).

On sait grâce aux multiples récits des Espagnols et plus tard des Anglos que le peuple de la Rivière était une société agraire très développée. Le spectacle de centaines de Pimas lançant du blé dans le vent par une nuit de pleine lune était jadis scène commune, mais aujourd'hui, comme le rappelle le vieil Indien pima, tout cela n'existe plus. Depuis la venue des Anglos, les Pimas doivent désormais lutter pour garder le contrôle de la Gila River, dont les eaux sont indispensables à leurs cultures. Son lit, qui serpente à travers leur réserve, est à sec, craquelé, poussiéreux, infesté de lézards, de crapauds cornus et de crotales.

Les Pimas n'ont pas d'agriculture véritablement traditionnelle. Aujourd'hui les seules cultures qu'ils pratiquent sont des cultures irriguées. Mais, malgré la sécheresse des lieux, ils s'y sentent chez eux. Les autres terres de la réserve, comme celles qui bordent la Salt River, ne constituent qu'une modeste partie de ce qu'englobait jadis le territoire des Pimas. La réserve de Salt River vient buter contre les terres de Scottsdale. Une autre bande de terre minuscule (que les Pimas partagent avec les Papagos) est ironiquement appelée *Aki Cin* (« Embouchure de rivière »).

Une acculturation très forte

Les Pimas et les Papagos furent plus ouverts aux influences religieuses et culturelles des missionnaires espagnols qu'aucune autre tribu du Sud-Ouest. A tel point que les jésuites n'avaient pas toujours les moyens de créer les missions demandées. Mais il est fort probable que les Indiens étaient souvent plus intéressés par le bétail des Espagnols que par leur religion. Ce processus d'acculturation fut accéléré par la menace d'un ennemi commun : les Apaches. Il ne fit que se poursuivre avec l'arrivée des troupes américaines, dont les forts consti-

tuaient un refuge bienvenu face aux Apaches. Les Papagos créèrent une armée permanente pour prêter main-forte aux troupes gouvernementales. Dans les années 1930, la plupart des Pimas travaillaient en dehors de la réserve, à Tucson et Phoenix. Ils n'avaient guère le choix car, en creusant des canaux d'irrigation, les colons anglos les avaient privés d'eau.

Après des siècles de luttes contre les éleveurs mexicains et américains pour les points d'eau, de nombreux Papagos commencèrent à élever eux-mêmes du bétail, aujourd'hui une activité traditionnelle.

Les Pimas et, dans un degré moindre, les Papagos sont les tribus les plus acculturées du Sud-Ouest. Depuis l'époque de leurs premiers contacts avec les Blancs, les Pimas sont considérés comme des Indiens amicaux. Au milieu du XIXᵉ siècle, lors de la ruée vers l'or en Californie, les Pimas vendaient des provisions aux prospecteurs blancs et les escortaient à travers les territoires apaches. Durant la guerre contre les Apaches (1861-1886), un grand nombre de Pimas servirent d'éclaireurs à l'armée américaine. A force de contacts étroits avec les Blancs, leur propre culture périclita. Bien que Pimas et Papagos aient conservé leur langue et quelques cérémonies rituelles, et que les paniers tressés par les Papagos soient très recherchés, ils ne diffèrent plus guère de leurs voisins anglos et hispanos par leur style de vie et leurs croyances.

Depuis le milieu du XIXᵉ siècle, les Pimas sont considérés par les Blancs comme des « Indiens amicaux ». Le sourire de cette Indienne l'atteste.

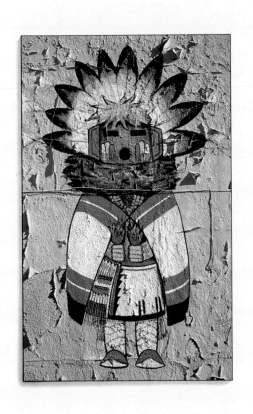

INFORMATIONS PRATIQUES

PRÉPARATIFS ET FORMALITÉS DE DÉPART

PASSEPORT ET VISA

La plupart des ressortissants étrangers peuvent se rendre aux États-Unis sur simple présentation d'un passeport en cours de validité s'ils effectuent un voyage touristique ou d'affaires de moins de 90 jours. Il leur faudra toutefois remplir un formulaire de demande d'exemption de visa, remis par le consulat américain, leur compagnie de transports ou leur agence de voyages avant le départ. Ils doivent également prouver qu'ils sont en possession d'un billet de retour ou à destination d'un autre pays non limitrophe.

Pour tout autre motif de séjour ou pour les touristes entrant aux États-Unis par voie terrestre, il est nécessaire d'obtenir un visa, délivré gratuitement par le consulat des États-Unis.

Une fois admis sur le territoire américain sans visa, il est possible de se rendre au Mexique, au Canada, aux Bermudes, à Saint-Pierre-et-Miquelon, aux Caraïbes et de repasser la frontière américaine, sans restriction sur le choix du moyen de transport utilisé et sur simple présentation d'un passeport.

● France

Paris
– Ambassade : *2, avenue Gabriel, 75008 Paris, tél. 42 60 57 15 ou 42 97 48 23*
– Consulat : *2, rue Saint-Florentin, 75001 Paris, tél. 42 39 84 12*
Bordeaux
22, cours du Maréchal-Foch, 33000 Bordeaux, tél. 56 52 65 95
Lyon
7, quai du Gal Sarrail, 69454 Lyon Cedex 06, tél. 78 24 68 49
Marseille
12, boulevard Paul-Preytal, 13006 Marseille, tél. 91 54 92 00

● Belgique
Boulevard Régent, 27, Bruxelles 1000, tél. (2) 513 38 30

● Canada
– *2, rue Élysées, place Bonaventure, Montréal, tél. (514) 878 43 81*
– *1110, avenue des Laurentides, Québec tél. (418) 688 04 30*

● Suisse
Jubilaumstrasse 93, 3000 Berne, tél. (31) 43 70 11

● Luxembourg
22, bd Emmanuel-Servais, 2535 Luxembourg, tél. (352) 46 01 23

VACCINATIONS

Aucun vaccin n'est exigé pour entrer aux États-Unis.

INFORMATIONS TOURISTIQUES

En France, vous pourrez obtenir des renseignements d'ordre général :
– En écrivant à l'**Office du tourisme**, *Ambassade des États-Unis, 75382 Paris Cedex 08* (joindre trois timbres pour la réponse),
– En consultant le Minitel, *36 15 code USA*,
– En vous adressant au **consulat des États-Unis**, *2, rue Saint-Florentin, 75382 Paris Cedex 08, tél. 42 96 14 88*

ALLER DANS LE SUD-OUEST DES ÉTATS-UNIS

EN AVION

Les États du Sud-Ouest américain sont très étendus, il est donc recommandé de prendre un vol à destination de l'une des villes les plus importantes du territoire. Des correspondances vous permettront alors de rejoindre n'importe quel autre endroit des États-Unis.

Phoenix, Tucson, Las Vegas et même Albuquerque sont desservies par de nombreuses compagnies aériennes internationales, nationales et régionales.

Air France propose ainsi plusieurs vols par semaine à destination de New York avec correspondance pour Phoenix *via* une compagnie américaine. On peut selon le même principe rallier Tucson *via* Houston, San Francisco, New York ou Chicago et Las Vegas *via* New York, Los Angeles, Chicago ou San Francisco.

Air France (*Service central de renseignements et de réservation, 119, av. des Champs-Élysées 75008 Paris, tél. 44 08 24 24*) possède des agences dans toutes les grandes villes françaises. Le plus simple est de consulter l'annuaire ou le Minitel au *36 15* code *AF.*

De nombreuses compagnies nationales américaines desservent les États du Sud-Ouest :

American Airlines
109, rue du Faubourg-St-Honoré, 75008 Paris,
tél. 42 89 05 22
Continental Airlines
92, avenue des Champs-Elysées, 75008 Paris,
tél. 42 99 09 09
Delta Airlines
4, rue Scribe, 75009 Paris,
tél. 47 68 92 92
Tower Air
4, rue de la Michodière, 75002 Paris,
tél. 44 51 56 56
TWA
6, rue Christophe-Colomb, 75008 Paris
tél. 49 19 20 00
United Airlines
34, avenue de l'Opéra, 75002 Paris,
tél. 48 97 82 82

Toutes ces compagnies pratiquent des tarifs vacances, visite et «Apex» (valables pour des séjours de deux semaines à deux mois uniquement). Certaines proposent des «Pass» (*standby pass* ou *coupon air pass*) qui autorisent un certain nombre de voyages en avion pour un tarif forfaitaire. Il est donc conseillé de se renseigner auprès des agences de voyages ou des compagnies aériennes sur les différentes formules existantes.

Certaines compagnies de charters desservent également ces destinations, parmi lesquelles :

Forum Voyages
49, avenue Raymond-Poincaré, 75016 Paris,
tél. 47 27 89 89
Go Voyages
36, rue du Chemin-Vert, 75011 Paris,
tél. 49 23 26 86 ou dans les agences de voyages
Nouvelles Frontières
87, boulevard de Grenelle, 75015 Paris,
tél. 41 41 58 58
Concil Travel Service
16, rue de Vaugirard, 75006 Paris,
tél. 46 34 02 90
Nouveau Monde
8, rue Mabillon, 75006 Paris,
tél. 43 29 40 40
Voyag'air
55, rue Hermel, 75018 Paris,
tél. 42 62 45 45

TOUR-OPÉRATEURS

Americatours
24-26, rue Louis-Armand, 75015 Paris,
tél. 40 60 21 00

Club Aventure
122, rue d'Assas, 75006 Paris,
tél. 46 34 22 60
Circuit en période estivale sur les parcs de l'Ouest américain en minibus avec descentes en raft, randonnées pédestres, etc.
Flâneries américaines
19 bis, rue du Mont-Thabor, 75001 Paris,
tél. 44 77 30 40
Voyages individuels à la carte.
Jet Tours
19, avenue de Tourville, 75007 Paris,
tél. 47 05 01 95
Voyages individuels ou accompagnés.
Pacific Holidays
34, avenue du Général-Leclerc, 75014 Paris,
tél. 45 41 52 58
Voyages individuels à la carte.
R. A. Marketing (Discover America)
85, avenue Émile-Zola, 75015 Paris,
tél. 45 77 10 74
Itinéraires à la carte, réservations hôtelières, locations de véhicules.
Voyageurs aux États-Unis
55, rue Sainte-Anne, 75002 Paris,
tél. 42 86 17 30

A L'ARRIVÉE

DOUANES

Les formalités de douanes, obligatoires, peuvent être assez longues. Pour perdre le moins de temps, soyez prêts à ouvrir vos bagages pour l'inspection et gardez en mémoire les restrictions suivantes :
– Il n'existe aucune limite quant à la somme d'argent que vous pouvez emporter avec vous. Toutefois, si le montant dépasse 10 000 $, vous devrez remplir un formulaire.
– Les objets personnels (vêtements, bijoux, appareil photo, radio portative, jumelles, machine à écrire, etc.) sont exempts de droits.
– Les adultes sont autorisés à emporter pour leur usage personnel 1 l d'alcool, 200 cigarettes ou 50 cigares ou 2 kg de tabac ou les trois en quantité proportionnelle.
– Vous pouvez emportez des cadeaux d'une valeur n'excédant pas 400 $, exempts de droits et taxes.
– Si vous suivez un traitement médical avec des produits entraînant une accoutumance, il vous faudra présenter une ordonnance (en anglais si possible), ou un certificat médical attestant leur nécessité.

– Il est possible, avec quelques restrictions, d'emmener avec soi des chiens, des chats et autres animaux domestiques.

Pour tout renseignement complémentaire, vous pouvez contacter :

U. S. Customs
1301, Constitution Ave. NW, Washington DC, tél. (202) 566-8195

FUSEAUX HORAIRES

Les États-Unis sont découpés en quatre fuseaux horaires avec une heure de décalage chacun ; les États du Sud-Ouest se trouvent dans celui de la Mountain Standard Time, à l'exception de Las Vegas, qui s'aligne sur la Pacific Standard Time. Lorsqu'il est midi à Phoenix, il est 11 h à Los Angeles, 13 h à Las Vegas, 14 h à Chicago, 15 h à New York et 23 h à Paris.

Tous les États adoptent l'heure d'été du dernier dimanche d'avril au dernier dimanche d'octobre en avançant les montres d'une heure, l'Arizona mis à part.

MONNAIE ET CHANGE

L'unité monétaire américaine est le dollar ($ 1.00), divisée de façon décimale en 100 cents. Il existe des pièces de 1 cent (penny), de 5 cents (nickel), de 10 cents (dime), de 25 cents (quarter) et de 50 cents ; ainsi que des billets de 1, 2, 5, 10, 20, 50, 100, 500 et 1 000 dollars. Attention, les billets sont tous de la même couleur (verts) et du même format, vérifiez donc bien le montant imprimé dessus.

Vous pourrez changer votre argent dans les aéroports, certains hôtels et les grandes banques (toutes n'acceptent pas de changer les devises étrangères). Prenez plutôt des chèques de voyage en dollars. Ils sont acceptés dans les banques, les hôtels, les restaurants, etc.

Les cartes de crédit (American Express, Diner's Club, Mastercard ou Eurocard et Visa) sont acceptées dans la plupart des hôtels, restaurants, grands magasins, agences de voyages, stations-service, etc. Elles servent de caution pour louer un véhicule ou pour réserver une chambre d'hôtel par téléphone. La Mastercard et la Visa permettent les retraits en espèces dans les banques.

POURBOIRES

Aux États-Unis, les pourboires constituent une large part du salaire de certains employés.

Pour vous conformer aux usages, il faudra donc donner en pourboire de 15 à 20 % de la note que vous aurez à payer dans les taxis, les restaurants, les salons de coiffure, etc.

Pour les bagagistes, le tarif est environ de 25 à 50 cents par sac. Les portiers ne reçoivent pas de pourboires, à moins qu'ils ne vous rendent un service particulier. Enfin, en cas de séjour prolongé dans un hôtel, pensez à déposer 1 ou 2 dollars sur l'oreiller à l'intention de la femme de chambre.

En revanche, on ne laisse pas de pourboire dans les stations-service, les cinémas, les théâtres, les cafétérias et les fast-foods.

A SAVOIR UNE FOIS SUR PLACE

COURANT ÉLECTRIQUE

Le courant est de 110/115 volts et 60 périodes. Les prises de courant sont différentes de nos normes (broches plates). Il est donc indispensable de se munir d'un adaptateur.

POIDS ET MESURES

Malgré quelques tentatives de conversion au système métrique, les États-Unis continuent d'utiliser leurs échelles traditionnelles Voici donc l'indispensable table de conversion :

Longueur
1 yard	91,4 cm
1 foot (ft.)	30,5 cm (3 feet = 1 yard)
1 inch (in.)	2,54 cm (12 inches = 1 foot)

Distance
1 mile	1,609 km

Capacité
1 gallon	3,785 litres
1 quart	0,9 litre (4 quarts = 1 gallon)
1 pint	0,473 litre

Poids
1 ounce (oz)	28,35 g (16 ounces = 1 pound)
1 pound	454 g

Température
La conversion centigrade/Fahrenheit est assez complexe. Toutefois retenez que l'eau gèle à 32° F, qu'une température moyenne (20° C) équivaut à 68° F et qu'on commence à avoir de la fièvre un peu en dessous de 100° F.

HEURES D'OUVERTURE

Bureaux et magasins sont généralement ouverts de 9 h ou 10 h à 17 h ou 18 h, sans interruption. La plupart des banques sont ouvertes entre 10 h et 15 h et ferment à 16 h ou 17 h une fois par semaine. Le public a accès aux guichets le samedi matin. Les distributeurs de billets, qui fonctionnent 24 h sur 24, restent donc le service le plus pratique.

JOURS FÉRIÉS

New Year's Day : 1er janvier
Martin Luther King's Birthday : 15 janvier
President's Day : 18 février
Texas Independence Day : 2 mars (au Texas)
Easter Sunday : dimanche de Pâques
Jacinto Day : 21 avril (au Texas)
El Cinco de Mayo : 5 mai
Memorial Day : dernier lundi de mai
Emancipation Day : 19 juin (au Texas)
Independence Day : 4 juillet
Pioneer Day : 24 juillet (dans l'Utah)
Lyndon B. Johnson's Birthday : 27 août (au Texas)
Labor Day : 1er lundi de septembre
Columbus Day : 2e lundi d'octobre
Veterans' Day : 11 novembre
Thanksgiving Day : 4e jeudi de novembre
Christmas Day (Noël) : 25 décembre

MÉDIAS

● Télévision
Les grandes villes possèdent leurs stations locales qui émettent en direct ou relaient les grands réseaux nationaux (ABC, CBS, NBC et PBS, ou CNN, la célèbre chaîne d'information continue).

La télévision est un élément fondamental de l'univers américain. Quelle que soit votre opinion sur ce média, il est toujours instructif d'y jeter un coup d'œil. Vous retrouverez ainsi en V. O. la plupart des feuilletons et des jeux aujourd'hui distribués en France.

Tous les hôtels et motels sont désormais équipés de télévisions; et certains établissements sont abonnés au câble (Cable TV ou HBO), vous devrez en général payer un supplément pour recevoir ses programmes.

● Presse écrite
Toutes les villes, petites ou grandes, publient leur propre journal. On y trouve toutes les informations utiles sur les événements locaux, spectacles, night-clubs, etc.

POSTE ET TÉLÉCOMMUNICATIONS

● Services postaux
Les bureaux de poste sont ouverts de 9 h à 17 h, du lundi au vendredi; certains ouvrent le samedi et, dans les grandes villes, 24 h sur 24. Si vous n'avez pas d'adresse fixe, vous pouvez faire adresser en poste restante (*General Delivery*) votre courrier que vous retirerez sur simple présentation d'une pièce d'identité à la poste centrale (*Main Post Office*) de n'importe quelle ville.

Les bureaux de poste ainsi que quelques compagnies privées assurent également un service de distribution rapide (*express mail*). Consultez les pages jaunes de l'annuaire à « Delivery Service ».

On peut acheter des timbres ailleurs que dans les bureaux de poste, en utilisant les distributeurs automatiques installés dans les hôtels, les drugstores, les gares, les aéroports. Les hôtels se chargent généralement des envois courants comme lettres et cartes postales.

● Télégramme et télex
Western Union (*tél. [800] 325 6000*) et **International Telephone and Telegraph** (*tél. [800] 257 2241*) prendront vos télex et vos télégrammes par téléphone.

● Téléphone
Des cabines publiques sont installées un peu partout, dans les halls d'hôtel, les magasins, les restaurants, les stations-service, etc. Un appel local coûte 25 cents. Il est possible de demander un *oversea call* depuis une cabine (dans ce cas prévoyez de la monnaie en quantité ou demandez à imputer le paiement sur votre carte de crédit).

En cas de problème, il suffit de composer le *0* pour être en liaison avec une opératrice. Si cette dernière n'est pas en mesure de vous aider, elle vous mettra en communication avec le service compétent. Composez le *411* pour obtenir les renseignements locaux et le *555 12 12* précédé de l'indicatif local pour les renseignements longue distance à l'intérieur des États-Unis (l'appel est gratuit).

Si vous désirez des renseignements sur les numéros gratuits (commençant par *800*), composez le *1 (800) 555 12 12*.

Les tarifs réduits pour les appels longue distance s'appliquent à partir de 17 h, tous les jours de la semaine. Pour appeler la France, composez le *0* et demandez un *oversea call*. Si vous désirez un PCV, précisez que vous voulez un *collect call* ou *reverse charge call.* Lorsque vous êtes rattaché à l'automatique, vous obtenez directement la communication en composant le *011 33* suivi des huit chiffres de votre correspondant français.

CLIMAT

Les États du Sud-Ouest américain jouissent, dans l'ensemble, d'un climat ensoleillé, peu humide et à faibles précipitations.

Arizona: cet État bénéficie de quelque 290 jours d'ensoleillement par an. La moyenne des précipitations annuelle est de l'ordre de 30 cm. A Phoenix, la température moyenne atteint 38° C l'été et tombe à -1° C en hiver. Les précipitations, pour cette ville, sont réduites à environ 18 cm par an. Flagstaff, à 230 km au nord de Phoenix, connaît des moyennes estivales de 21° C à 27° C et des moyennes hivernales de -9° C. Les précipitations annuelles s'élèvent à 2 100 mm. Juillet, août et décembre sont les plus pluvieux.

Grand Canyon: les jours de canicule, il peut faire 32° C au sommet du Grand Canyon et 38° C au fond des gorges. Les orages éclair sont fréquents. Dans l'ensemble, le climat est plus agréable au printemps et en automne.

Nouveau-Mexique: cet État bénéficie d'environ 255 jours d'ensoleillement annuel. L'ensemble de la région connaît de violentes averses orageuses en juillet-août. L'enneigement, de décembre à mars, atteint 5 cm, dans le sud de la vallée du Rio Grande, à 750 cm dans le nord des montagnes centrales.

A Albuquerque, les températures grimpent jusqu'à 32° C en été pour chuter à -7° C en hiver. Santa Fe, ville située à seulement 95 km au nord, mais à plus haute altitude, enregistre des maxima de 26° C en juillet et des minima jusqu'à -9° C en janvier. Dans les villes de montagne, les températures sont toujours plus fraîches de quelques degrés.

Utah: la région des parcs de l'Utah connaît des journées ensoleillées, des nuits plus fraîches et de faibles précipitations. En été, on enregistre de grands écarts entre les températures diurnes et nocturnes. Les températures estivales peuvent grimper jusqu'à 38° C. Arches National Park enregistre les températures les plus élevées en été, de 43° C à 46° C. Bryce Canyon est un endroit plus frais et connaît en juillet-août des moyennes de 27° C le jour et 7° C la nuit.

Las Vegas: de juin à septembre, les températures diurnes descendent rarement au-dessous de 38° C. Le printemps et l'automne sont des saisons courtes durant lesquelles les températures avoisinent 21° C. En hiver, elles oscillent entre 10° C et 16° C. Toutefois, au cours des nuits de janvier et de février, le thermomètre frôle 0° C.

SANTÉ

Aux États-Unis, les soins médicaux sont extrêmement onéreux. Pour recevoir ces soins, il faut être en mesure de les régler aussitôt, en espèces ou en chèques de voyage. Il est donc indispensable de contracter une assurance-maladie et assistance avant votre départ. Les plus célèbres organismes d'assurance-assistance sont:

– Europ Assistance
25, rue Chaptal, 75009 Paris,
tél. 42 85 85 85

– Mondial Assistance
2, rue Fragonard, 75807 Paris Cedex 17,
tél. 40 25 52 04

– A.V.A.
26, rue La Rochefoucauld, 75009 Paris,
tél. 48 78 11 88

Vous pouvez acheter des médicaments sans ordonnance dans les drugstores (Skaggs Drug Center, Wallgreens, King Copper, etc.).

Enfin, sachez que, sur présentation de factures, la Sécurité sociale rembourse les frais médicaux engagés aux États-Unis lors de congés payés.

PRÉCAUTIONS SANITAIRES

On trouve quelques serpents à sonnette et serpents-corail dans le Sud-Ouest américain. Leur morsure est, heureusement, rarement mortelle (3% des cas, généralement de jeunes enfants). Afin de vous protéger, tâchez de marcher dans des endroits dégagés, soyez prudent sur les terrains rocailleux, faites du bruit lorsque vous marchez dans l'herbe et évitez les lieux envahis par une végétation luxuriante où des serpents pourraient avoir élu domicile. Veillez à secouer les draps, les couvertures ou les vêtements qui ont traîné sur le sol et portez de solide bottes de marche. Si vous vous promenez sur une route déserte à la tombée de la nuit, munissez-vous d'une lampe de poche. En effet, à la tombée du jour, les serpents aiment rester sur le macadam qui a gardé la chaleur de la journée.

Une seule variété de lézard venimeux, le *gila monster*, sévit dans la région. N'ayez toutefois aucune inquiétude car le gila est facilement repérable et ne se manifeste que rarement.

Il existe une multitude d'insectes dans le Sud-Ouest américain mais, heureusement, ils sont rarement dangereux. La punaise «qui embrasse» (*kissing bug*) est un insecte noir d'aspect curieux qui occasionne de désagréables piqûres. On trouve également des fourmis rouges qui piquent et diverses sortes de guêpes et d'abeilles. Plus inquiétants sont les araignées noires, dites «veuves noires», et les scorpions. Ces derniers sortent la nuit; munissez-vous donc d'une lampe de poche, le soir, dans le désert. Veillez à secouer vos couvertures, vêtements et chaussures, le matin.

Évitez de boire l'eau des ruisseaux en aval des pâturages ou à proximité d'une agglomération. Le *giardia* est un micro-organisme particulièrement nocif qui peut facilement gâcher un voyage. Afin d'éliminer ce microbe, il suffit de faire bouillir l'eau pendant au moins une minute; à haute altitude, l'opération prendra trois à cinq minutes.

Si vous vous promenez dans les régions désertiques du Sud-Ouest, ne vous aventurez pas hors des pistes et portez des pantalons longs pour vous protéger des cactus. Certaines personnes sont en effet allergiques à des espèces piquantes de cactus.

Enfin méfiez-vous de la réverbération du soleil sur la neige, l'eau ou dans les régions désertiques, qui peut occasionner de graves brûlures. A haute altitude, l'effet conjugué du froid, de l'air raréfié et de l'alcool provoque parfois une hypothermie, la température du corps tombant en dessous de 35° C. Les symptômes sont alors: somnolence, désorientation, augmentation des urines. Conduisez le malade à l'hôpital le plus vite possible; sinon couvrez-le de couvertures, mais n'utilisez ni eau chaude, ni séchoir électrique et ne frottez pas sa peau.

NUMÉROS D'URGENCE

D'une manière générale, il existe deux numéros d'urgence. Le *911* met en contact avec la police, les pompiers ou les ambulances. Mais en cas de problème particulier, vous pouvez aussi composer le *0* pour obtenir l'opératrice. Elle vous mettra alors en relation avec le service adéquat.

PHOTOGRAPHIE

Vous trouverez sur place tous les types de films et vous pourrez faire développer vos pellicules en 24 heures, parfois moins, chez les photographes, dans les drugstores ou dans certains kiosques à journaux.

COMMENT SE DÉPLACER

LIGNES AÉRIENNES INTÉRIEURES

Certaines compagnies aériennes proposent des forfaits «Pass» que vous devez vous procurer en France à votre départ auprès de:

Air Nevada: *tél. 44 77 88 08*
Aloha Airlines: *tél. 40 74 00 04*
American Airlines: *tél. 42 89 05 22*
American West Airl: *tél. 43 59 00 34*
Continental Airlines: *tél. 42 99 09 09*
Delta Air Lines: *tél. 47 68 92 92*
Kiwi Airlines: *tél. 40 74 00 04*
Northwest Airlines: *tél. 42 66 90 00*
Scenic Airlines: *tél. 45 77 10 74*
TWA: *tél. 48 19 20 00*
United Airlines: *tél. 48 97 82 82*
USA Air: *tél. 49 10 29 00*
US Air (province): *tél. 05 00 30 00*

Comme partout aux États-Unis, il existe plusieurs compagnies aériennes locales qui assurent des vols réguliers à partir des aéroports internationaux vers des villes de moindre importance ou qui relient des destinations touristiques (le Grand Canyon, les parcs nationaux).

Voici une la liste des compagnies les plus importantes avec leur numéro de téléphone:

Air Nevada: *tél. (800) 634 6377*
Golden Pacific Airlines: *tél. (800) 352 3281*
Havasu Airlines: *tél. (800) 528 8047*
Las Vegas Airlines: *tél. (800) 634 6851*
Scenic Airlines: *tél. (800 634 6801*
Sky West Airlines: *tél. (800) 453 9417*
Southwest Airlines: *tél. (602) 273 1221*

Le Grand Canyon possède son propre petit aéroport desservant des vols réguliers en provenance de Phoenix et Las Vegas. Un bus assure la navette jusqu'au Grand Canyon Village.

EN TRAIN ET CAR

La compagnie ferroviaire **Amtrack** assure un service intervilles à travers une grande partie du Sud-Ouest. La ligne Southwest Limited, qui relie Chicago à Los Angeles, dessert Raton, Las Vegas, Lamy, Albuquerque et Gallup au Nouveau-Mexique. Elle traverse ensuite l'Arizona en passant par Winslow, Flagstaff, Phoenix, Seligman et Kingrnan.

La ligne Lamy Stop permet de rejoindre Santa Fe et la Desert Wind va de Denver à Las Vegas en s'arrêtant à Salt Lake City. La Pioneer part de Chicago à destination de Salt Lake City *via* Denver. La Sunset Limited relie Lordsburg et Deming (Nouveau-Mexique) à El Paso (Texas) au cours de son trajet Los Angeles-La Nouvelle-Orléans.

Vous bénéficierez de réductions très avantageuses en achetant votre forfait en France auprès de la compagnie Amtrak (tarifs spéciaux pour les enfants de moins de 12 ans). Pour tout renseignement :

● en France
19 bis, rue du Mont-Thabor, 75001 Paris,
tél. 44 77 30 16
● aux États-Unis
tél. 800-872 7245 (appel gratuit)

En ce qui concerne les bus, la compagnie **Greyhound-Trailways** dispose d'un réseau impressionnant à travers tout le Sud-Ouest. Des forfaits «Ameripass» sont proposés mais doivent être achetés obligatoirement avant le départ de France.

Une autre compagnie, la Gray Lines, propose une série d'excursions touristiques. Pour tout renseignement :

● en France
Greyhound-Trailways
208, avenue du Maine, 75014 Paris,
tél. 40 44 81 29
● aux États-Unis
Greyhound-Trailways : *tél. (800) 528 0447*
Gray Lines : *tél. (800) 634 6579*

EN VOITURE

La voiture est, de loin, le moyen de transport le plus souple et le plus pratique pour voyager dans le Sud-Ouest. Les routes sont en bon état et l'essence est relativement bon marché.

Vous pourrez vous procurer des cartes routières auprès des offices de tourisme ou dans la plupart des librairies et des drugstores. L'une des meilleures cartes, éditée par Rand McNally, s'intitule *Road Atlas of the US, Canada and Mexico*. Il est conseillé d'écouter les stations de radio locales et de se renseigner auprès des gardiens de parcs nationaux ou des services autoroutiers sur les conditions climatiques.

En automne et en hiver, votre voiture devra être équipée de pneus-neige ou de chaînes. Prévoyez également un grattoir à glace si vous conduisez en montagne.

Vérifiez soigneusement l'état de vos pneus avant d'entreprendre de longs trajets sur les routes du désert. La chaleur augmentant leur pression, veillez à ne pas faire gonfler vos pneus à bloc. Détail essentiel : emportez toujours avec vous des réserves d'eau, indispensables dans le désert. Prévoyez un gallon (3,78 l) minimum par personne. Emportez également des provisions. Les villes ne sont pas toutes équipées de stations-service et certaines ferment tôt ; prévoyez donc toujours un jerricane d'essence et surveillez le niveau du réservoir.

Des orages soudains peuvent éclater en été et au début de l'automne. Pendant cette période, les conducteurs doivent éviter les *arroyos* à sec (points de drainage ou « caniveaux »). Des tempêtes de sable se produisent aussi parfois dans les régions désertiques ; elles sont particulièrement violentes sur la I-10 en Arizona, entre Casa Grande et Elroy. Si un tel phénomène survenait, il est conseillé de garer son véhicule le plus loin possible de la route et d'attendre que la tempête s'apaise, tout en laissant les feux allumés afin d'être repéré par les autres automobilistes.

S'il vous arrivait d'avoir des problèmes mécaniques sur une route isolée, ou de vous perdre, n'abandonnez pas votre voiture en partant à pied, même avec des réserves d'eau. Il est plus facile pour les secours de repérer, du ciel, une voiture sur une route qu'une personne. De plus, un véhicule permet de s'abriter lorsque le temps n'est pas au beau fixe. Attendez que l'on vous retrouve plutôt que de partir chercher vous-même de l'aide.

Enfin, nous vous conseillons d'adhérer à l'*American Automobile Association*. En plus d'un service de dépannage d'urgence, la *AAA* met à votre disposition des cartes et des guides de voyage.

American Automobile Association
811, Gatehouse Rd., Falls Church, VA 22047,
tél. 703-222-6334

● **Permis de conduire**
Le permis français est accepté, même si les policiers sont plus habitués au permis international (il est très peu onéreux et est délivré dans les préfectures).

● **La circulation**
La priorité à droite n'est valable que lorsque deux voitures arrivent en même temps à un croisement. Sinon le premier arrivé passe le premier. Tout le monde observe cette règle.

Les croisements se font « à l'indonésienne », c'est-à-dire que les voitures tournent au plus court, sans contourner un rond-point imaginaire. Les vitesses sont strictement limitées, et la police dispose de systèmes radar perfectionnés. Les amendes sont chères et les policiers intransigeants. En ville, respectez les interdictions de stationner (*No Parking*), sous peine d'envoi en fourrière. Lorsqu'un bus scolaire s'arrête et met en marche ses feux clignotants, les voitures ont l'obligation de s'arrêter; les contrevenants à cette règle sont très sévèrement sanctionnés.

● **Les routes**
Comme tous les pays du monde, les États-Unis disposent de routes de différentes catégories. Les *parkways* ou *expressways* sont des routes à quatre voies, payantes pour la plupart. Les *turnpikes* sont des autoroutes à péage, mais elles peuvent être très mal entretenues. Les *interstates* sont des autoroutes gratuites (sauf quelques sections) bien équipées (aires de repos, notamment). Les routes secondaires sont désignées par l'abréviation « US » suivie d'un numéro. Toutes les routes sont donc caractérisées par une abréviation, un numéro, et l'indication de la direction. Par exemple, l'Interstate 5 en direction de l'ouest sera indiquée ainsi : I-5 W.

● **Location de voitures**
On trouve des compagnies nationales de location de voitures dans tous les aéroports et dans la plupart des centres touristiques. Ces grandes agences de location offrent un choix impressionnant de voitures et des services extrêmement complets. Toutefois, ce sont également les plus chères. Les agences de location régionales de taille plus réduite sont meilleur marché, mais les services qu'elles proposent et leur choix de voitures sont souvent restreints.

Il faut généralement être âgé d'au moins 21 ans et posséder une carte de crédit pour pouvoir louer une voiture. Vérifiez bien les conditions d'assurance ; la couverture étant souvent minimale, il est recommandé de prendre des assurances complémentaires.

Renseignez-vous sur les forfaits kilométriques, en particulier lorsque vous comptez faire un long voyage. Une règle simple s'impose : si vous souhaitez rouler beaucoup, préférez les tarifs à la journée les plus chers avec le prix au kilomètre le moins élevé (la formule « kilométrage illimité » est souvent la plus intéressante). Les prix changent aussi en fonction du modèle de voiture que vous choisirez (les plus abordables sont les *economy* et les *subcompact*). Enfin, les prix divergent d'une agence à l'autre. Voici quelques numéros de téléphone gratuits.

GRANDES COMPAGNIES :
Avis : tél. (800) 331 1212
Budget : tél. (800) 527 0700
Dollar : tél. (800) 421 6868
Hertz : tél. (800) 654 3131
National : tél. (800) 227 7368
Thrifty : tél. (800) 331 4200
Tilden : tél. (800) CAR-RENT

PETITES COMPAGNIES :
Ajax Rent-a-Car : tél. (800) 762 7791
Travel-Car : tél. (800) 545 0914
Alamo Rent-a-Car : tél. (800) 327 9633
Al Rent-a-Car : tél. (800) 527 0202

Vous pouvez également réserver une voiture en France en choisissant entre divers forfaits (location à la journée, à la semaine, etc.). Avant de partir, assurez-vous que votre coupon certifie le paiement de la location, qu'y figurent les adresses des agences de location auxquelles vous aurez affaire, et que vous avez sur vous le numéro de téléphone du loueur en France, au cas où vous rencontreriez des problèmes sur place.

AGENCES À PARIS
Alamo Rent-a-Car : tél. 05 44 78 07
Avis : tél. 46 09 92 12
Budget : tél. 46 86 65 65
Dollar Rent-a-Car : tél. 49 38 77 77
Hertz : tél. 47 88 51 51
USA Rent-a-Car : tél. 46 97 80 31
National : tél. 30 43 82 62

● **Services des autoroutes**

Arizona Department of Transportation
100 N., Stone Ave., Phoenix, AZ 85002,
tél. (602) 628-5313
Nevada State Department of Transportation
1263, South Steward St., Room 206,
Carson City, NV 89712,
tél. (702) 687-6006
New Mexico Highway Department Public Information Office
1120, Cerrillos Rd., Santa Fe, NM 87503,
tél. (505) 827-5213
Utah Department of Transportation
4501, South 2700 West,
Salt Lake City, UT 84119,
tél. (801) 965-4104

EN CAMPING-CAR (RECREATIONAL VEHICLE)

Si vous optez pour cette formule, vous aurez à choisir entre différents types de véhicules. Le plus petit est le *pop-up*, ou *trailer tent*. Il s'agit, en fait, d'une simple voiture équipée d'une tente dépliable, relativement encombrante et difficile à manœuvrer. Le modèle au-dessus est le camping-car, *van* ou *minibus*. Quatre ou cinq personnes peuvent y loger dans des couchettes exiguës mais confortables, et disposent d'un coin-cuisine. Le modèle suivant est le *motor home,* ou *house trailer*. C'est le mastodonte de la route, une véritable maison posée sur roues, avec eau courante, cuisine, salle de bains, chambres à coucher, et tout le confort moderne.

Sachez toutefois que cette formule de voyage est la plus onéreuse et, en fait, la moins pratique, car il faudra rapporter le camping-car à son point de départ.

ASSOCIATIONS DE RECREATIONAL VEHICLES :
Beach Bend Rd.
P. O. Box CW, Bowling Green, KY 42101, tél. (800) 626 6189

Recreational Vehicle Industry Association
1896 Preston White Dr., Reston, VA, tél. (703) 968 7722

EN AUTO-STOP

L'auto-stop est illégal sur toutes les autoroutes (mais pas sur les bretelles d'accès) et les nationales ainsi que sur de nombreuses autres voies. C'est, de toute façon, le moyen de transport le plus risqué. De plus, il est rendu extrêmement aléatoire par la faible cuirculation dans certaines régions.

Si vous décidez quand même de vous déplacer en auto-stop, tâchez de consulter les petites annonces dans les universités, sinon arborez un drapeau français. En général, les Américains aiment bien la France !

NATURE ET LOISIRS

LES PARCS NATIONAUX

Les parcs nationaux sont administrés par le Department of the Interior et le National Park Service. Ils ont été créés dans le but de protéger l'environnement de sites particulièrement beaux et spectaculaires. Lieux de détente et de loisirs, ces parcs sont aménagés afin de répondre aux désirs des vacanciers (chemins de randonnées pédestres ou équestres, aires de pique-nique, activités sportives...).

L'accès aux parcs nationaux est payant ; certaines zones peuvent être interdites aux véhicules motorisés. En achetant un « Golden Eagle Passport », il est possible d'obtenir des entrées gratuites ou des réductions importantes sur la totalité des parcs nationaux et des « monuments » aux États-Unis. Des réductions sont consenties aux personnes âgées d'au moins 62 ans en possession d'un « Golden Age Passport » (obtenu gratuitement). Les personnes aveugles ou handicapées peuvent également l'obtenir gratuitement.

● Utah

Pour tout renseignement sur les parcs nationaux de l'Utah, s'adresser au :

National Park Service
125, South State, Salt Lake City, UT 84138, tél. (801) 524 4165

Dans ces parcs, vous pourrez pratiquer de nombreuses activités mais en veillant toujours à respecter l'environnement ; l'État inflige une amende pour toute fouille, appropriation, dégradation ou destruction de ruines préhistoriques, sites ou objets anciens ; la chasse est interdite dans les parcs nationaux et les feux de camp ne sont autorisés que sur certains terrains de camping.

La pêche est autorisée dans tous les parcs à condition d'être en possession d'un permis de pêche délivré par l'État de l'Utah. Mais la plupart des cours d'eau ne sont guère poissonneux, excepté la Fremont River, dans le Capitol Reef. Si l'on souhaite plus de renseignements concernant la chasse, la pêche et les réserves ornithologiques, s'adresser à : Utah Division of Wildlife Resources, *1596, West North Temple, Salt Lake City, 84116, tél. (801) 533 9333*

Les randonneurs pédestres doivent signer le registre des entrées, informer les rangers de leurs projets et demander une autorisation s'ils décident d'explorer des régions reculées.

Pour pratiquer la varappe, une autorisation est également nécessaire et un guide conseillé, car le grès est une roche tendre qui offre des prises souvent dangereuses. Pour en savoir plus sur les randonnées, les descentes de rivière, la géologie, les curiosités touristiques, les campings, s'adresser au :

Bureau of Land Management, Office of Public Affairs, *University Club Building, Room 1500, 136, South Temple, Salt Lake City, 84111; tél. 801 524-4227*

Il est conseillé de visiter les Arches, Canyonlands et Capitol Reef en véhicules tout terrain. Vous ne devrez toutefois jamais vous écarter des routes répertoriées.

Arches National Park

A 8 km au nord de Moab, accès par les routes US-163 et 191. Ouvert toute l'année. Environ 90 arches naturelles sont disséminées dans le parc. La faune est composée, notamment, de daims, coyotes, renards, écureuils, rats-kangourou et diverses variétés d'oiseaux. Le parc est traversé sur toute sa longueur d'une route carrossable et sillonné de nombreux sentiers très bien entretenus. Les visiteurs sont priés d'informer les rangers de leur destination, date de retour, et d'éviter de s'engager sur un sol trop sableux. Le Visitors Centre, situé à 8 km au nord de Moab, près de la route US-191, ouvert tous les jours, organise des expositions et des projections de diapositives. Campings dans le parc et à proximité. Hébergement à Moab ou Green River.

Arches National Park, Box 907, Moab, UT 84532, tél. (801) 259 8161

Brice Canyon National Park

Dans le sud-ouest de l'Utah, à l'est de la ville de Cedar. Certaines routes étant fermées en hiver, se renseigner auprès des rangers. Le parc est situé sur un plateau à une altitude de 2 500 à 2 700 m. Les promenades à pied ou à cheval sont conseillées pour profiter pleinement des lieux. Un réseau de sentiers plus ou moins longs en facilite l'exploration. Le Visitors Center, à l'extrême nord du parc, près de la route U-12, et un terrain de camping sont ouverts toute l'année (eau disponible seulement les mois d'été). Hébergement possible dans le parc et à Cedar, Escalante, Hatch, Panguitch.

Bryce Canyon National Park, Bryce Canyon, UT 84717, tél. (801) 834 5322

Canyonlands National Park

Dans le sud-ouest de l'Utah, à 18 km au sud de Moab. Ouvert toute l'année. Ces canyons spectaculaires ont été creusés par le Colorado et la Green River. Pour connaître l'état des routes, s'adresser aux postes de rangers situés dans le nord et le sud du parc. Des guides sont mis à la disposition des touristes à Moab ou Monticello pour les excursions en Jeep, avion ou canot pneumatique. Hébergement (dans des ranchs) à Moab, Green River et Monticello. Eau disponible près du terrain de camping dans le Needles District; partout ailleurs, prévoir des réserves d'eau. Vous trouverez le Visitors Center à Moab.

Canyonlands, 446, South Main, Moab, 84532, tél. (801) 259 7146

Capitol Reef National Park

Au centre-sud de l'Utah, entrée 7 km à l'est de Torrey, sur la U-24. Le parc est ouvert toute l'année, malgré les rigueurs de l'hiver. Le Visitors Center est dans l'extrême nord du parc, à 12 km de l'entrée. Les curiosités les plus spectaculaires (gorges, escarpements) se trouvent à l'écart de la route principale qui traverse le parc. Des sentiers fléchés vous conduiront alors à d'anciens pétroglyphes, des poches d'eau et des belvédères. Deux terrains de camping dans le parc: le principal est à 2 km environ au sud du Visitors Center et autorise les feux de camp. Hébergement à Torrey, Bicknell et Loa.

Capitol Reef National Park, Torrey, UT 84775, tél. (801) 425 3791

Cedar Breaks National Monument

A 37 km à l'est de Cedar, sur la U-14. Cet amphithéâtre naturel aux multiples couleurs a été façonné par l'eau, le gel et le vent. Ouvert de fin mai à mi-novembre. Hors saison, se renseigner sur l'état des routes. Une route carrossable traverse champs et forêts sur 10 km. Vue plongeante sur les failles. Le Visitors Center est ouvert du début juillet à la mi-octobre. Aire de pique-nique et terrain de camping près du site, ouvert de fin juin à mi-septembre. Hébergement à Brian Head, Cedar et Parowan.

Cedar Breaks National Monument, P.O. Box 749, Cedar City 84720; tél. (801) 586 9451

Glen Canyon National Recreation Area

Une partie des eaux du lac Powell s'étale sur cette aire de plaisance située au centre-sud de l'Utah. Nombreuses curiosités touristiques: ruines indiennes, formations rocheuses, pictogrammes et pétroglyphes. Liaisons régulières par bateau avec le Rainbow Bridge National Monument. De la mi-mai à octobre, les conditions sont idéales pour le ski nautique, le canotage, la navigation de plaisance et la pêche. Pour obtenir un permis de pêche, se renseigner dans les marinas (Wahweap Lodge & Marina, *P.O. Box 1597, Page, AZ 86040, tél. [602] 645 2433 - Bullfrog Resort & Marina, Hanksville, UT 84734; tél. [801] 684 2233 - Hall's Crossing Resort & Marina, Blanding, UT 84511; tél. [801] 684 261 - Hite Resort & Marina, Hanksville, UT 84734, tél. [801] 684 2278*). Vous trouverez sur place un garage et divers commerces. Hébergement, location de bateaux et camping (réservations au : tél. [800] 528 6154).

Glen Canyon National Recreation Area, Box 1507, Page, AZ 86040, tél. (602) 645 2471

National Bridges National Monument

A 68 km à l'ouest de Blanding sur la U-95. Ouvert toute l'année. Le Visitors Center, à l'entrée, propose des expositions et projections de diapositives. Ce site est alimenté en électricité par l'énergie solaire depuis 1980. Terrain de camping près du Visitors Center; hébergement le plus proche à Blanding.

Canyonlands National Park, Box 1, Lake Powell, UT 84533, tél. (801) 259 5174

Rainbow Bridge National Monument

Ce pont naturel est considéré comme l'une des sept merveilles naturelles du monde. On peut s'y rendre à pied ou à cheval depuis le Navajo Trading Post et seulement à pied depuis l'ancien Rainbow Lodge. Des liaisons par bateau sur le lac Powell en permettent également l'approche. Pas de camping ni d'aire de pique-nique près du Rainbow Bridge. La ville la plus proche est Page (en Arizona).

Glen Canyon National Recreation Area, Box 1507, Page, AZ 86040, tél. (602) 745 2471

Zion National Park

Au sud de Cedar City, par les routes I-15 et U-9 en venant de l'ouest, et la US-89 et la U-9 à l'est. C'est l'un des plus anciens parcs des États-Unis. Vous découvrirez des canyons et gorges spectaculaires et une formation rocheuse unique dans le sud du plateau de l'Utah, façonnée par l'érosion cumulée de la Virgin River et des intempéries. Le Visitors Center, à moins de 2 km au nord de Springdale, abrite un musée et un auditorium; il est ouvert toute l'année. Une route carrossable traverse le parc mais seuls les sentiers de randonnée pédestre et équestre en permettent réellement l'exploration. Pour les excursions à cheval se renseigner à Zion Lodge. Trois terrains de camping, dont un seul ouvert toute l'année. Hébergement à Springdale, Mount Carmel Junction, Orderville, Cedar.

Zion National Park, Springdale, UT 84767, tél. (801) 772 3256

● **Nouveau-Mexique**

Aztec Ruins National Monument

A 10 km au nord-est de Farmington sur la route US-550. Pueblo précolombien particulièrement bien préservé. Une immense *kiva*, la seule entièrement restaurée du continent, est ouverte tous les jours, de 8 h à 17 h.

Aztec Ruins National Monument, P.O. Box 640, Aztec NM 87410, tél. (505) 334 6174

Bandelier National Monument

Dans la périphérie de Los Alamos. Un site très visité. De nombreux sentiers de promenade vous conduiront à des habitations troglodytiques et aux ruines d'un pueblo précolombien de 250 habitations. Des visites guidées sont organisées les nuits d'été. Diverses expositions d'art et artisanat indiens tous les week-ends. Sites aménagés pour les camping-cars d'avril à septembre inclus.

Bandelier National Monument, Los Alamos, NM 87544, tél. (505) 672 3861

Big Bend National Park

Situé au Texas, cet immense parc regroupe montagnes et déserts sur plus de 280 ha. Ouvert toute l'année. De nombreuses activités sont proposées : sports d'hiver et randonnées à pied ou à cheval. Les réservations pour le Chisos Mountains Lodge peuvent être faites par l'intermédiaire du National Park Concession Inc.

Superintendent, Big Bend National Park, TX 79834

Canyon de Chelly National Monument

Dans la réserve navajo, à 5 km à l'est de Chinle; accès par Gallup ou Shiprock, au Nouveau-Mexique, et par Holbrook ou Tuba City, en Arizona. Ces canyons et formations rocheuses isolées qui s'élèvent comme des gratte-ciel abritent les habitations troglodytiques des Navajos et Hopis ainsi que des vergers de pêchers plantés au XXᵉ siècle par les Navajos. Principales ruines : White House, Antelope House, Standing Cow, Mummy Cave. Des excursions dans les gorges en véhicule tout terrain partent de Thunderbird Lodge tous les jours, de début avril à la fin octobre (pensez à réserver la veille). A l'exception d'une piste, les touristes doivent être accompagnés dans les canyons, d'un ranger ou d'un guide autorisé (guides navajos). Thunderbird Lodge est le seul endroit où l'on peut passer la nuit dans le parc (bon restaurant). Sinon, possibilités d'hébergement à Chinle.

Canyon de Chelly National Monument, Box 588, Chinle AZ, tél. (602) 674-5213

Capulin Mountain National Monument

A 43 km à l'est de Raton, sur la US-64/87, et à 4 ou 5 km au nord de Capulin, sur la NM-325. Ce cône volcanique parfaitement dessiné a été formé il y a près de 7 000 ans. Il culmine à 3 000 m d'altitude et offre un panorama exceptionnel sur les Grandes Plaines.

Tél. (505) 278 2781

Chaco Canyon National Historic Park

A 108 km au sud de Farmington, par les routes US-64, NM-44/57, s'élèvent les ruines mystérieuses d'une tribu encore non identifiée par les anthropologues. La NM-57 couvre 32 km de pistes désolées, impraticables l'été en cas d'orage. Vous pourrez vérifier l'état de votre véhicule et celui des routes au Nageezi Trading Post, sur la NM-44. Le site est ouvert de la mi-avril à la mi-octobre. Excursions possibles au Pueblo Bonito. Le Visitors Center, ouvert tous les jours, organise des expositions et abrite une librairie.

Chaco Canyon National Historic Park, Star Route 4, Box 6500, Bloomfield, NM 87413, tél. (505) 988 6727

El Morro National Monument

A 70 km au sud-ouest de Grants, sur la NM-53, et à 90 km au sud-ouest de Gallup, par les NM-32 et 53. Cette formation en grès, haute de 60 m, est couverte à sa base de pétroglyphes indiens et d'inscriptions laissées par les explorateurs espagnols et les soldats américains ; ce qui lui vaut le nom de « Inscription Rock ». Au sommet s'élèvent les ruines de deux pueblos précolombiens. Plusieurs terrains de camping.

Tél. (505) 783 4226

Fort Union National Monument

A 40 km au nord-est de Las Vegas sur la I-25, NM-477. Ce poste militaire avancé assurait la garde du Santa Fe Trail à la fin du XIXᵉ siècle. Les ornières laissées par les chariots qui empruntaient la célèbre piste sont encore visibles. Vous pourrez également visiter les vestiges d'un relais construit pendant la guerre de Sécession. Animation en costume d'époque les week-ends d'été.

Tél. (505) 425 8025

Guadalupe Mountains National Park

Au Texas, sur la route d'El Paso aux Carlsbad Caverns, sur la US-62/180. Dernière place forte des Apaches mescaleros, les Guadalupe Mountains font partie de la même chaîne de montagnes que les Carlsbad Caverns. On y trouve le plus haut sommet du Texas, le Guadalupe Peak. Le parc dispose d'un terrain de camping et d'un Visitors Center. Des kilomètres de sentiers conduisent aux sommets ou aux fonds des canyons. Randonnées à cheval.

Tél. (915) 828 3251

Pecos National Monument

Dans la forêt nationale de Santa Fe, une vallée verdoyante abrite les ruines d'un pueblo précolombien de 660 habitations et de deux missions franciscaines construites au XVᵉ siècle.

Pecos National Monument, Drawer 11, Pecos, NM 87552, tél. (505) 757 6414

Salinas National Monument

A 150 km environ au sud-est de la vieille ville d'Albuquerque, sur la I-40 et la NM-14. Ruines de pueblos remarquablement préservées que jouxte une mission franciscaine du XVIIᵉ siècle à Abo, Grand Quivira et Quarai. Visites guidées et en groupe sur réservation.

Salinas National Monument, P. O. Box 498, Mountainair, NM 87036, tél. (505) 847 2585

White Sands National Monument

A 22 km au sud-ouest d'Alamogordo. Le parc le plus visité de l'État après le Guadalupe Mountains National Park. C'est aussi la plus grande surface de dépôts de gypse du monde. Le Visitors Center propose tous les jours une exposition sur la formation du gyspe.

Tél. (505) 479 6124

● **Arizona**

Casa Grande Ruins National Monument

A 75 km au sud de Phoenix, près de Coolidge. Une illustration saisissante de l'habitat hohokam du XIIᵉ au XIVᵉ siècle. Ouvert tous les jours de 7 h à 18 h.

Casa Grande Ruins National Monument, Coolidge, AZ 85228, tél. (602) 723 3172

Chiricahua National Monument

A 105 km au nord-est de Douglas. C'est dans ces rochers sculptés par l'érosion, haut dans les montagnes, que le célèbre guerrier apache Cochise avait établi ses quartiers. Accès par l'AZ-186 ou 181. La route de montagne qui part de Portal (à l'est) est escarpée et fermée en hiver. Beaucoup de régions du parc ne sont accessibles qu'à pied ou à cheval. Le Visitors Center est ouvert tous les jours. Camping à proximité du site.

Coronado National Memorial

Au sommet des Huachuca Mountains, à 33 km au sud de Sierra Vista, à la frontière du Mexique. C'est ici, au XVIᵉ siècle, que Coronado et ses hommes pénétrèrent pour la première fois en territoire américain, à la recherche des Sept Cités de Cibola. Vue panoramique. Le Visitors Center est ouvert tous les jours. Des reconstitutions historiques sont organisées en avril, en commémoration de l'expédition de Coronado.

Coronado National Memorial, R.R.1, P. O. Box 126, Hereford, AZ 85615, tél. (602) 366 5515

Fort Bowie National Historic Site

Juste au nord-ouest du Chiricahua National Monument. Ce fort, construit pour protéger l'Apache Pass des raids lancés par les successeurs de Cochise, Geronimo et autres chefs apaches, se dresse au milieu des collines.

Montezuma Castle National Monument
Près de Camp Verde, sur la I-17. Habitations troglodytiques sur cinq niveaux, nichées dans les falaises. Visitors Center ouvert tous les jours.

Navajo National Monument
Dans la réserve navajo. Prendre la US-160 jusqu'à une route carrossable de 14 km (la 564) qui conduit au centre administratif du site. Ces habitations troglodytiques sont les plus imposantes de l'Arizona. Expositions et projections de diapositives au Visitors Center.
Tél. (602) 672 2366

Organ Pipe Cactus National Monument
Au sud d'Ajo. Vous découvrirez dans ce parc des spécimens rares de la flore et de la faune désertiques. Une ouverture sur le golfe de Californie invite à la pêche sous-marine. Le Visitors Center est installé à 26 km au sud de l'entrée du parc et ouvert de 8 h à 17 h. Camping possible (feux de bois interdits).
Organ Pipe Cactus National Monument, Route 1, Box 100, Ajo, AZ 85321, tél. 602/387 6849

Petrified Forest National Park
A 32 km à l'est de Holbrook. Ce parc comprend huit grandes régions traversées par une route. Il est ouvert tous les jours. Attractions touristiques principales : Agate Bridge, Newspaper Rock, Painted Desert Inn Museum (à 15 km au nord de la I-40), Rainbow Forest Museum (près de l'entrée sud, ouvert tous les jours). Pas d'hébergement sur place. Autorisation obligatoire pour camper dans le parc.
Tél. (602) 524 6228

Saguaro National Monument
Deux secteurs, l'un à 26 km à l'est de Tucson, l'autre à 21 km à l'ouest. On y trouve l'une des plus importantes forêts de cactus saguaro de l'État. La meilleure approche se fait par le Loop Drive, dans les Rincon Mountains. Le Visitors Center est ouvert tous les jours.

Sunset Crater National Monument
Au nord de Flagstaff, sur la US-89, ce cône volcanique rose domine une forêt de pins. Un sentier traverse le champ de lave de Bonito. Camping autorisé d'avril à mi-novembre. Visitors Center ouvert tous les jours. Le site est parfois fermé en hiver à cause de l'enneigement.
Tél. (602) 527 7042

Tonto National Monument
A l'est de Roosevelt Dam, sur l'Apache Trail. Habitations troglodytiques parfaitement préservées. Le Visitors Center et un musée indien sont ouverts tous les jours. Des visites guidées sont organisées par les rangers.
P.O. Box 707, Roosevelt, AZ 85545, tél. (602) 467 2241

Tumacacori National Monument
A 30 km au nord de Nogales, sur la I-19. Ruines pittoresques d'une ancienne mission espagnole auxquelles s'ajoutent aujourd'hui un musée moderne et un jardin en patio. Ouvert tous les jours de 8 h à 17 h.

Tuzigoot National Monument
Ruines d'un pueblo précolombien à 3 km à l'est de Clarkdale. Visitors Center et musée (exposition de poteries et bijoux en coquillages). Ouvert tous les jours.
Tuzigoot National Monument, Box 68, Clarkdale, AZ 86324, tél. (602) 634 5564

Walnut Canyon National Monument
Juste à la sortie de Flagstaff. Une concentration de 400 minuscules habitations troglodytiques. Une piste carrossable conduit à d'autres habitations tandis qu'une autre piste suit le canyon. Centre d'accueil et musée. Le parc est ouvert tous les jours, mais les pistes sont fermées en hiver lorsque la neige et le gel en rendent l'accès impraticable.
Route 1, Box 25, Flagstaff, AZ 86001, tél. (602) 526 3367

Wupatki National Monument
A 45 km au nord de Flagstaff, sur la US-89. Quelque 800 ruines de pueblos préhistoriques sont disséminées sur plus de 15 000 ha. Attractions touristiques : The Big House, The Citadel et Wupatki Ruin. Visitors Center.
Tél. (602) 527 7040

LES FORÊTS NATIONALES

Elles sont administrées par le Department of Agriculture et le US Forest Service. Leurs finalités sont très diverses : elles sont généralement destinées à la reforestation de certaines zones et s'étendent à proximité d'exploitations minière, de pâturages et de domaines skiables. Les campings des forêts nationales sont souvent plus rudimentaires que ceux des parcs nationaux, leurs tarifs d'entrée sont donc moins élevés. Quant à l'accès à la forêt elle-même, il est gratuit.

● **Utah**

Pour obtenir des cartes, la liste des campings, des centres de loisirs et tout renseignement sur les randonnées, le ski, l'alpinisme, les auto-neiges et les régions sauvages, s'adresser à :

US Forest Service
Intermountain Region Office, 324, 25th Street, Ogden, UT 84401, tél. (801) 625 5182

Dixie National Forest
Ce domaine forestier, dans le sud de l'Utah, couvre près de 800 000 ha répartis en quatre régions où prédominent les pins ponderosa et les épicéas. Il inclut ou borde les parcs nationaux de Bryce Canyon, Capitol Reef, Zion et Cedar Breaks National Monument. On y chasse le daim, la dinde et le puma. Nombreuses autres activités : sports d'hiver (à Brian Head), randonnées à cheval, sports nautiques, pêche à la truite (à Duck Creek, Cascade Falls, Panguitch Lake). Camping de mai à octobre.

Fishlake National Forest
Cette forêt de 600 000 ha, dans le centre-sud de l'Utah est divisée en quatre régions et comprend les Thousand Lake Mountain et le lac Fish dans le sud-ouest. Le lac Fish s'étend sur 10 km de long et offre un excellent site de pêche de juin à octobre. Campings et sentiers près du lac. Beaver Mountain, dans la partie sud-ouest, est un autre lieu de pêche qui offre également d'agréables promenades en voiture. Chasse, sports d'hiver (Mount Holly), randonnées à pied, canotage et sports nautiques.
Forest Supervisor, 115 E 900 N, Richfield, UT 84701

Manti-LaSal National Forest
Cette forêt s'étend sur 550 ha dans le sud-est de l'Utah. La région de LaSal, divisée en deux zones, est située à l'est des Canyonlands. Les services administratifs sont établis à Price. Région montagneuse : les LaSals, à l'est de Moab, et les Abajos, près de Monticello. Les circuits touristiques, des pistes de ski et d'autoneige invitent à la découverte de paysages superbes dans la région de Fisher Towers. Des pitons rocheux rouges dominent la vallée.

● **Nouveau-Mexique**

Pour tout renseignement, appelez l'office régional implanté à Albuquerque :

US Forest Service
Southwest Region, 517, Gold Avenue SW, Albuquerque, NM 87102 tél. (505) 842 3292

Apache National Forest
Dans l'ouest de l'État. La plus grande partie de cette forêt se trouve, comme Blue Range Wilderness, en Arizona. Elle rejoint la Gila Wilderness Area et est accessible par la sortie sud de Quemado. Poste de rangers à Luna.
Tél. (505) 547 2611

Cibola National Forest
Englobe les monts Sandia, Apache Kid, Manzano et le désert de Withington. Camping, randonnée, pêche, équitation, ski.
Cibola National Forest, 10308 Candelaria NE, Albuquerque 87112, tél. (505) 761 4650

Carson National Forest
Regroupe plusieurs domaines forestiers. Sites montagneux : Pecos, Cruces Basin, Latir Peak, Wheeler Peak Wildernesses. Certains sommets culminent à 4 300 m d'altitude. Ski, équitation, sports nautiques, pêche. Camping. Postes de gardes forestiers à Blanco : *tél. (505) 325 0508*; El Rito : *tél. 581 4555*; Penasco : *tél. 587 2255*; Taos : *tél. 758 2911*; Questa : *tél. 586 0520*.
Forest Service Building, Taos 87571, tél. (505) 758 238

Gila National Forest
Un immense domaine forestier, avec des villes fantômes, des sommets culminant à 3 300 m et le Gila Cliff Dwellings National Monument. Nombreuses activités de plein air : pêche, randonnée à pied ou à cheval. Terrain de camping. Ranches d'hébergement et commerces spécialisés dans l'équipement pour la chasse et la randonnée tout le long de la route de Silver City. Poste de rangers à Glenwood : *tél. 505/539-2481*; à Magdalena : *tél. 538-5386*; à Mimbres : *tél. 534-2250*; à Silver City : *tél. 538-2771*.
Forest Supervisor, 2610, North Silver, Silver City, NM 88061, tél. (505) 388 1986

Lincoln National Forest
Cette forêt borde Alamogordo, entoure Ruidoso et culmine à 3 600 m d'altitude. Pistes de ski, randonnées, centres de loisirs. Camping. Postes de rangers à Carlsbad (*tél. 505/885-4181*); à Cloudcroft (*tél. 505/682-2551*); à Mayhill (*tél. 505/687-3411*); à Ruidoso (*tél. 505/257-4095*).
Forest Supervisor, Federal Building, Alamogordo, NM 88310, tél. (505) 437 6030

Santa Fe National Forest
Entoure Santa Fe, Los Alamos et inclut Bandelier National Monument, Jemez. Habitations troglodytiques. Randonnées, pêche, ski, aires de pique-nique, terrains de camping.
Forest Supervisor, Pinon Building, Santa Fe, NM 87501

● **Arizona**

Apache National Forests
Deux sections distinctes sous la responsabilité d'une même administration. Près de 1 000 ha de forêts de pins avec des lacs, des réserves de

pêche, le Mogollon Rim et des routes panoramiques comme le Coronado Trail. Camping, canotage, randonnées à cheval.
Apache-Sitgreaves National Forests,
P.O. Box 640, Springerville, AZ 85938,
tél. (602) 333 4301

Coconico National Forest
Dans l'Arizona central, juste à côté de Flagstaff. Cette région forestière est réputée pour être la plus belle de l'État. Ses plateaux boisés sont entrecoupés de gorges profondes et l'Oak Creek Canyon est son point culminant. Centres d'hébergement, terrains de camping, excursions en 4 x 4, randonnées à cheval, sports d'hiver.
Forest Supervisor, 2323 E Greenlauw Lane,
Flagstaff, AZ 86001

Coronado National Forest
Réparti en douze zones dans le sud et le sud-est de l'Arizona, cet ensemble forestier offre toute une gamme d'activités : randonnée, équitation, ski, sports nautiques, pêche à la truite, etc. Entre autres curiosités touristiques, vous découvrirez le Saguaro et le Chiricahua National Monument
Federal Building, 301 W, Congress, Tucson,
AZ 85701, tél. (602) 670 5798

Kaibab National Forest
Répartie en trois secteurs, dans le centre-nord de l'Arizona et la région de Flagstaff Grand Canyon. La partie nord est surtout connue pour la diversité de ses arbres, ses prairies verdoyantes, ses troupeaux de daims et de bisons, et ses espèces rares d'écureuils. Les lacs de plaisance de Whitehorse et Kaibab proposent diverses activités. Sycamoare Canyon. Ruines indiennes.

Prescott National Forest
Ce domaine forestier est divisé en deux parties et cerne la Prescott Valley, dans l'Arizona central. C'est l'une des régions forestières les plus fréquentées de l'État, très appréciée des chasseurs en automne. Une grande variété de paysages dont le Horsethief Basin, Mingus Mountain, Thumb Butte, Granite Mountain. La ville fantôme de Jerome est ouverte au public toute l'année.
Forest Supervisor, 344 S, Cortez, P.O. Box 2549,
Prescott, AZ 86302

LES PARCS D'ÉTAT

Le terme de «parc d'État» recouvre des réalités bien différentes: cela va des petits parcs urbains jusqu'aux domaines de plusieurs milliers d'hectares aménagés pour le camping et les loisirs.

• Utah

Pour obtenir des renseignements sur les parcs d'État en Utah :

Utah Division of Parks and Recreation
1636 West North Temple,
Salt Lake City UT 84116,
tél. (801) 533 6011

Coral Pink Sand Dunes State Park
Au sud de Mount Carmel Junction sur la US-89, à 32 km au nord-ouest de Kanab. Dunes de sable rose s'étendant à perte de vue. Circuits en véhicules tout terrain. Camping (réservations au *tél.* 801/874-2408).
Chamber of Commerce Visitor Information,
tél. (801) 644 5229

Dead Horse Point State Park
A 15 km au nord de Moab sur la US-191, prendre la direction du sud-ouest vers l'entrée du parc. Superbes vues sur les Canyonlands et le Colorado 610 m plus bas. Visitors Center ouvert tous les jours. Un lieu idéal pour la pratique du deltaplane. Camping toute l'année.
Tél. (801) 538 7220

Edge of tbe Cedars State Historical Monument
A Blanding. Ruines anasazi avec un musée à proximité.
Tél. (801) 538 7220

Escalante Petrified Forest State Reserve
A 2 km à l'ouest d'Escalante par la U-12, puis en suivant une piste. Vous découvrirez des os de dinosaures et des arbres fossilisés. De nombreuses activités sont proposées parmi lesquelles la pêche, les sports nautiques, le canotage et les randonnées à pied.
Tél. (801) 826 4466

Goblin Valley State Park
A 110 km au sud-ouest de Green River, par la U-24, 16 km de route et 11 km de piste. Randonnées à pied, aire de pique-nique, camping (feux interdits, pas d'eau).

Goosenecks State Reserve
Au nord de Mexican Hat, au croisement de la US-163 et de la U-261. Une route permet, sur 8 km, d'admirer les méandres resserrés des canyons de la San Juan River.

Green River State Recreation Area
Au sud de Green River. Pêche, canotage, aires de pique-nique sur une vingtaine d'hectares. Camping. Descentes de la Green River (se renseigner pour les descentes accompagnées).

Gunlock Lake State Park
A 28 km au nord-ouest de Saint George par la U-97. Pêche et canotage toute l'année, baignades, ski nautique. Terrain de camping.

Kodachrome Basin State Reserve
A 10 km au sud de Cannonville, en quittant la U-12 pour rejoindre une piste. Vous découvrirez tout le long de magnifiques formations rocheuses rouges et un pont naturel, la Grosvenor Arch. Camping, aires de pique-nique et randonnées pédestres.
Tél. (801) 538 7220

Minersville Reservoir State Recreational Area
A 23 km à l'ouest de Beaver sur la U-12. Pêche à la truite, canotage, ski nautique. Terrain de camping.
Tél. (801) 538 7220

Newspaper Rock State Historical Monument
Entre Monticello et Moab, 20 km après avoir quitté la US-191, vers les Canyonlands. Un rocher couvert de pétroglyphes et pictogrammes indiens. Le camping sauvage et le pique-nique sont autorisés. Ce site est ouvert toute l'année.

Otter Creek Lake State Beach
Au sud-est de Marysvale, au croisement de la U-62 et de la U-22. Canotage, pêche, randonnées pédestres et camping.
Tél. (801) 538 7220

Palisade Lake State Park
Au sud de Manti, par la US-89. Endroit exceptionnel pour la baignade, le canotage et la pêche (les bateaux à moteur sont interdits). Terrain de golf à neuf trous. Petit terrain de camping dans le parc.

Paria Ghost Town
A 58 km à l'est de Kanab, par la US-89. Cette ville fantôme du XIXe siècle est entourée d'imposantes formations rocheuses.
Tél. (801) 977 4300

Piute Lake State Beach
Au nord de Mount Carmel Junction sur la US-89. Camping, canotage, pêche, baignades. Un paradis pour les collectionneurs de pierres.

Snow Canyon State Park
A 11 km au nord-ouest de Saint George par la U-18. Fabuleuses pistes dans le désert, canyons pittoresques et cône volcanique. Aire de pique-nique, canotage et camping.
Tél. (801) 538 7220

● **Nouveau-Mexique**

Pour obtenir des informations, appelez directement :

New Mexico State Park & Recreation Division
*Natianal Resources Dept.
141 E De Vargas,
Santa Fe NM 87 503,
tél. (505) 827 74 65*

Belen Valley
Sur le Rio Grande, à Belen. Pêche, ornithologie, randonnées et aires de pique-nique.

Bluewater Lake
A 47 km à l'ouest de Grants, sur la I-40 et la NM-l2. Canotage, ski nautique, baignade, pêche, camping.

Bottomless Lakes
Près de Roswell, ces sept petits lacs sont pour la plupart très poissonneux (truites). Randonnées équestres et pédestres, plongée, natation, canotage. Terrain de camping.

Caballo Lake
Au sud de Truth or Consequences, par la I-25. Marina à proximité. Pêche (perches, poissons-chats), natation, canotage, ski nautique, location de bateaux, randonnées.

Chicosa Lake
Près de Roy. Pêche, randonnées et camping.

Cimarron Canyon
A l'est d'Eagle Nest, sur la US-64. Fait partie d'une réserve naturelle. Les campeurs doivent être en possession d'un permis de chasse ou de pêche délivré par l'État du Nouveau-Mexique. Pêche à la truite dans la Cimarron River, randonnées dans l'arrière-pays.

City of Rocks State Park
Entre Deming et Silver City. Aire de camping et de pique-nique au milieu des formations rocheuses. Jardin botanique de cactées.

Clayton Lake
Au nord de Clayton, sur la NM-370. Le lac regorge de truites arc-en-ciel, de poissons-chats et de perches.

Conchas Lake
A l'ouest de Tucumcari sur la NM-104. Ce réservoir naturel de 38 km de long offre un large éventail d'activités : bateau, ski nautique, pêche (deux marinas), golf. En hiver, chasse au gibier d'eau. Parkings équipés pour caravanes.

Coronado State Monument/State Park
A 49 km environ au nord de la vieille ville d'Albuquerque, sur les I-40, I-25 et NM-44. Le site du village indien précolombien de Kuaua abrite également un intéressant musée. Aire de pique-nique et camping.
*P. O. Box 95, Bernalillo NM 87004,
tel. (505) 867 5351*

Coyote Creek
Dans le nord-est, près de Mora, à 78 km de Las Vegas sur la NM-3.38. Randonnées, pêche à la truite. Aire de camping.

Elephant Butte Lake
Au nord de Truth or Consequences, sur la I-25. Pêche (perches, poissons-chats, brochets, etc.). Restaurant, location de bateaux et de bungalows, ski nautique.

El Vado Lake

Au sud-ouest de Chama sur les NM-17, US-84 et NM-112. Bateau, ski nautique, pêche au saumon et à la truite, randonnées; terrains de camping et marina.

Fort Sumner State Monument

A 35 km au sud-est de Fort Sumner, ce poste militaire fut établi en 1862 par les Américains pour détenir les prisonniers apaches et navajo. Billy the Kid est enterré près de l'entrée du fort.

Heron Lake

Au sud-ouest de Chama sur la US-64/84, NM-95. Pêche à la truite et au saumon, sentiers de randonnée, centre d'accueil pour les visiteurs, terrains de camping avec équipement sanitaire.

Hueco Tanks State Historical Park

A 38 km à l'est d'El Paso, sur la US-62/180, puis à la sortie d'une bretelle d'accès de 12 km. Une formation rocheuse unique avec grottes et falaises sur plus de 430 ha. Territoire longtemps occupé par les Indiens, le parc contient plus de 2 000 pictogrammes. Randonnées, aire de pique-nique et camping. Refuge et terrain de jeux.

Hyde Memorial

Au nord-est de Santa Fe, sur la NM-475, près du Santa Fe Ski Basin. Point de départ d'excursions dans la forêt nationale de Santa Fe. En hiver, patinage sur glace, promenades en traîneau. Camping, refuge.

Indian Petroglyph State Park

Près d'Albuquerque. Rochers sculptés par l'érosion. Randonnées et aires de pique-nique.

Kit Carson Memorial State Park

A Taos. Autour des tombes de Kit Carson et de sa famille. Musée historique, aires de pique-nique, piste cyclable, patinage sur glace. Pas de terrain de camping.

Lea County

Près de Hobbs. Aire de pique-nique, camping.

Leasburg Dam State Park

Au nord-ouest de Las Cruces, sur l'I-25/US-85. Pêche, canoë-kayak à proximité des ruines de Fort Selden State Monument, où Douglas MacArthur et sa famille vécurent quelque temps.

Living Desert

A la lisière nord de Carlsbad, juste en bordure de la US-285. Un musée, avec une partie en plein air, est consacré à la faune et à la flore du Nouveau-Mexique (cactus, oiseaux, animaux et reptiles dans leur environnement naturel). Ouvert seulement la journée. Pas de camping ni terrains de jeux. Mais le parc dispose de sentiers de randonnée et d'aires de repos. Ouvert tous les jours.

Manzano Mountains

A 20 km au nord-ouest de Mountainair, sur la NM-14. Randonnée, camping et pique-nique dans les contreforts de la montagne, autour d'une mission espagnole et des ruines des pueblos indiens d'Abo et de Quarai, qui font partie du Salinas National Monument.

Morphy Lake

A 45 km au nord-ouest de Las Vegas sur les NM-3.94/105. Petit lac de haute montagne au milieu de pins séculaires. Considéré comme un site protégé, ce parc n'est accessible qu'aux randonneurs pédestres.

Navajo Lake State Park(s)

A l'est d'Aztec et de Farmington sur les NM-173 et 511. Deux domaines distincts en forme de fer à cheval et situés de chaque côté du plus grand lac du nord-ouest du Nouveau-Mexique. Sur le site de Pine River: Visitors Center, camping avec douches, aire de pique-nique, refuge et marinas.

Oasis

Au sud-ouest de Clovis, près de Portales. Une oasis dans le désert ou vous trouverez de l'eau potable, un petit lac poissoneux, une aire de pique-nique et un terrain de camping avec des douches.

Oliver Lee Memorial State Park

Au sud d'Alamogordo, sur la US-54. Toute une variété d'espèces botaniques rares ou en voie de disparition agrémente l'accès du Dog Canyon. Promenade et musée à proximité d'un ancien ranch. Pique-nique, camping, sanitaires, douches. Ouvert tous les jours.

Pancho Villa State Park

Au sud de Deming, sur la NM-11, pratiquement sur la frontière mexicaine. Commémore le raid de Pancho Villa en 1916. Magnifique jardin botanique de végétation désertique. Camping, pique-nique, installations sanitaires.

Percha Dam

Au sud de Truth or Consequences, sur la I-25. Possibilité de pêche à proximité du barrage, aires de camping et de pique-nique, eau potable, douches, terrain de jeux, sentiers de randonnée.

Red Rock

A l'est de Gallup, par la I-40 et la NM-566. C'est le cadre annuel du Gallup Inter-Tribal Indian Ceremonial (manifestation rituelle indienne qui se déroule en août). Le parc renferme une arène de 8 000 places pour les rodéos et autres événements.

Rio Grande

Près d'Albuquerque. Une bande de forêt de peupliers des marais et des sentiers de promenade longent les rives du Rio Grande. Aire d'accueil le jour, avec un amphithéâtre en plein air et des terrains de jeu.

Rio Grande Gorge
Au sud de Taos, près de Pilar. Sur les rives du Rio Grande, vous trouverez certains des meilleurs sites publics de pêche de l'État. De la lisière nord du parc jusqu'à la frontière du Colorado, possibilité de navigation sur les rapides.

San Gabriel
A Albuquerque, près de la vieille ville. Parc avec des aires de pique-nique, un terrain de base-ball et un sentier pédestre à travers les peupliers des marais.

Santa Fe River
Parc implanté dans Santa Fe même, en bordure de la rivière.

Santa Rosa Lake
Au nord de Santa Rosa. Les antilopes viennent paître au bord de ce lac alimenté par la Pecos River. Sports nautiques, aire de pique-nique, camping, équipements sanitaires et rampes pour bateaux.

Smokey Bear Historical State Park
A Capitan, 32 km au nord de Ruidoso. Le chef indien Smokey Bear est enterré dans ce parc où vous pourrez également visiter un musée dédié à sa mémoire. Le Lincoln State Monument, reconstitution de la ville ou Billy the Kid est devenu une légende, se trouve à 16 km à l'est du parc.

Storrie Lake
Au nord de Las Vegas, près de la NM-3. Un site de pêche réputé. Vous pourrez faire du bateau, de la natation, du ski nautique. Terrains de camping (douches), aires de pique-nique, marinas.

Sumner Lake
Au nord-ouest de Fort Sumner, sur la US-84, NM-203. Bateau, ski nautique et pêche (brochets, perches, poissons-chats). Camping, équipements sanitaires, marinas.

Ute Lake
A 42 km au nord-est de Tucumcari, sur la US-54, NM-540.

Valley of Fires
Près de Carrizozo, sur la US-380, au nord-ouest de Ruidoso. Au cœur des coulées de lave du volcan Malpais, une roche basaltique fissurée, ce site est l'un des mieux préservés des États-Unis. Itinéraire fléché à travers les formations rocheuses. Terrains de camping et de pique-nique, eau potable.

Villanueva
A 46 km au sud-ouest de Las Vegas, sur la I-25, NM-3, près du pittoresque village colonial espagnol de Villanueva.

● Arizona

Vous obtiendrez toutes les informations concernant les parcs d'État en Arizona en contactant :

Arizona State Parks
1688 W, Adams, Phoenix, AZ 85007, tél. (602) 255 4174

Alamo Lake State Park
Au bord de la Bill Williams River, à 60 km au nord de Wenden. Un parc de 2 ha avec un lac (pêche et sports nautiques) et des troupeaux d'ânes sauvages. Un paradis pour les collectionneurs de pierres.
Tél. 602/669 2088

Bedrock City
Au nord de Flagstaff, sur le chemin du Grand Canyon. Patrie des Flintstones.

Boyce Thompson Southwestern Arboretum
Entre Florence Junction et Superior, sur la boucle de retour de l'Apache Trail (US-60). Abrite la plus importante collection au monde de plantes désertiques. Plus de 3 km de sentiers faciles d'accès à travers la flore locale.
Tél. (602) 689 2811

Buckskin Mountain State Park
A 17 km au nord de Parker, sur la route 95, au bord du Colorado. Domaine bien aménagé sur un demi-hectare, avec équipements pour les sports nautiques et un camping.
Tél. (602) 667 3231

Coronado Trail
A l'extrême est de l'État, sur la US-666, entre Clifton et Alpine. Piste panoramique dont on dit qu'elle a été empruntée par Coronado lors de son expédition à la recherche de Cibola.

Dead Horse Ranch State Park
Dans la Verde Valley, au nord de Cottonwood, en lisière de la US-89A. Dans ce sanctuaire sauvage, vous pourrez vous livrer à l'observation des oiseaux, à la pêche en étang ou rivière et à la randonnée équestre ou pédestre. Camping, pique-nique.
Tél. (602) 634 5283

Deer Farm, Williams
A 37 km à l'ouest de Flagstaff, sur la I-40. Le paradis des enfants, avec des chèvres naines, des lamas, des kangourous, des ânes miniatures, des paons, etc. Ouvert de 8 h au crépuscule, en été et de 9 h au crépuscule, le reste de l'année. Fermé en février et le mardi en hiver.
Tél. (602) 635 2357

Fort Verde State Historic Park
Situé 3 km à l'est de la I-17, à Camp Verde. Base militaire construite au siècle dernier. On

peut maintenant visiter les quartiers des officiers et un musée. Ouverts au public tous les jours de 8 h à 17 h 30.
Tél. (602) 567 3275

Kingman
A l'ouest de Flagstaff, sur la I-40 à l'entrée du complexe de loisirs des berges du Colorado. Vous pourrez visiter le Mojave Museum of History and Arts (*tél. [602] 753 3195*) et le Kingman Locomotive Park.

Lake Havasu State Park
Parc de loisirs de 5 ha au bord du Colorado (AZ-95). Bateau, pêche, baignade, équitation, camping. Hébergement à Pittsburg Point.
Tél. (602) 855 7851

Lost Dutchman State Park
A 7 km au nord-est d'Apache Junction, sur la AZ-88. La légendaire mine d'or des Superstition Mountains qui s'élèvent juste derrière le parc. Camping, aire de pique-nique et sentiers de randonnée rejoignant le Forest Service.
Tél. (602) 982 4485

Lyman Lake State Park
A 16 km au sud de Saint Johns, par la US-666. Lac s'étendant sur plus d'un demi-hectare, près des sources du Colorado. Sports nautiques et pêche. Terrain de camping.
Tél. (602) 337 4441

McFarland State Historic Park
Au centre de Florence. La vie au temps des pionniers dans la « Vieille Ville », avec des maisons en adobe qui sont parmi les plus belles de tout l'Arizona, en particulier l'ancienne Pinal County Courthouse, aujourd'hui restaurée et transformée en musée. Le centre d'accueil des visiteurs est installé dans la maison restaurée de Jacob Souter, à l'angle de 8th St. et de Pinal St.
Tél. (602) 868 5216

Meteor Crater
A 68 km au sud-est de Flagstaff. Immense cratère météorique, le mieux préservé de notre globe : 4,5 km de circonférence, 171 m de profondeur et plus de 1 km d'un bord à l'autre. Utilisé comme site d'entraînement par les astronautes américains.

Mogollon Rim
A l'est, entre Flagstaff et Phoenix. Plateau à pic qui s'étend d'est en ouest, à l'endroit où les conquistadores espagnols cherchaient le fabuleux des Sept Cités de Cibola. Nombreux hôtels, pêche et aires de loisirs. Une partie du plateau borde la réserve apache.

Museum of Northern Arizona
A 4,5 km au nord de Flagstaff, sur la US-180. Consacré à l'histoire géologique et culturelle du plateau du Colorado, qui englobe le nord de l'Arizona et la région des Quatre-Coins. Spectacles hopi et navajo en juillet.
Tél. (602) 774 5211

Oak Creek Canyon
Au sud de Flagstaff, sur la US-89A. Lieu de prédilection pour les pêcheurs de truites. Formations pittoresques de grès le long de la route. A 30 km en contrebas, la route rejoint Slide Rock, une retenue d'eau naturelle.

Painted Rocks State Historic Park
A 38 km environ au nord-ouest de Gila Bend, sur la I-8, en direction de Painted Rocks Rd. Ce parc abrite une collection exceptionnelle de peintures et d'écritures rupestres indiennes précolombiennes. Sports nautiques, randonnées, pêche.
Tél. (602) 683 2151

Patagonia Lake State Park
Au nord-est de Nogales. Lieu idéal pour la pêche (truites, brochets, poissons-chats) et le canotage. Les équipements comportent une marina avec des docks et une rampe de lancement. Posibilité de location de bateaux et de matériel de camping. Plusieurs aires de camping le long des rives du lac.
Tél. (602) 287 6965

Pioneer's Historical Museum
A Flagstaff. Ce musée abrite la collection la plus complète jamais rassemblée d'objets et de documents datant de l'époque des pionniers.

Picacho Peak State Park
Au bord de la I-10. Randonnées et camping dans un parc désertique et montagneux de 1,5 ha, situé entre Phoenix et Tucson. Site de la seule bataille de la guerre de Sécession qui se déroula en Arizona.
Tél. (602) 466 3183

Prescott Territorial Capital
Au sud-ouest de Flagstaff, sur la US-89. Ville minière et emplacement de la première capitale de l'Arizona. Le premier rodéo du monde s'est tenu dans cette ville et des manifestations de ce genre continuent de se dérouler tout au long de l'année.

Roper Lake State Park
A 9 km au sud de Safford, dans l'est de l'Arizona. Un petit lac dans les collines entre la US-666 et la US-70. Lieu idéal pour la pêche et le canotage. Camping.
Tél. (602) 428 6760

Salt River Canyon
Sur la US-60 au nord de Globe. Gorges spectaculaires avec approche et points de vue panoramiques.

San Francisco Peaks
A 10 km plein nord de Flagstaff. Patrie de la tribu hopi. Station de sports d'hiver.

Sedona
Au sud-est de Flagstaff, sur la US-89. Un paradis pour les amateurs et les collectionneurs d'art.
Tlaquepague
Ce village pittoresque est repérable depuis Sedona à son clocher qui domine les plus hautes cimes de la ville.
Tombstone Courthouse State Historic Park
Dans le magnifique centre-ville de Tombstone. Le palais de justice, datant de l'époque victorienne, a été transformé en musée historique. Ouvert tous les jours de 8 h à 17 h 30.
219E, Toughnut St., tél. (602) 457 2202
Tortilla Flat
Sur la AZ-88, au nord-est d'Apache Junction. Vestiges d'une ancienne ville de l'Ouest (six habitants). Boutique de souvenirs, bureau de poste, écuries, restaurant, saloon, hôtel.
Tél. (602) 996 8066
Tubac Presidio State Historic Park
Entre Tucson et Nogales, sur la I-19, dans la colonie artistique de Tubac. L'une des plus anciennes communautés européennes de l'Arizona, fondée par les Espagnols en 1752. Important centre d'information, avec dioramas, expositions et vue sur les vestiges d'un ancien fort. Ouvert du jeudi au lundi, de 8 h à 17 h.
Tél. (602) 398 2252
Williams
A 35 km de Flagstaff, sur la I-40. C'est la patrie des Bill Williams Mountains Men, qui perpétuent le souvenir des patrouilleurs de montagne de la grande époque.
Yuma Territorial Prison State Historic Park
A Yuma (*4th St.*, sortie I-8). Cette prison fut construite par les détenus eux-mêmes. Expositions sur la vie dans cette «Bastille» frontalière. Ouvert de 8 h à 17 h 30.
Tél. (602) 783 4771

● **Nevada et Las Vegas**

Pour toute information sur les parcs de l'État du Nevada, contactez :

The Nevada Division of State Parks, Capitol Complex, Carson City, NV 89710

Lake Mead National Recreation Area
S'étend au nord du barrage de Davis, sur 172 km le long du Colorado jusqu'au Grand Canyon National Park et englobe le Lake Mead et le Lake Mojave. A la pointe sud, le Lake Mead est fermé par le barrage de Hoover. Ce barrage a été construit pour produire l'électricité et contrôler les risques d'inondation. Il est visible des deux côtés du Black Canyon ; survol en hélicoptère au départ du Golden Strike Inn, à 6 km à l'ouest sur la US-93. Visites guidées quotidiennes de l'usine hydroélectrique. La meilleure approche se fera par Boulder City, située à une courte distance de l'extrémité nord de la US-95. Routes pittoresques à travers la Lake Mead National Recreational Area.
Toiyabe National Forest
Au nord-ouest de Las Vegas. Près du Mount Charleston, le cinquième sommet de l'État du Nevada. Aires de pique-nique, terrains de camping, petit centre commercial à 47 km au nord de la ville, sur la US-95, bifurquer vers l'ouest à Kyle ou Lee Canyons. Station de ski à Lee Canyon. Emplacements payants pour caravanes et motor-homes.
Tél. (702) 385 6255

ACTIVITÉS CULTURELLES

MUSÉES

● **Nouveau-Mexique**

Albuquerque Museum
Riches collections tant dans le domaine artistique que scientifique datant du XIXᵉ siècle. Entrée gratuite. Du mar. au ven. de 10 h à 17 h et le sam. et le dim. de 13 h à 17 h.
2000, Mountain Rd. NW.
Tél. (505) 242 4600
Harwood Foundation Museum
Peintures des tous premiers artistes de Taos, mobilier ancien et artisanat espagnol.
25, Ledoux St., Taos, tél. (505) 758 3063
Indian Pueblo Cultural Center
A l'est de la vieille ville d'Albuquerque. Centre d'art et d'artisanat indiens. Ouvert du lun. au sam. de 9 h à 17 h et le dimanche à 12 h à 17 h.
Tél. (505) 843 7270
International Space Hall of Fame
Près d'Alamogordo, à 3 km au nord-est de la US-54. Dédié aux pionniers de la conquête de l'espace. Exposition de roches lunaires, satellites, etc.
Tél. (505) 437 2840
Milicent Rogers Museum
A 6 km au nord de Taos, près de la NM-3. Collections exceptionnelles d'art et d'artisanat indiens et espagnols.
Tél. (505) 758 2462
Museum of New Mexico
Il possède trois départements dans Santa Fe :

– Le Museum of Fine Arts propose des expositions de peintures, sculptures et photographies. Tous les jours de 9 h à 16 h.
Tél. (505) 982 6400
– Le Palace of the Governor, ancien siège du gouvernement espagnol. Expositions archéologiques et historiques. De 10 h à 16 h 45. Fermé le lundi en hiver.
Tél. (505) 827 6483
– Le Museum of International Folk Art : des expositions d'art folklorique du monde entier, avec la collection de la Fondation Girard.
Tél. (505) 827 8350

National Atomic Museum
Vaste exposition sur le thème de l'énergie nucléaire civile et militaire. Entrée libre, tous les jours de 9 h à 17 h.
Kirtland Air Force Base East,
tél. (505) 844 8443

Roswell Museum & Art Center
A Roswell. Ce musée, le plus grand du Nouveau-Mexique, fait une large place aux artistes locaux et à Robert H. Goddard, le «père de la fuséologie moderne». Du lun. au sam. de 9 h à 17 h et le dim. de 13 h à 17 h.

Wildernass Park Museum
A 13 km au nord d'El Paso, à l'intersection de Trans-Mountain Road et Gateway South. Dioramas et expositions sur les tribus indiennes de la région.
Tél. (915) 755 4332

● **Arizona**

Arizona Historical Society
Près de l'entrée du campus de l'université d'Arizona à Tuscon. L'histoire de l'Arizona y est évoquée à travers divers objets, des documents et des dioramas.
Tél. (602) 628 5774 .

Arizona Mineral Resource Museum
A Phoenix. La plus importante collection de minerais et minéraux de l'Arizona.
Tél. (602) 255 3791

Arizona Museum
A Phoenix. Deux mille ans d'histoire de l'Arizona, dans le bâtiment en adobe du premier musée de Phoenix. Du mer. au dim. de 11 h à 16 h.
Tél. (602) 253 2734

Arizona-Sonora Desert Museum
Dans les Tuscon, Mountains, à 24 km à l'ouest de Tuscon. Découverte de la faune désertique dans un environnement naturel reconstitué.

Arizona State Museum
A Tuscon sur le campus de l'université d'Arizona. Abrite l'une des plus belles collections d'art amérindien du Sud-Ouest.

Central Arizona Museum of History
A Phoenix. Présente l'histoire de l'Arizona central. Reconstitution d'un ancien magasin, d'une pharmacie et d'une boutique de jouets anciens.
Tél. (602) 255 4479

Desert Botanic Garden
A Phoenix. Plus de 12 000 espèces de plantes désertiques. Visites guidées, expositions et excursions sur le terrain. Ouvert de 8 h au coucher du soleil.
Tél. (602) 941 1217

Heard Museum
A Phœnix. Collection d'anthropologie et d'art primitif, mettant l'accent sur la préhistoire et l'histoire du Sud-Ouest américain ainsi que la culture indienne contemporaine.
Tél. (602) 252 8848

Mesa Museum
A Phoenix. Exposition sur le lavage du sable aurifère, outils anciens des Hohokams et une cellule de prison datant de 1890. Entrée libre. Du mar. au sam. de 10 h à 16 h.
Tél. (602) 834 2230

Phoenix Art Museum
A Phoenix. Collections permanentes sur la Renaissance et le XVIIIe siècle français, sur l'art américain et mexicain. Du mar. au sam. de 10 h à 17 h, mer. jusqu'à 21 h et dim. de 13 h à 17 h.
Tél. (602) 257 1222

Pioneer Arizona Museum
A Phœnix. Illustration vivante de l'histoire de l'Arizona des années 1880. Ouvert de 9 h 30 à 16 h 30.
Tél. (602) 993 0212

Pueblo Grande Museum
A Phoenix. Ruines hohokam, dont on pense qu'elles ont été occupées par les Indiens de 200 av. J.-C. jusqu'à 1400. De 9 h à 16 h 45.
Tél. (602) 275 3452

Tempe Historical Museum
Près de Phoenix. L'histoire de Tempe retracée à travers diverses expositions de mobilier, de vêtements, d'outils, de photos, etc. Entrée libre, de 9 h à 17 h du mar. au sam.
Tél. (602) 966 7902

● **Nevada**

Imperial Palace Auto Collection
A Las Vegas. Importante collection privée d'automobiles anciennes. De 9 h 30 à 11 h 30 tous les jours.
Tél. (702) 733 3311

Museum of Natural History
Sur le campus de l'université du Nevada. Expositions sur la culture indienne du Sud-

Ouest américain. De 9 h à 17 h du lun. au ven.
Tél. (702) 173 93381
Old Mormon Fort
A Las Vegas. Exposition historique, avec une
réplique d'un salon mormon du XIXᵉ siècle.
Tél. (702) 382 7198
Southern Nevada Museum
Entre Henderson et Boulder. Expositions en
plein air, principalement sur l'histoire du
Nevada du Sud.
Tél. (702) 565 0907

OBSERVATOIRES

● **Nouveau-Mexique**

W.J. McDonald Observatory
Sur le Mount Locke, une flèche rocheuse culminant à 2040 m, près de Fort Davis, au sud-
est d'El Paso. Cet observatoire dépend de
l'université du Texas et possède quatre télescopes à réflecteur, dont l'un mesure 2,68 m
(c'est l'un des plus grands du monde). Un
centre d'information pour les visiteurs au pied
de la montagne propose des expositions, des
projections de diapositives. Centre ouvert du
lun. au sam. de 9 h à 19 h, le dim. de 13 h à
19 h, du 1er juin au 31 août; et du lun. au sam.,
de 9 h à 17 h, le dim. de 13 h à 17 h, le reste de
l'année. Entrée gratuite.
Tél. (915) 426 3263
Sacramento Peak Observatory
A Sunspot, près d'Alamagordo. Ouvert tous
les jours de 8 h à 17 h. Visites guidées gratuites
le sam. à 14 h, du 6 mai au 31 octobre.
Very Large Array (VLA)
A 78 km à l'ouest de Socorro, sur la US-60.
L'un des plus importants ensembles de radiotélescopes au monde. Entrée libre.
*Public Education Officer, National Radio
Astronomy Observatory, Box O, Socorro,
NM 87801*

● **Arizona**

Kitt Peak National Observatory
Dans le sud-ouest de Tucson, au bord de la
réserve indienne des Papagos. Prendre la State
86 jusqu'à la State 386. Cet observatoire possède la plus belle collection de télescopes du
monde et dispose de moyens importants pour
la recherche astronomique. Le fameux
McMath Solar Telescope fait partie des plus
gros d'entre eux. Centre d'accueil des visiteurs,
boutique cadeaux et expositions, ouverts tous
les jours de 10 h à 16 h. Entrée libre.
Tél. (602) 327 5511

Lowell Observatory
Sur le campus de Northern Arizona University
à Flagstaff. Fondé en 1894 par le Dr Percival
Lowell, cet observatoire de renommée mondiale a découvert la planète Pluton en 1930 et
a contribué depuis à un grand nombre de
découvertes sur le système solaire et son évolution. Situé au sommet de Mars Hill, en plein
cœur de la ville. Des visites guidées sont organisées les jours de semaine seulement, à
13 h 30. Durant l'été, l'observatoire organise
des nocturnes le vendredi.
Tél. (602) 774 2096

VILLES FANTÔMES

Les centres miniers abandonnés, connus sous
le nom de villes fantômes, sont nombreux dans
les régions montagneuses du Sud-Ouest.

Les visiteurs sont tenus d'observer et de respecter toute la signalisation, de ne pas toucher
aux portails et de ne rien enlever. Dans les
régions désertiques, des inondations soudaines
rendent parfois les routes impraticables;
veillez donc, avant de partir, à vous renseigner
sur les conditions météorologiques.

● **Nouveau-Mexique**

Chloride
A 53 km au nord-ouest de Truth or Consequences, sur la I-25, NM-52. Fondée après la
découverte d'un filon d'argent, en 1881.
Colfax
A 18 km au nord-est de Cimarron sur la US-
64. Le premier filon minier fut découvert en
1895 et son exploitation commença en 1901.
Elizabethtown
A 8 km au nord d'Eagles Nest, NM-38. Cette
ville fondée après la découverte d'un filon d'or,
en 1866, séduisit le célèbre tireur Clay Allison.
Entre autres vestiges, vous découvrirez
l'ancien Mutz Hotel et le cimetière.
Hillsboro
A 48 km au sud-ouest de Truth or Consequences, sur la I-25, NM-90. Fondée en 1877,
après la découverte d'un filon d'or et d'argent
qui produisit environ 6 millions de dollars en
lingots.
Kelly
A 45 km à l'ouest de Socorro, sur la US-60.
Fondée après la découverte, en 1886, d'un
filon de plomb qui rapporta plus de 28 millions
de dollars.
Kingston
A 60 km au sud-ouest de Truth or Consequences, sur la I-25, NM-90. Fondée après la

découverte d'un filon d'argent, en 1882. La comédienne Lillian Russel s'y produisit et Sheba Hearst, héros du roman de Mark Twain *Roughing It* (*A la dure*), y est enterré.

Lake Valley
A 75 km au sud-ouest de Truth or Consequences, sur les I-25, NM 90 et 27. Fondée après la découverte, en 1878, d'un filon d'argent. Site de la fameuse Bridal Chamber Mine, le filon le plus important de toute l'histoire minière du Sud-Ouest américain.

Mogollon
A 113 km au nord-ouest de Silver City, US-l80, NM-78. Fondée en 1879, après la découverte d'un filon d'or. Retraite de Butch Cassidy dans les années 1890. Le site est bien préservé.

Shakespeare
A environ 2 km au sud de Lordsburg. Cette ville fut la scène d'une sordide escroquerie de diamants en 1872. Visites guidées de 10 h à 14 h le second dimanche de chaque mois.

Steins
A 30 km au sud-ouest de Lordsburg, sur la I-10. C'est dans cette région que le hors-la-loi Black Jack Ketchum attaqua un train en 1898.

Watrous
A 30 km au nord-est de Las Vegas, sur la I-25. Ancienne étape du Santa Fe Trail.

White Oaks
A 18 km au nord-est de Carrizozo, sur la US-54, NM-349. Site d'une ancienne mine d'or où Billy the Kid tenta, en 1880, un vol de bétail.

Winston
A 59 km au nord-ouest de Truth or Consequences, I-25 et NM-52. Ville fondée en 1882.

● **Arizona**

Bisbee
A 143 km au sud-est de Tucson. Ville surnommée « La Reine des campements miniers ». Connut un passé mouvementé dans les années 1880. Visites guidées dans les galeries minières de Queen Mine, Lavendar Pit et Brewery Gulch.

Charleston
A 12 km au sud-ouest de Tombstone. Utilisée par l'armée américaine pendant la Seconde Guerre mondiale comme site d'entraînement pour ses troupes de combat rapproché. Il ne reste plus aujourd'hui que quelques débris de tôle éparpillés et quelques constructions en adobe. Se garer près de San Pedro River Bridge et marcher vers le nord jusqu'aux ruines.

Cochran
A 24 km à l'est de Florence, sur Kelvin Highway, vers le nord, en direction de la Gila River. Ancien dépôt de chemin de fer.

Congress
A 3 km de Congress Junction. Site d'une riche mine d'or. Ruines de baraquements et vieux cimetière bien entretenu. Mine fermée au public.

Contention City
Près de Tombstone. Une autre de ces villes aujourd'hui abandonnées où l'on traitait le minerai en provenance de Tombstone.

Courtland
A 30 km au nord de Douglas, 9 km environ après la sortie de la US-666. Ce campement minier était jadis florissant.

Dos Cabezas
Sur la AZ-186, à 22 km au sud-est de Willcox. La ville n'est que partiellement abandonnée et un bureau de poste fonctionne toujours.

Duquesne
A 30 km à l'est de Nogales. Établie au début du siècle, cette ancienne ville minière compta jusqu'à mille résidents. Son bureau de poste fut construit en 1890.

Ehrenberg
Dans le comté de Yuma. C'est aujourd'hui une ville en plein essor. Quelques vieilles maisons en adobe et un cimetière témoignent de son passé florissant.

Gleeson
A 24 km à l'est de Tombstone. Avant l'arrivée des Espagnols, les Indiens extrayaient des turquoises dans cette région. John Gleeson prospecta le site dans les années 1880 et, plus tard, Tiffany lança l'exploitation des mines de turquoises. Ruines pittoresques, cimetière.

Goldfield
A 8 km d'Apache Junction, sur la AZ-88. Ville minière des années 1890. Quatre des puits d'origine, avec leurs galeries, sont accessibles au public.

Goldroad
A 35 km au sud-ouest de Kingman. Filon d'or découvert par John Moss aux environs de 1864. Un deuxième gisement fut exploité par Joe Jerez en 1902.

Harrisburg
A 12 km au sud de Wenden. Première ville établie dans cette partie du désert.

Harshaw
A 15 km au sud-est de Patagonia. Fondée aux environs de 1875, la ville posséda très vite un journal, *The Bullion* (Le Lingot), des saloons, de nombreux magasins, et exploita une centaine de mines dans les environs. Nombreuses ruines en adobe.

Hilltop
A 54 km au sud-est de Willcox, sur la AZ-186. La ville s'implanta d'abord sur le versant ouest

de la montagne, puis un tunnel la relia au versant est où une autre ville plus importante fut établie.

Jerome
A 45 km au nord-est de Prescott. Établi en 1876, ce site minier (extraction du minerai de cuivre) a vu sa population augmenter jusqu'à 15 000 habitants vers 1929. Sa mine principale produisit près de 500 millions de dollars avant de fermer, en 1952.

Kofa
Sur la US-95, au sud de Quartzsite. Site du riche filon d'or découvert en 1896 et baptisé King of Arizona.

La Paz
A 12 km au nord d'Ehrenberg. Centre de traitement de l'or et port fluvial, cette ville connut une prospérité de 7 ans. Entre 1862 et 1873, elle comptait plus de 5 000 habitants.

McCabe
A 4 km à l'ouest de la route 69, à Humbolt, *via* Iron King Mine. Ville minière datant de la fin du XIXᵉ siècle.

McMillen
Près de la US-60, à 15 km environ au nord-est de Globe. Sa fondation fut liée à l'exploitation de la célèbre Stonewall Jackson Mine, découverte en 1876.

Mineral Park
A 22 km environ de Kingman, près de Duval Copper Mine. Ce fut l'une des premières villes importantes de la région. Elle est toujours habitée.

Mowry
A 22 km au sud-est de Patagonia. Cette petite ville s'est développée autour d'une ancienne mine d'argent, de plomb et de zinc achetée à la fin des années 1850 par Sylvester Mowry, officier de l'armée américaine. L'entreprise de Mowry échoua en 1862, lorsqu'il fut accusé de fournir du plomb aux Confédérés. Il fut emprisonné et sa mine confisquée.

Oatman
A 48 km au sud-ouest de Kingman. Ville minière (extraction de l'or) en activité de 1900 à 1942.

Oro Blanco
Une trentaine de kilomètres à l'ouest de Nogales. Cette mine d'or fut en activité de 1873 à 1932. Ruines d'adobe.

Paradise
Au sud de la I-10, sur la frontière entre l'Arizona et le Nouveau-Mexique, à 9 km au nord-ouest de Portal. Ville minière datant des années 1900 et dont l'activité fut de courte durée. Des vétérans y habitent encore et se feront un plaisir de vous faire visiter la prison et les vestiges de divers commerces.

Pearce
A 1,5 km de la US-666, en un point situé à 45 km au sud de Willcox. Cet ancienne exploitation minière comptait 2 000 résidants. C'était le plus riche filon d'or du sud de l'Arizona. Magasin et bureau de poste toujours en activité, maisons abandonnées en adobe.

Signal
Sur Big Sandy Road, à 96 km au nord-ouest de Wickenburg, 12 km au sud de Wickieup sur la US-93, sur une piste. Fondée à la fin des années 1870 comme centre de traitement du minerai des mines de McCrakin et Signal.

Stanton
A 9 km à l'est d'Arrowhead Station, sur la US-89, 63 km au sud-ouest de Prescott.

Tiger
Au nord-est de Wickenburg, près de Wagoner, au bord de Hassayampa Creek. On prétend que ce fut le premier filon d'argent important découvert dans le nord de l'Arizona.

Vulture Mine
A 18 km à l'ouest de Wickenburg sur Vulture Mine Rd. Filons d'or et d'argent découverts par Henry Wickenburg en 1863. La mine rapporta 200 millions de dollars avant que le gouvernement ne décide sa fermeture, en 1942.

Walker
Sur la AZ-69, à quelques kilomètres à l'est de Prescott. Ruines d'une mine datant de la fin des années 1800.

Washington Camp
A 30 km au sud de Patagonia. Ancien centre de liaison entre Duquesne, Mowry et Harshaw. Nombreuses ruines. Vérifier l'état des routes.

Weaver ou Weaverville
Au nord-est de Wickenburg, à 3 km de Stanton. Cette ville pittoresque porte le nom de Pauline Weaver, un guide dont le groupe découvrit accidentellement un filon d'or.

RÉSERVES INDIENNES

● **Arizona**

Ak-Chin Reservation
Une petite réserve à 85 km au sud de Phoenix. La fête de la Saint Francis Church a lieu le 4 octobre et les élections du conseil tribal, le deuxième samedi de janvier, donne lieu à un barbecue géant.
Ak-Chin Indian Community, Rte 2, P.O. Box 27, Maricopa, AZ 85239, tél. (602) 568 2227

Camp Verde Reservation
Le centre d'information de cette réserve yavapai-apache (juste à la sortie du Blank Canyon Freeway) abrite un musée tribal. Attractions :

Montezuma Castle National Monument, chasse, randonnée, pêche.
Yavapai-Apache Indian Community,
P. O. Box 1188, Camp Verde, AZ 86322,
tél. (602) 567 3649

Cocopah East & West Reservation
A 18 km au sud-ouest de Yuma. Le Heritage Art Museum possède une intéressante collection de bijoux, d'outils agricoles et de costumes traditionnels.
Cocopah Tribal Council, Bin « G», Somerton,
AZ 85350, tél. (602) 627 2102

Colorado River Reservation
Courses de bateaux sur le lac Moovala. Rodéo et Indian Day Celebration. Musée d'art et d'artisanat. Chasse, pêche, sports nautiques.
Colorado River Indian Tribes, Rte 1, Box 23-B,
Parker, AZ 85344, tél. (602) 669 9211

Fort Apache Reservation
Nombreuses manifestations telles que le rodéo et la foire annuels du Labor Day (premier week-end de septembre). Camping, pêche, randonnées à cheval et à pied.
White Mountain Apache Tribe, P. O. Box 700,
Whiteriver, AZ 85941, tél. (602) 338 4346

Fort McDowell Reservation
A 53 km au nord-est de Phoenix, dans le comté de Maricopa. Pêche et camping.
Mojave-Apache Tribal Council,
P. O. Box 17779, Fountain Hills, AZ 85268,
tél. (602) 990 0995

Fort Mojave Reservation
A 380 km au nord-ouest de Phoenix. Cette réserve s'étend sur l'Arizona, le Nevada et la Californie. Activités : pêche, chasse (petit gibier), sports nautiques et camping.
Fort Mojave Tribal Council, P. O. Box 888-500,
Merriman Avenue, Needles, CA 92363

Fort Yuma Reservation
A 278 km au sud-ouest de Phoenix. Pêche, sports nautiques, camping.
Quechan Tribal Council, P. O. Box 1352,
Yuma, AZ 85364, tél. (714) 572 0213

Gila River Reservation
A 60 km au sud de Phoenix. Cette réserve abrite les tribus pima et maricopa. A voir : le Gila River Arts and Crafts Center, le Gila Heritage Village et Museum et le lac Firebird. Rodéo et élection de Miss Gila River en avril, fête de la mission Saint John en mars.
Gila River Indian Community,
P. O. Box 97, Sacaton. AZ 85247,
tél. (602) 963 4323 ou 562 3311

Havasupai Reservation
A 705 km au nord-ouest de Phoenix. La tribu des « Eaux bleu-vert » habite dans le Havasupai Canyon, une vallée latérale au Grand Canyon. Le village de Supai n'est accessible qu'à pied ou à dos de mulet par un chemin de 13 km au départ de Hilltop. L'Annual Peach Festival s'y déroule au mois d'août.
Havasupai Tribal Council. Box 10, Supai,
AZ 86435

Hualapai Reservation
A 406 km au nord-ouest de Phoenix. Cette grande réserve s'étend sur la partie occidentale du Grand Canyon. Activités : randonnées, chasse, pêche et descente du Colorado.
Hualapai Tribal Council, P. O. Box 168, Peach
Springs, AZ 86434

Kaibab-Paiute Reservation
A 640 km au nord de Phoenix. Attractions touristiques : le Pipe Springs National Monument et un musée. Terrain de camping.
Kaibab-Paiute Tribal Council, Tribal Affairs
Building, Pipe Springs Rt., Fredonia, AZ
86022, tél. (602) 643 7245

Papago Reservation
A 206 km au sud de Phoenix. Cette vaste réserve abrite le Kitt Peak National Observatory, le Papago Village Solar Power Project de Schuchuli (le premier village au monde à n'utiliser que l'énergie solaire), la grotte de Ventana, les ruines de Forteleza et la mission San Xavier del Bac. Rodéo et foire.
Papago Tribal Council, P. O. Box 837, Sells,
AZ 85634 , tél. (602)383 2221

Pascua-Yaqui Reservation
A 203 km au sud-ouest de Phoenix, près de Tucson. Statues inspirées par la danse du daim et peintures exécutées par les enfants. Attractions : cérémonie de Pâques et fêtes de la Reconnaissance en septembre.
Pascua Yaqui Tribal Council,
4821 West Call Vicam, Tucson, AZ 85706,
tél. (602) 883 2838

Salt River Reservation
A 22 km au nord-est de Phoenix, limitrophe de Scottsdale. Camping et pique-nique.
Salt River Pima-Maricopa Tribal Council,
Rte 1, Box 216, Scottsdale, AZ 85256,
tél. (601) 949 7234

San Carlos Reservation
Limitrophe de Fort Apache. Attractions : pêche sur le lac de San Carlos, chasse et camping. Rodéo et foires organisés tout au long de l'année.
San Carlos Apache Tribal Council, P. O. Box 0,
San Carlos, AZ85550, tél. (602) 475 2361

Tonto-Apache Reservation
Randonnées et aires de pique-nique.
Tonto-Apache Tribal Council, P. O. Box 1440,
Payson, AZ85541, tél. (602) 474 5000

Yavapai-Prescott Reservation
Yavapai-Prescott Tribal Council, P.O. Box 348, Prescott, AZ 86302, tél. (602) 445 8790

● **Nouveau-Mexique**

Hopi Reservation
Grande réserve située à l'intérieur du territoire navajo. Centre culturel, manifestations rituelles toute l'année (le public peut maintenant assister à la danse des Serpents).
Hopi Tribal Council, P.O. Box 123, Kyakotsmovi, AZ 86039, tél. (602) 734 2401

Mascalero Apache Reservation
Réserve mescalero entre Ruidoso et Tularosa. Pêche, chasse, camping.
P.O. Box 176, Mescalero, NM 88340, tél. (505) 671 4494

Navajo Reservation
Cette réserve réunit les « sept merveilles » de la nation navajo : Monument Valley, le canyon de Chelly, les gorges de Little Colorado River, les Grand Falls, le Rainbow Bridge, le Betatakin et Window Rock. Manifestations rituelles, rodéos, foires, chasse, pêche, randonnées pédestres et camping.
Navajo Nation, P.O. Box 308, Window Rock, AZ 86515, tél. (602) 871 6659 ou New Mexico Office of Indian Affairs, Bataan Building, Santa Fe, NM 87503, tél. (505) 827 6440

SPECTACLES ET MANIFESTATIONS

Spectacles

● **Arizona**

TUSCON

Arizona Opera Company
La compagnie se produit à Tucson et à Phoenix.
Tucson Community Center Music Hall, tél. (602) 293 4336

Arizona Theater Company
De nov. à la fin mai. Troupe faisant appel à des acteurs réputés. Six pièces par saison.
Tucson Community, Center Little Theatre, tél. (602) 622 2823

Invisible Theater
De sept. à fin juin. Théâtre expérimental.
1400 North First Ave., Tucson, tél. (602) 882 9721

Southern Arizona Light Opera Company
De nov. à la fin mai. Acteurs amateurs et semi-professionnels.

Tucson Community Center Music Hall, tél. (602) 323 7888

Territorial Dance Theater
De l'automne à la fin du printemps.
Tucson Community Center Little Theater, tél. (602) 327 1381

Tucson Metropolitan Ballet
D'octobre à fin avril. Trois ballets par saison.
Tucson Community Center Music, tél. (602) 296 0264

Tucson Pops Orchestra
Concerts en plein air l'été.
Reid Park Bandshell, tél. (602) 791 4873

University of Arizona Artist Series
De sept. à la fin avril. Jazz, musique de chambre, etc.
Grand Auditorium de l'université d'Arizona

University of Arizona Repertory Theater
Trois productions estivales (comédies musicales et théâtre).
University Theater

University Theater
Dans l'université d'Arizona. De sept. à la fin avril. Pièces mises en scène par le Département d'art dramatique.
Tél. (602) 626 1162

PHOENIX

Gammage Center for the Performing Arts
A Tempe. Cette salle conçue par Frank Lloyd Wright abrite diverses manifestations.
Tél. (602) 965 3434

Celebrity Theater
Théâtre de 2 700 places doté d'une scène tournante.
Tél. (602) 267 1600

Phoenix Symphony Orchestra
Les concerts ont lieu au Phoenix Civic Plaza Convention Center and Symphony Hall, d'oct. à mai. Musique classique et musique populaire.
Tél. (602) 264 4754

Scottsdale Symphony Orchestra
A Scottsdale. Toute l'année, concerts de musique symphonique ou populaire. Concerts donnés par des étudiants.
Tél. (602) 945 8071

Sundome Center for the Performing Arts
A Sun City West. Salle de 7 200 places où se produisent des orchestres symphoniques, des troupes de théâtre et de danse.
Tél. (602) 975 1900

Winterstock Regional Theater
A Mesa. Troupe itinérante de théâtre. Environ 80 représentations annuelles dans tout l'État.
Tél. (602) 964 1171

● Nouveau-Mexique

ALBUQUERQUE

New Mexico Symphony Orchestra
Concerts de janvier à juin au Popejoy Hall, dans l'université du Nouveau-Mexique. Tous les spectacles commencent à 20 h 15. Billets et informations au *(505) 843 7657*.
  Également: L'**Albuquerque Opera Theater**, l'**Albuquerque Civic Light Opera**, l'**Albuquerque Little Theater**, l'**Albuquerque Ballet** et le **Chamber Orchestra of Albuquerque**.

TAOS

Taos School of Music Summer Series
Concerts classiques, récitals, concerts d'étudiants, de juin à début août au Taos Community Auditorium.
Tél. (505) 776 2388

Taos Repertory Company
Représentations théâtrales de la fin juil. au début de sept. Du mar. au dim. au Taos Community Auditorium.
Tél. (505) 758 2052

SANTA FE

Santa Fe Bach Festival
Début février. Un événement annuel avec pour fer de lance l'orchestre de Santa Fe.
Tél. (505) 988 4640

Santa Fe Festival Theater
Juillet-août. La plupart des représentations ont lieu du jeudi au samedi à 20 h. Dimanche à 14 h.
Tél. (505) 983 9400

Santa Fe Film Festival
Fin avril. Manifestation annuelle. Débats avec acteurs, scénaristes et réalisateurs.
Tél. (505) 827 2889

Santa Fe Chamber Music Festival
De la mi-juillet à la mi-août. Musiciens internationaux réputés. Auditorium Saint Francis et Santuario Guadalupe.
Tél. (505) 983 2075

EL PASO

El Paso Symphony Orchestra
A El Paso. Une saison de concerts classiques, ainsi que des concerts de musique populaire en été. Les troupes d'amateurs et de professionnels sont actives toute l'année et l'université du Texas à El Paso finance des spectacles de danse et d'autres activités culturelles.

LAS CRUCES

Las Cruces Symphony Orchestra
Concerts donnés tout au long de l'année au Zohn Theater de Las Cruces.

RUIDOSO

Ruidoso Summer Festival
Festival annuel (en juin) de deux semaines. Concerts donnés par des orchestres symphoniques du Sud-Ouest.
Las Vegas and Ruidoso Summer Festival, Ruidoso, NM 88345, tél. (505) 527 7929

● Utah

BEAVER - SAINT GEORGE

Théâtre de répertoire
La compagnie des Pioneer Courthouse Players interprète des pièces du répertoire régional dans le vieux tribunal de Saint George. En été, l'Old Courthouse de Beaver abrite également des représentations théâtrales.

CEDAR

Le Festival shakespearien de l'Utah
Ce festival se déroule dans un théâtre en plein air, sur le campus universitaire de Cedar.

MANIFESTATIONS

● Nouveau-Mexique

JANVIER

Albuquerque Gymnastics Invitational
Au début du mois. Des athlètes de diverses nationalités viennent se mesurer sur le stade de l'université du Nouveau-Mexique.

FÉVRIER

Southwest Livestock Show and Rodeo
A El Paso. Concours de bétail, rodéo et spectacles de country et western.

MARS

Deming Rock Hound Roundup
A Deming, du début à la mi-mars. Plus de 500 participants venus de 41 États se rassemblent chaque année pour participer à des fouilles guidées (agates, cristaux, marbre et onyx rose).
Tél. (505) 546 2674

AVRIL

Santa Fe Spring Festival
De la fin avril à début mai. Expostions d'art colonial espagnol, spectacles et démonstrations des techniques agraires traditionnelles.
Tél. (505) 471 2661

MAI

Bénédiction des animaux
Dans la vieille ville d'Albuquerque, près de l'église San Felipe de Neri.

Pilar White Water Races
Près de Los Alamos. Début mai. C'est l'événement annuel du Rio Grande : 75 champions de rafting en canoë-kayak affrontent les rapides du Pilar sur 20 km.

JUIN

Albuquerque Arts & Crafts Fair
Fin juin. Cette foire annuelle est actuellement la plus importante du Nouveau-Mexique; plus de 200 artisans y participent.
Tél. (505) 884 9043

McKelligon Canyon Amphitheater
A El Paso, les soirs d'été. Reconstitutions historiques et spectacles.

New Mexico Arts & Crafts Fair
A Albuquerque. Fin juin. Foire avec vente d'art et d'artisanat.

Old Town Fiesta
Au Sandia Pueblo, le jour de la San Antonio (13 juin). Danse des moissons.

Tigua Saint Anthony's Day Ceremony
Dans la réserve de Tigua (sud-est). Fête de la San Antonio (13 juin). Cérémonies et danses traditionnelles.

JUILLET

Festival d'El Paso
Dans le centre-ville d'El Paso. Durant tout le mois. C'est la plus importante manifestation organisée dans cette ville, avec expositions historiques, banquets traditionnels, danses et musique.

Rodeo annuel de Santa Fe
Début juillet. Défilé et spectacles
Tél. (505) 983 7317

Spanish Market de Santa Fe
Fin juillet. Sous le portail du palais des Gouverneurs. Plus de 30 artisans présentent leurs productions : broderies colchas, bultos en bois, retables traditionnels, meubles, bijoux filigranés.
Tél. (505) 983 7317

AOUT

Annual Indian Market
Plus de 500 artisans et un concours primé de 20 000 dollars. Danses indiennes sous le portail du palais des Gouverneurs de Santa Fe, marché d'art et d'artisanat sur la plaza.
Tél. (505) 983 5220

Annual Great American Duck Race
A Deming, fin août. Près de 500 canards en course pour le titre de «canard le plus rapide du monde».
Tél. (505) 546 2674

Feria Artesana
Dans le parc Tiguex de la vieille ville d'Albuquerque. Manifestation célébrant plus de 400 ans d'héritage hispanique : art et artisanat traditionnels et modernes.

SEPTEMBRE

El Paso Chilifest
Au Civic Center d'El Paso. Parmi les manifestations, un concours primé de chili Terlingua et diverses activités sur le parvis du Civic Center.

Fiesta de las Flores
A El Paso. Un week-end de carnaval aux accents latino-américains.

Fiesta de Santa Fe
Du début à la mi-septembre. La plus ancienne célébration du genre dans le pays. Elle commémore le rétablissement de l'État du Nouveau-Mexique, en 1692-93, par le général don Diego de Vargas.
Tél. (505) 983 7317

Hatch Chile Festival
Début septembre à Deming. Manifestation annuelle réservée aux amateurs de chili. Exposition d'art et concours de chili.
Tél. (505) 267 3071

Kermezaar
Au Civic Center d'El Paso. Une exposition des meilleurs artistes et artisans du Sud-Ouest.

Las Cruces Whole Enchilada Fiesta
Fin sept. à début oct. Danses dans les rues, défilés, tournois, concerts et la plus grosse enchilada du monde. Sur le *Mall* et ailleurs.
Tél. (505) 524 1968

OCTOBRE

Annual Trinity Site Tour
A Alamogordo. Le 1er octobre. Une visite de 1 h 30 est organisée sur le site de l'explosion de la première bombe atomique. C'est le seul jour de l'année où ce site est ouvert au public.
Tél. (505) 437 6120

Santa Fe Annual Festival of the Arts
Fin octobre. Plus de 150 exposants, concours avec jury d'art, artisanat et photographie.

Santa Fe Annual Harvest Festival
Début octobre. C'est la fête des Récoltes. Dans le cadre du Rancho de las Golondrinas, un authentique village colonial espagnol et un véritable musée vivant.
Tél. (505) 471 2261

NOVEMBRE

Indian National Finals Rodeo
A Alburquerque. Les concurrents du rodéo sont des Indiens venus de tous les États-Unis et du Canada. Un prix de 80 000 $ et le titre de champion du monde attend le meilleur cow-boy indien.

Sun Bowl
A El Paso. En nov.-déc.-jan. Diverses festivités et événements sportifs, dont la coupe de football annuelle du Sun Bowl.

DÉCEMBRE

Las Posadas
Dans la vieille ville d'Albuquerque, durant les neuf jours précédant Noël. Processions autour de la plaza avec des cierges allumés, pour rendre hommage à Joseph et à la Vierge Marie.

Luminaria Tours
Le 24 décembre. Les illuminations de Noël à Albuquerque.

● **Arizona**

JANVIER

Arizona National Livestock Show
A Phoenix. Première quinzaine de janv. Ventes aux enchères de bétail. Finale du championnat de rodéo du Turquoise Circuit.
Tél. (602) 258 8568

Iceberg Derby Sailboat Races
Sur le lac de Havasu. Fin janv.
Tél. (602) 855 4115

Lake Havasu City Sailing Federation Cruise
Course de bateaux sur le lac Havasu.
Tél. (602) 855 4115

Open de golf de Phoenix
Tél. (602) 263 0757

Tempe Annual Fiesta Bowl
A Tempe. Début janv. Festival sportif parmi les plus importants des États-Unis. Plus de 75 000 spectateurs et une très large audience télévisuelle nationale.
Tél. (602) 952 1280

FÉVRIER

Arizona Horseshow
Défilé de chevaux à Phoenix. Du 14 au 20 fév.
Tél. (602) 252 6771

Carnaval d'hiver
A Alpine. Mi-février.
Tél. (602) 339 4754

Custom Car Show
Exposition d'automobiles à Yuma.
Tél. (602) 344 3800

Desert Botanical Garden Cactus Show
Phoenix. Fin fév. *Tél. (602) 941 1217*

Festival annuel d'art culinaire national
A Scottsdale. Mi-février.

Indian Fair
Au Heard Museum de Phoenix. Mi-février.
Tél. (602) 252 8848

Parada del Sol
A Scottsdale. La parade comprend des danses de rue, un rodéo et un très long défilé de chars.
Tél. (602) 945 8481

O'Odham Tash Indian Pow-wow and Rodeo,
A Casa Grande. Rodéos, danses indiennes, tournoi de basket, élection de la reine « O'Odham »
Tél. (602) 836 2125

Open hippique de Valley of the Sun
A Mesa. Mi-février.
Tél. (602) 985 1525

Quartzsite Pow-wow Gem & Mineral Show
A Quartzsite. Début fév. Une des plus grandes attractions touristiques de l'État. Exposition de pierres précieuses et de minéraux.
Tél. (602) 927 6325

Silver Spur Rodeo & Parade
A Yuma. Mi-février.
Tél. (602) 738 3641

Tucson Gem & Mineral Show
Exposition de minéraux au Tucson Community Center et dans d'autres lieux d'exposition.

Wickenburg Gold Rush Days & Rodeo
A Wickenburg. Mi-fév. *Tél. (602) 684 5479*

MARS

Festival d'art des South Mountain
A Phoenix. Fin mars.
Tél. (602) 963 7742

Fiesta de los Vaqueros
Défilés et rodéos, à Tucson. Début mars.
Tél. (602) 792 2250

Marathon de Waterski
A Havasu. Mi-mars.
Tél. (602) 855 4115

Maricopa County Fair
A Phoenix. Mi-mars.
Tél. (602) 267 1996

Phoenix Jaycees Rodeo
Première quinzaine de mars.
Tél. (602) 264 4808
Pioneer Days
A Peoria. Fin mars.
Tél. (602) 979 3601
Tombstone Territorial Days
A Tombstone. Début mars.
Saint Patrick's Day
Fête et défilé dans la ville de Sedona.
Tél. (602) 282 7722
Spring Art Festival
A Scottsdale. Fin mars.

AVRIL

All Police Rodeo
A Prescott. Fin avril.
Tél. (602) 778 1967
Desert Regatta
Festivité sur le lac de Havasu City.
Tél. (602) 855 4115
Festival de San Xavier
A Tucson. Le 8 avril.
Inter-American Arts Festival
A Tucson. Un festival ou se mêlent les traditions indiennes, espagnoles, mexicaines et américaines.
Tél. (602) 622 6911
Old Town Tempe Festival of Art
A Tempe. Durant tout le mois d'avril.
Tél. (602) 967 4877
Pioneer Days
A Kearny. Fin avril.
Rodeo Jill Thompson
A Florence. Mi-avril.
Tél. (602) 868 5873
Rodeo Little Britches
A Sierra Vista. Début avril.
Spring Art Festival
Au lac d'Havasu. Début avril.
Tél. (602) 855 4115

MAI

Festival de jazz en plein air
A Scottsdale. Début mai.
Yavapai County Sheriff Posse Roping
A Prescott. Concours de grimper de corde auquel participent les représentants de l'ordre.
Tél. (602) 445 5713

JUIN

Bisbee Renaissance Festival
A Bisbee. Deuxième quinzaine de juin.
Tél. (602) 432 2141

Coconino Combined Event Horse Trials
A Flagstaff. Course hippique d'obstacles.
Tél. (602) 774 3411
Festival de musique
A Payson. Mi-juin. *Tél. (602) 474 4515*
Festival d'arts de Flagstaff
De la mi-juin au début août. Célébration de l'art sous toutes ses formes.
Tél. (602) 774 4505
Festival d'art amérindien de Flagstaff
De la mi-juin au début août.
Tél. (602) 779 5944
Fête de la Saint-Jean
A Saint Johns. Fin juin. *Tél. (602) 337 4390*
Flagstaff Appaloosa Horse Show
A Flagstaff. Spectacle hippique. Mi-juin.
Tél. (602) 774 7422
Pine Country Rodeo
à Flagstaff. Deuxième quinzaine de juin.
Tél. (602) 474 4505
Sonoita Horse Show
A Sonoita. Spectacle hippique. Début juin.
Tél. (602) 455 5585
Territorial Days
A Prescott. Début juin.
Tél. (602) 445 2000

JUILLET

Festival de Gospel
A Payson. Début juillet.
Tél. (602) 478 4218
Festival des Indiens hopi
A Flagstaff. Début juillet.
Tél. (602) 774 5211
Festival des Indiens navajo
A Flagstaff. De la fin juillet au début août.
Tél. (602) 774 5211
Flagstaff Native American Dancing
Danses folkloriques et marché en plein air.
Tél. (602) 774 5211
Payson Loggers' Sawdust Festival.
Fin juillet. Une compétition de bûcherons (hommes et femmes) venus de tous les États-Unis.
Tél. (602) 474 4515
Pioneer Days
A Saint-Johns. Fin juillet.
Tél. (602) 337 2000
Prescott Bluegrass Festival
Fin juillet. *Tél. (602) 445 2000.*
Prescott Frontier Days
A Prescott. Début juillet. La capitale de l'Arizona s'anime chaque année, avec un rodéo et divers tournois sur la plaza.
Whiteriver Indian Celebration
A Whiteriver. Fête indienne. Début juillet.
Tél. (602) 338 4617

AOUT

Danse du serpent et cérémonial smoki
A Prescott. Début août.
Tél. (602) 445 1230
Festival de poésie de Bisbee
Mi-août. *Tél. (602) 432 2141*
Old Time Fiddlers Contests
A Globe. Concours de violonistes. Mi-août.
Tél. (602) 473 4000
World's Oldest Continuous Rodeo
A Payson. Mi-août ou fin août. Le plus ancien rodéo du monde. Cette manifestation qui dure trois jours existe depuis 1884.
Tél. (602) 474 4515

SEPTEMBRE

Apache County Fair
A Saint Johns. Mi-septembre.
Tél. (602) 337 2695
Bill Williams Moutain Men's Rodeo
A Williams. Au début du mois, 3 jours de rodéo et un défilé avec les Bill Williams Mountain Men.
Tél. (602) 635 2041
Cochise County Fair
A Douglas. Fin-septembre.
Tél. (602) 364 3819
Coconino County Fair
A Flagstaff. Début septembre.
Tél. (602) 779 6631
Gila County Fair
A Globe. Fin septembre.
Tél. (602) 425 7611
Mexican Fiesta Days
A Peoria. Mi-septembre.
Tél. (602) 979 3720
Northern Gila County Fair
A Pine. Mi-septembre.
Tél. (602) 474 2359
Santa Cruz County Fair
A Sonoita. Mi-septembre.
Tél. (602) 455 5585
Square Dance Festival
A Payson. Début septembre.
Tél. (602) 474 4515
Spectacles hippiques
A Prescott. De la fin sept. au début oct.
Tél. (602) 445 7820
State Fiddler's Championship
A Payson. Deux jours de festivités avec un concours du meilleur violoniste.
Tél. (602) 474 4515
Tombstone Wild West Days
Le rendez-vous des tireurs d'élite.
Tél. (602) 457 2211

Yavapai County Fair
A Prescott. Fin septembre.
Tél. (602) 445 7820

OCTOBRE

Arizona Mule Days
A Globe. Fin oct. *Tél. (602) 425 4495*
Billy Moore Days Western Celebration
A Avondale. Mi-octobre.
Tél. (602) 932 2260
Copper Country Square Dance Festival
A Globe. Mi-octobre.
Tél. (602) 425 8431
Grand Prix de Go-Cart
A Coolidge. En octobre.
Tél. (602) 723 3009
October Art Fest
A Payson. Début octobre.
Tél. (602) 474 4515
Rex Allen Days & Rodeo
A Willcox. Début octobre.
Tél. (602) 384 4271
Rodeo Weekend
A Parker. Fin octobre.
Tél. (602) 669 2174
Tombstone Helldorado Days
Deuxième quinzaine d'oct. Une très ancienne manifestation célébrant chaque année le Tombstone de l'époque de la ruée vers l'ouest.
Tél. (602) 457 2211

NOVEMBRE

Foire de l'État d'Arizona
A Phoenix. De la fin oct. au début nov.
Four Corner States Bluegrass Music Finals
A Wickenburg. Trois jours de championnat dans les diverses catégories de musique populaire.
Rodeo et foire papago
A Sells.

DÉCEMBRE

Fête tumacacori
A San José de Tumacacori, Tucson.
Fiesta del Sol Rodeo
A Apache Junction. En décembre.
Tél. (602) 982 6081
Tuscon Rodeo
Début déc. *Tél. (602) 624 2333*
Fourth Avenue Street Fair
A Tuscon.
Winterhaven Festival of Lights
Fête des Lumières dans la banlieue de Winterhaven à Tucson. En décembre.

Fiesta Bowl Parade
A Phoenix. Fin déc. L'une des plus grandes parades du pays, avec des chars, des chevaux, des orchestres, etc.

● **Las Vegas**

JANVIER

Show Boat Invitational Bowling Tournament
Tournoi de bowling. Ce tournoi, doté d'un prix de 150 000 dollars, est l'un des plus anciens. Le Showboat Hotel accueille une autre compétition de bowling professionnel en juillet.
Tél. (702) 385 9123

AVRIL

Desert Inn LPGA Golf Tournament
Tournoi de golf professionnels et amateurs de quatre jours avec des invités célèbres.
Tél. (702) 733 4444
Boulder City Spring Jamboree
A Boulder. Les citoyens célèbrent l'arrivée du printemps par des courses, des tournois, un barbecue et une exposition d'art primée, le Black Canyon Juried Art Show.
World Series of Poker
Les enchères montent chaque année.
Tél. (702) 382 1600
Moapa Valley Art Show
A Overton. Cette exposition-vente d'art est l'une des plus importantes du Nevada.
Henderson Industrial Days
A Henderson. La ville la plus jeune du Nevada (elle fut fondée en 1941) est en fête pendant 5 jours.
Tél. (702) 565 8951
Mint 400
Au Mint Hotel. L'une des courses automobiles les plus difficiles des États-Unis.

JUIN

Helldorado Days
Ce rodéo professionnel et les festivités qui l'accompagnent sont une tradition importante de Las Vegas.

AOUT

Jaycees State Fair
5 jours de festivités dont un carnaval, des courses et une fête foraine.
Frontier 500
Fin août. Au départ du Frontier Hotel, une course automobile dont les participants

doivent rejoindre Reno en deux jours.
Tél. 702/732-0110

SEPTEMBRE

Jerry Lewis Muscular Distrophy Association Telethon
Début sept. Au Caesar's Palace.
Tél. (702) 731 7110
Las Vegas Boat and Ski Races
Courses et ski nautique sur le lac Mead.
Tél. (702) 293 2034
Las Vegas Pro-Celebrity Classic
La première de ce tournoi de golf très richement doté a eu lieu en 1983, avec un prix de 1 million de dollars. Les meilleurs joueurs du monde y participent.
Tél. (702) 382 6616
San Gennaro Feast
Deuxième quinzaine de sept. Fête d'origine italienne avec orchestres, bals, banquets et célébrités. Au Dunes Hotel de Las Vegas.
Tél. (702) 369 5501
Grand prix automobile de Thomas et Mack Caesar's Palace
De la fin sept. au début oct. 4 jours de course automobile, avec les plus grands pilotes.
Tél. (702) 731 7865

OCTOBRE

Boulder City Art in the Park Festival
Début oct. Government Park et Bicentennial Park, à Boulder City. Exposition d'art en plein air.
Tél. (702) 293 2034
North Las Vegas Fairshow and Nevada Champion Balloon Races
Courses de ballons. Fin octobre.
Tél. (702) 642 1944
Imperial Palace Antique Auto Run
Course de voitures anciennes, 90 km au départ de l'Imperial Palace jusqu'au Red Rock Canyon et retour.
Tél. (702) 731 3311

DÉCEMBRE

Parade of Lights
En déc. Illuminations de Noël sur le lac Mead. Une flottille de bateaux locaux assure la liaison de nuit entre la marina du lac et Boulder Beach.
New Year's Fireworks Show
Festival de feux d'artifice, la veille du jour de l'an. A la Union Plaza de Las Vegas.
Tél. (702) 386 2110

SHOPPING

L'artisanat indien a toujours beaucoup de succès auprès des touristes. Certains produits artisanaux indiens sont même souvent de véritables objets d'art. Pour en apprécier la qualité, il est conseillé de se rendre dans les meilleurs comptoirs indiens, dans les réserves ou les pueblos, même si les productions artisanales sont également en vente dans les centres commerciaux locaux.

Le Sud-Ouest américain est une région où l'artisanat est à la fois bien représenté et en pleine expansion. De petites boutiques comme des centres d'art tels que ceux de Santa Fe, Taos et Sedona proposent de magnifiques poteries, vanneries, tissages, vêtements, parures de plumes ou bijoux, le tout fait à la main. Ces boutiques sont généralement regroupées autour des plazas ou dans les quartiers « d'artistes ». Les articles proposés sont souvent représentatifs du style du Sud-Ouest : un mélange d'influences hispaniques et de traditions indiennes.

Les poupées hopi ou kachina peuvent atteindre des sommes très élevées, leur prix variant selon la qualité du travail et la noblesse des matériaux utilisés. L'argent et la turquoise sont les deux principaux matériaux utilisés pour l'orfèvrerie indienne.

Les Hopis, les Pimas et les Papagos fabriquent de très beaux paniers en osier. En Arizona, les Hopis réalisent également avec talent des couvre-lits et les Navajos des tapis.

Enfin, plus rares et donc plus recherchés sont des articles tels que les courtepointes, les ceintures et les châles que fabriquent les Hopis.

Quelques adresses :

– **The Plaza**, à Albuquerque, dans la vieille ville, est l'un des meilleurs centres commerciaux du Nouveau-Mexique, avec plusieurs dizaines de boutiques. On y trouve des productions artisanales de qualité.
– **Bien Mur Indian Market Center**, près d'Albuquerque, au pueblo de Sandia. Vous trouverez là de fort belles productions artisanales indiennes.
– **Toas** est un véritable Éden pour les collectionneurs et les acheteurs. Les meilleures galeries d'art sont, pour la plupart, dans la rue principale, au nord, et sur Highway, à l'est, à proximité du centre-ville.

POUR LES GOURMETS

SAVEURS LOCALES

Pour les voyageurs, les repas sont aussi dépaysants et riches en couleur que les gigantesques canyons bariolés et les mesas. Une seule assiette peut contenir à la fois des piments rouges et verts, du maïs jaune et bleu, un monticule de haricots bruns accompagnés de crème fraîche, une portion de salade croquante coupée en fines lamelles, une incroyable préparation vert fluorescent à base de navets portant le nom de *guacamole* dans laquelle ont été plantés, tels des drapeaux, des chips de maïs salées ; enfin, pour couronner le tout, une sauce tomate rouge vif, des piments verts, de la coriandre et des oignons blancs. Ce plat, véritable palette épicée de textures et de contrastes, devrait enflammer votre palais !

En plus de la cuisine traditionnelle, on trouve dans certaines grandes villes telles que Santa Fe, Taos et Phoenix des restaurants en tout genre, des pizzerias à la nouvelle cuisine. A Albuquerque, on trouve même un café « dim sum » qui vaut le déplacement. Cependant, même si ces derniers restaurants vous attirent, n'hésitez pas à goûter la vraie cuisine locale : commandez un bol de *posole*, savourez la *tortilla* de maïs bleu, de plus en plus difficile à trouver, essayez la *carne adovada*, achetez un *taco* ou *burrito* et régalez-vous de haricots, encore et toujours de haricots...

Quelques adresses :

● **Arizona**

Avanti
2728 E, Thomas Rd., Phoenix, AZ,
tél. (602) 956-0900
Cuisine d'Italie du Nord. Abordable.
Different Pointe of View Restaurant
Pointe Resort, 11111 N, 7 th St., Phoenix, AZ
Grande cuisine. Vue sur la ville. Cher.
El Chorro Lodge
5550 E, Lincoln Drive, Scottsdale, AZ,
tél. (602) 948-5170
Cuisine américaine simple. Le cadre : un vieux ranch biscornu.
The Orangerie
Arizona Biltmore, Phoenix, AZ,
tél. (602) 954-2507
Grande cuisine servie dans le plus beau restaurant de l'Arizona.

Rosita's Place
2310 E, McDowell Road, Phoenix, AZ,
tél. (602) 244 9779
La meilleure cuisine mexicaine de toute la vallée. Bon marché.

● **Nouveau-Mexique**

Cosa Cordova
Arroyo Seco, Taos, NM,
tél. (505) 776 2200
Excellente cuisine américaine et mexicaine. Le
cadre : une vieille hacienda en adobe.
Cher mais à ne pas manquer.

Owl Bar and Cafe
San Antonio, NM,
tél. (505) 835 9946
Les meilleurs *Chili hamburgers* du monde.
Bon marché.

Rancho de Chimayo
High Road to Taos,
Chimayo, NM,
tél. (505) 351 4444
Hacienda de style ancien.
Abordable.

Tinnie's
Une chaîne de restaurants à travers le
Nouveau-Mexique. Toute une gamme de plats
bien cuisinés.

● **Utah**

Francisca's
Central and Third East, Monticello
De la bonne cuisine mexicaine dans une
ambiance de cantine.
Bon marché.

La Buena Vida Cantina
*Caineville, UT (sur la lisière gauche du
Capitol Reef National Park)*
Excellente cuisine mexicaine.
Très bon marché.

RÉGLEMENTATION SUR L'ALCOOL

La législation en matière d'alcool est complexe. Cependant, à travers tout le pays, l'âge
minimal requis pour l'achat et la consommation de boissons alcoolisées est en général, de
21 ans.

Mais les lois régissant les ventes d'alcool
varient en fonction des États. Au Nouveau-
Mexique, dans l'Utah, au Colorado et au
Nevada, la consommation d'alcool est légale-
ment autorisée à partir de 21 ans, en Arizona,
à partir de 19 ans et à partir de 18 ans au
Texas. Dans le Colorado, les jeunes de 18 ans

peuvent acheter de l'alcool dans la plupart des
supermarchés.

En Arizona et à Las Vegas, les établissements détenant une licence de débit de boissons ont le droit de vendre de l'alcool à la
bouteille et au verre. Au Nouveau-Mexique,
les bouteilles d'alcool sont en vente dans les
drugstores, les épiceries et, bien sûr, chez les
marchands de vins et spiritueux. L'alcool est
vendu au verre dans les bars et les établissements licencié. Au Colorado, vous trouverez de
l'alcool en bouteille chez les marchands de vins
et spiritueux et dans la plupart des drugstores
qui, avec toutefois quelques restrictions, pratiquent couramment la vente au verre.

Toutes les ventes d'alcool de l'Utah passent
par des commerces détenant une licence
d'État. Tous les magasins vendant des coffrets
d'alcool (et ne permettant pas la consommation sur place) sont fermés le dimanche et les
jours fériés. Un certain nombre de restaurants
et d'hôtels détiennent une licence leur permettant de vendre des mini-bouteilles et des
« échantillons de vin ». L'alcool acheté dans un
restaurant doit être consommé sur place, au
cours du repas. Il est possible d'obtenir de la
bière dans la plupart des restaurants, des épiceries et des drugstores, sept jours sur sept.

OÙ LOGER

HÔTELS ET MOTELS

Même s'il ne s'agit pas toujours d'établissements de grand standing, on est à peu près certain de trouver des prestations correctes dans
les hôtels et chaînes de motels. De plus, si vous
avez l'intention de couvrir de longues distances, un opérateur s'occupera à votre place
des réservations dans les hôtels de vos pro-
chaines destinations.

Les tarifs varient assez souvent. Renseignez-
vous donc auprès des hôtels avant de réserver.
Les tarifs hors saison sont souvent bien moins
élevés que ceux des pleines saisons. De plus,
les prix fluctuent considérablement au sein
d'une même ville. Phoenix, par exemple, est
connue pour ses énormes différences de prix à
prestations égales.

Si vous décidez de séjourner dans des lieux
touristiques ou dans des villes situées à proximité de parcs nationaux ou de centres de loisirs, il est préférable de réserver à l'avance,
surtout en pleine saison.

Voici la liste des chaînes d'hôtels :

Best Western : *tél. (800) 528 1234*
Hilton : *tél. (800) 445 8667*
Holiday Inn : *tél. (800) 465 4329*
Howard Johnson's : *tél. (800) 654 2000*
Hyatt : *tél. (800) 228 9000*
Marriot : *tél. (800) 228 9290*
Quality Inn : *tél. (800) 228 5151*
Ramada : *tél. (800) 272 6232*
Sheraton : *tél. (800) 325 3535*
Westin : *tél. (800) 228 3000*

Quelques adresses de budget motels :
Budget Host Inns : *tél. (800) 258 7064*
Suisse Chalet Inter. : *tél. (800) 258 1980*

BED & BREAKFAST

Cette formule bien connue, hébergement avec petit déjeuner compris, n'a cessé de se développer au cours des dix dernières années sur l'ensemble du territoire américain. Les *Bed and breakfast* se trouvent généralement dans la campagne et offrent aux voyageurs une formule d'hébergement originale.

Ce sont souvent des maisons anciennes qui possèdent entre cinq et quinze chambres. En général, les salles de bains sont communes et la télévision ou le téléphone rarement installés dans les chambres. Les prix vont de 35 dollars à 100 dollars.

Pour tout renseignement complémentaire, consulter les guides *Bed & breakfast* édités par Rand Mac Nally ou contacter les organismes suivants :
American Historio Homes Bed & Breakfast
P.O. Box 336, Dana Point, CA 92629,
tél. (714) 496 6953
Christian Bed & Breakfast of America
P.O. Box 388, San Juan Capistrano, CA 92693, tél. (714) 496 7050

CAMPING

Vous trouverez dans le Sud-Ouest américain un nombre considérable de terrains de camping. Comme en Europe, la qualité varie nettement d'un site à un autre, mais il faut savoir que les installations sont toujours spacieuses, agréables, et que les capacités d'accueil sont respectées.

Les campings les plus luxueux offrent à leurs clients des services de grande qualité : piscine, tennis, restaurant, emplacements pour les Recreational Vehicles, garderie pour les enfants, etc.

La plupart des parcs nationaux, forêts nationales et parcs d'État possèdent des installations pour les campeurs. Ces campings publics sont généralement assez rudimentaires, mais les emplacements sont peu onéreux et le site est toujours séduisant.

Les campings privés se trouvent sur l'ensemble du territoire, souvent à proximité des attractions touristiques. Légèrement plus chers que les précédents, ils sont mieux équipés : des coins-cuisine, des laveries, etc. La plupart des terrains sont regroupés en associations ; la plus importante, avec environ 600 adhérents, est la *Kampgrounds of America* (KOA.). Vous pouvez obtenir une liste des terrains, moyennant 1 dollar, en écrivant directement à l'association.

Attention, les campings sont très souvent complets pendant les deux mois d'été. Il est conseillé de réserver au moins deux mois à l'avance. Pour plus de renseignements :

Appalachian Mountain Club
5, Joy Street, Boston, MA 02108,
tél. (617) 523 0636
Kampgrounds of America (KOA)
P.O. Box 30162, Billings, MT 59114,
tél. (406) 248 7444
Mistix (centrale de réservation)
P.O. Box 85705,
San Diego, CA 92138- 5705,
tél. (619) 452 5956
Sierra Club
530, Bush Street, San Francisco, CA 94108,
tél. (415) 776 2211

Vous pouvez également vous renseigner auprès des parcs et des forêts nationaux, ou bien des parcs d'État. Leurs coordonnées se trouvent dans la rubrique Nature et loisirs. Enfin, vous pouvez contacter les bureaux d'aministration du territoire, dont voici les coordonnées :

Arizona Bureau of Land Management
2400, Vallel National Bank Center,
Phoenix, AZ85073,
tél. (602) 241-5547
New Mexico Bureau of Land Management
P.O. Box 1449,
Santa Fe, NM 87501,
tél. (505) 988 6000
Utah Bureau of Land Management
University Club Bldg., Room 1500,
136 E, South Temple,
Salt Lake City, UT84111,
tél. (801) 524 4227

Il n'existe que quelques centaines d'auberges de jeunesse (ouvertes, en fait, aux «jeunes» de tous âges) aux États-Unis. De plus, elles sont assez mal réparties sur le territoire: certains États en possèdent plusieurs, d'autres aucune. Il est donc préférable de contacter l'American Youth Hostels pour savoir si vous trouverez des auberges dans les régions que vous comptez visiter.

Cette formule d'hébergement a ses avantages et ses inconvénients. Ce sont les auberges les moins chères (entre 8 et 10 dollards la nuit), et l'on y établit facilement des contacts avec des gens d'horizons très différents. Mais les règlements sont parfois contraignants : le séjour maximal est de trois jours, les auberges sont fermées pendant la journée, le couvre-feu est déclaré à partir de 22 h, garçons et filles sont en chambres ou dortoirs séparés, sauf dans les centres qui accueillent les familles ; enfin, alcool et tabac sont interdits.

Pour obtenir la liste des auberges de jeunesse, contacter :

American Youth Hostels, Inc.
1332 I Street NW, Washington, DC 20005,
tél. (202) 783 616
Fédération unie des auberges de jeunesse
27, rue Pajol, 75018 Paris,
tél. 46 07 00 01

LES SPORTS

Les excursions de 1 à 7 jours sont particulièrement réputées sur la Green River, la Colorado River et la San Juan River. En principe, la saison va de mai à septembre. Les organismes spécialisés dans ce genre d'excursions sont à Moab, Green River, Grand Junction, Colorado, Recapture Lodge et Bluff (pour la descente de San Juan River). Le prix pratiqué, en règle générale, est de 80 $ par personne et par jour.

Western River Guides Association, Inc.
994, Denver St., Salt Lake City, UT 84111,
tél. (801) 355 3388

Le Nouveau-Mexique est un véritable centre pour les sports d'hiver, avec des stations destinées aux skieurs de tous niveaux. L'État dispose de 14 stations de ski et consacre beaucoup d'efforts à leur promotion et leur développement : un bulletin d'information quotidien sur les conditions météorologiques et l'enneigement des pistes est disponible par téléphone, 24 h sur 24 et sept jours sur sept. Appeler au *(505) 984 0606.*

L'Arizona offre d'excellentes pistes pour le ski de randonnée à Fairfield Snow Bowl, Mount Lemmon Ski Area et Mormon Lake Ski Touring Center. Pour tout renseignement, s'adresser aux stations de sports d'hiver de l'Arizona : **Apache-Sitgreaves**, **Coconino** et **Kaibab**.

En Utah, les principaux domaines skiables sont situés dans le Nord, notamment à proximité de Salt Lake City. Briand Head Ski Lifts et Mount Holly, deux sites moins connus, et par conséquent moins fréquentés, sont dans le sud de l'État. Pour le bulletin d'enneigement journalier, appeler le *(801) 964 6000.*

Les régions les plus réputées du Colorado pour les sports d'hiver sont au nord de Mesa Verde et des Great Sand Dunes. Il ne faut pas mésestimer pour autant Purgatory Ski Area and Alpine Slide, à 40 km au nord de Durango, dans la San Juan National Forest : cette station en expansion comprend 7 télésièges et un remonte-pente. L'ambiance y est familiale. Pour tout renseignement, téléphoner au *(303) 247 9000* ou joindre la chambre de commerce de Durango. L'ancienne ville minière de Telluride, reconvertie en station de sports d'hiver, propose également de nombreuses pistes intéressantes (l'une d'elles, surnommée *Plunge*, «la dégringolade», annonce bien des frissons !).

Le permis de pêche est obligatoire sauf, dans certains cas, pour les enfants de moins de 12 ans. Vous pourrez l'obtenir dans les marinas, dans les magasins de sport ou d'articles de pêche. La chasse au gros gibier est, dans l'Utah notamment, soumise à une sévère réglementation. Renseignez-vous auprès des autorités locales :

New Mexico Dept. of Game and Fish
State Capitol, Villagra Building, Santa Fe,
NM 87503,
tél. (505) 827 7882
Arizona Game and Fish Department
2222 W, Greenway Road,
Phoenix, AZ 85023,
tél. (602) 942 3000

Colorado Wildlife Division
6060, Broadway, Denver, CO 80216
Pêche : *tél. (303) 291 7533*
Chasse : *tél. (303) 291 7546 ou 291 7529*
Utah Division of Wildlife Resources
1596, West North Temple,
Salt LAke City, UT 84116
Pêche : *tél. (801) 596 8660*
Chasse : *tél. (801) 596 8660*
Nevada Dept. of Wildlife
Southern Nevada Office, 4747, West Vegas
Drive, Las Vegas, NV 89108,
tél. (702) 385 0285

GOLF ET TENNIS

Le centre de l'Arizona est un haut lieu pour les joueurs de golf et de tennis. La région de Phoenix et, dans une certaine mesure, celle de Tucson, disposent non seulement de terrains publics et privés mais d'hôtels et ranches touristiques avec golf et courts de tennis. Pour tout renseignement, s'adresser à :

Metropolitan Tucson Convention and Visitors Bureau
130 S, Scott Ave.,
Tucson, AZ 85702,
tél. (602) 624 1817
Phoenix and Valley of the Sun Convention and Visitors Bureau
505 N, 2nd St.,
Phoenix, AZ 85018,
tél. (602) 254 6500

ANNEXE

CHAMBRES DE COMMERCE/OFFICES DE TOURISME

● **Arizona**

Arizona Office of Tourism
1100, Washington St.,
Phoenix, AZ85007,
tél. (602) 542 4068
Metropolitan Tucson Convention and Visitors Bureau
130 S, Scott Ave.,
Tucson, AZ 85701,
tél. (602) 624 1889
Phoenix and Valley of the Sun Convention and Visitors Bureau
505 N, 2nd St., Suite 300,
Phoenix, AZ, 85004,
tél.(602) 254 6500

● **Nouveau-Mexique**

Convention and Visitors' Bureau
625, Silver Ave. SW, Suite 210, P.O. Box 26866,
Albuquerque, NM 87125,
tél. (800) 284 2282
Convention & Visitors Bureau
P.O. Box 909,
Santa Fe, NM 87504,
tél. (800) 777 CITY
Taos County Chamber of Commerce
Santa Fe Road, Box 01, Taos, NM 87571,
tél. (800) 732 TAOS

● **Nevada**

Greater Las Vegas Chamber of Commerce
2301 E, Sahara Ave., Las Vegas, NV 89104,
tél. (702) 733-2323

● **Utah**

Grand County Travel Council
805 N, Main St., Box 550, Moab, Utah 84532,
tél. (800) 635-6622

AMBASSADES ÉTRANGÈRES AUX ÉTATS-UNIS

France
2535, Belmont Rd.,
Washington, DC 20008,
tél. (202) 234 0990
Belgique
3330, Garfield St., NW,
Washington, DC 20008,
tél. (202) 333-6900
Canada
1746, Massachusetts Ave., NW,
Washington, DC 20036,
tél. (202) 785 1400
Suisse
2900, Cathedral Ave., NW,
Washington, DC 20008,
tél. (202) HQ2 1811

BIBLIOGRAPHIE

GUIDES TOURISTIQUES

États-Unis, Centre et Ouest,
Guides Bleus, Hachette
États-Unis, l'Ouest et le Centre,
Arthaud
Les États-Unis,
Guides du routard, Hachette

Les Grands Parcs du Sud-Ouest,
Arthaud
Far-West,
Guides Jika, éditions Jika, 1986

INDIENS

Terre indienne, un peuple écrasé, une culture retrouvée,
Autrement, coll. « Monde », 1991
Lee Walter (A.),
L'Esprit des Indiens,
Casterman, 1990
Brody (J.),
Anasazi : les premiers Indiens du Sud-Ouest américain,
Édisud, 1993
Cazeneuve (J.),
Les Indiens zunis : les dieux dansent à Cibola,
Rocher, 1993
Hungry Wolf (B.),
Paroles indiennes,
Plon, 1990
Fohlen (Cl.),
Les Indiens d'Amérique du Nord,
PUF, coll. « Que sais-je ? », 1985
Marienstras (E.),
La Résistance indienne aux États-Unis,
Gallimard, 1980
Pac (R.),
Les Guerres indiennes aujourd'hui,
Messidor, 1986
Rostkowski (J.),
Le Renouveau indien aux États-Unis,
L'Harmattan, 1986
Turner (G.),
Les Indiens d'Amérique du Nord,
Armand Colin, 1985

DOCUMENTAIRES / GÉOGRAPHIE

Porter (E.),
The West,
Hologramme, 1988
Sartorius/Friedrich,
Les Canyons : Arizona et Utah,
Bucher (C.J.), 1990
Jeier/Eisenschink,
USA, le Sud-Ouest,
Vilo, 1993
George (P.),
Géographie des États-Unis,
PUF, coll. « Que sais-je ? », 1984
Blaise (B.), Lacassin (F.),
Ville mortes et villes fantômes de l'Ouest américain,
Éditions Ouest-France-Édilarge, 1990

Hillerman (T.),
Country,
Rivages, 1992

LITTÉRATURE

Ring Ray,
Arizona Kiss,
Gallimard, 1992
Updike (J.),
« S »,
Gallimard, 1992
Berger (Y.),
La Pierre et le saguaro,
Livre de Poche, 1991
Truman (C.),
Handcarved Coffins,
LGF, 1992
Cela Camilo (J.),
Cristo Versus Arizona,
Julliard, 1993
Laxness (H. K.),
Le Paradis retrouvé,
Gallimard, coll. « Imaginaire », 1990
Reid Thoams Mayne,
L'Ouest retrouvé,
Presses de la Cité, 1993
Water (F.),
L'Homme qui a tué le cerf,
Rocher, 1992

HISTOIRE

Les Grandes Dates des États-Unis
Larousse, coll. « Essentiel », 1989
Artaud (D.), Kaspi (A.),
Histoire des États-Unis,
Armand Colin, 1980
Boorstin (D.),
Histoire des Américains,
Laffont, coll. « Bouquins », 1991
Cazaux (Y.),
Le Rêve américain, de Champlain à Cavelier de la Salle,
Albin Michel, 1988
Jacquin (Ph.),
Vers l'Ouest, un Nouveau Monde,
Gallimard, coll. « Découvertes », 1987

BANDES DESSINÉES

Morris & Goscinny,
Lucky Luke,
50 volumes aux éditions Dupuis et Dargaud (depuis 1949). L'épopée humoristique et légendaire de l'Ouest.

CRÉDITS PHOTOGRAPHIQUES

1	Vautier-de-Nanxe	36	Richard Erdoes	86	Allan C. Morgan
2-3	Buddy May	37	Avec l'aimable	88	Kathleen N. Cook
6-7	Allan C. Morgan		autorisation du	89	Buddy Mays
8	Kathleen N. Cook		Museum of Mexico	91	Allan C. Morgan
10-11		39	Allan C. Morgan	92	Buddy Mays
12-13	Kathleen N. Cook	40	Richard Erdoes	93	Donald Young
14-15	Tom Tidball	41	Ronnie Pinsler	94-95	Vautier-de-Nanxe
17	Buddy May	42	Vautier-de-Nanxe	96	Vautier-de-Nanxe
18-19	Donald Young	44	Vautier-de-Nanxe	99	Vautier-de-Nanxe
21	Richard Erdoes	45	Buddy Mays	100	Joseph Viesti
22	Richard Erdoes	46-47	Terrence Moore	101	Sam Curtis
23	Vautier-de-Nanxe	48	Ronnie Pinsler	102	Joseph Viesti
24	Avec l'aimable	50	Richard Erdoes	103	Donald Young
	autorisation du	52	Richard Erdoes	104	Vautier-de-Nanxe
	Museum of Mexico	53	Richard Erdoes	105	Dallas & John
25	Ellis Armstrong	54	Buddy Mays		Heaton
26	Richard Erdoes	57	Buddy Mays	106-107	Vautier-de-Nanxe
27	Richard Erdoes	59	Buddy Mays	108	Lee Marmon
28	Buddy May	60	Buddy Mays	109	Donald Young
29	Buddy May	61	Buddy Mays	111	Vautier-de-Nanxe
30-31	Avec l'aimable	63	Buddy Mays	112	Karl Kernberger
	autorisation du	65	Buddy Mays	113	Karl Kernberger
	Museum of Mexico	66-67	Vautier-de-Nanxe	114	Kathleen N. Cook
32	Frank Randall/	68	Vautier-de-Nanxe	115	Vautier-de-Nanxe
	Harvey Caplin	72-73	Vautier-de-Nanxe	116	Joseph Viesti
	Collection	74	Kathleen N. Cook	117	Joseph Viesti
33	Avec l'aimable	76	Richard Erdoes	118-119	Terrence Moore
	autorisation du	77	Buddy Mays	121	Terrence Moore
	Museum of Mexico	78	Buddy Mays	122	Ronnie Pinsler
34	Avec l'aimable	79	Buddy Mays	123	Terrence Moore
	autorisation du	81	Ellis Armstrong	124	Terrence Moore
	Museum of Mexico	82-83	Vautier-de-Nanxe	126	Karl Kernberger
35	Richard Erdoes	84	Buddy Mays	127	Richard Erdoes
	(tableau de Widmar)	85	Kathleen N. Cook	128	Ellis Armstrong

CRÉDIT PHOTOGRAPHIQUES

129	Karl Kernberger	167	Buddy Mays	204	Terrence Moore
130-131	Buddy Mays	168	Buddy Mays	205	Kathleen N. Cook
132	Lee Marmon	169	Buddy Mays	206	Dallas & John
113	Ellis Armstrong	170	Ellis Armstrong		Heaton
134	Dick Kent	171	Richard Erdoes	207	Dallas & John
135	Richard Erdoes	172-173	Vautier-de-Nanxe		Heaton
136	Buddy Mays	174	Terrence Moore	208	Vautier-de-Nanxe
137	Buddy Mays	175	Sam Curtis	209	Dallas & John
138-139	Richard Erdoes	176	Allan C. Morgan		Heaton
140	Richard Erdoes	178	Suzi Barnes	210	Vautier-de-Nanxe
141	Richard Erdoes	179	Terrence Moore	211	Vautier-de-Nanxe
142	Richard Erdoes	180	Terrence Moore	212	Dallas & John
143G	Richard Erdoes	181	David Ryan		Heaton
143D	Ellis Armstrong	182	Allan C. Morgan	213	Dallas & John
144	Buddy Mays	183	Terrence Moore		Heaton
145	Buddy Mays	184	Suzi Barnes	214	Vautier-de-Nanxe
146-147	Buddy Mays	185	Buddy Mays	215	Vautier-de-Nanxe
148	Ellis Armstrong	186-187	Terrence Moore	216-217	Kathleen N. Cook
149	Buddy Mays	188	Terrence Moore	218	Kathleen N. Cook
150	Richard Erdoes	190	Terrence Moore	221	Lee Marmon
151	Ellis Armstrong	191	Avec l'aimable	223	Ronnie Pinsler
152	Buddy Mays		autorisation de la	224	Terrence Moore
153	Buddy Mays		Société d'histoire	225	Kathleen N. Cook
154	Ellis Armstrong		du Colorado	226	Vautier-de-Nanxe
155	Ellis Armstrong	192	Terrence Moore	228	Vautier-de-Nanxe
156-157	Buddy Mays	193	Terrence Moore	229	Kathleen N. Cook
158	Buddy Mays	194	Terrence Moore	230	Kathleen N. Cook
159	Buddy Mays	195	Allan C. Morgan	230	Kathleen N. Cook
160	Buddy Mays	196-197	Kathleen N. Cook	232	Suzi Barnes
161	Maxime Lundberg	199	Terrence Moore	235	Allan C. Morgan
162	Vautier-de-Nanxe	200	Terrence Moore		Illustration de
163	Terrence Moore	201	Allan C. Morgan		couverture :
164	Karl Kernberger	202	Allan C. Morgan		photographie de
165	Ellis Armstrong	203	Terrence Moore		Kathleen N. Cook

INDEX